la société française
1789-1970

Georges Dupeux

la société française 1789-1970

Armand Colin

103 bd Saint-Michel, Paris 5e

© Librairie Armand Colin, Paris, 1972.

ISBN 2-200-31037-4

AVANT-PROPOS

Un historien contemporain écrivait, il y a quelques années, que l'histoire sociale de la France au XIXᵉ siècle était encore « terra incognita ». Un jugement aussi sévère ne pourrait plus être porté aujourd'hui. La publication récente de thèses de doctorat tout orientées vers l'histoire sociale et d'excellents ouvrages de synthèse ont grandement amélioré nos connaissances, au moins pour certaines régions françaises et pour une partie du XIXᵉ siècle. Il n'est pas moins vrai que des lacunes considérables subsistent, et qu'il reste beaucoup à faire.

Les raisons de ce retard sont diverses. Il se pourrait que l'une des plus importantes tienne à la difficulté de définir avec précision le domaine de l'histoire sociale. Le désir, fort louable, de décrire dans tous ses détails la vie quotidienne des Français à diverses époques, aboutit trop souvent à une accumulation de détails pittoresques, mais dont on n'est nullement assuré qu'ils expriment une réalité vécue par tel ou tel groupe. A l'opposé, la description de modèles sociologiques, systématiques et abstraits, inspirés de conceptions a priori, aboutit à dresser l'écran d'une construction artificielle devant les événements et les individus.

Nous avons conçu cette histoire de la société française à l'époque contemporaine comme une histoire des groupes sociaux, définis par la place occupée dans le processus de production et la division sociale du travail, comme une histoire aussi de leurs rapports, et de l'évolution, dans le temps, de ces rapports. Nous avons cherché à montrer comment, dans cette évolution, certains groupes sociaux défavorisés et mécontents ont réussi à améliorer leur positon et assuré, pour quelque temps au moins, leur domination, parcourant ainsi toute la courbe qui les a menés de la revendication au conservatisme, puis à la réaction et à la peur sociale; comment d'autres groupes, autrefois prépondérants, ont été rejetés définitivement dans l'ombre tandis que d'autres encore se constituaient et exigeaient leur part de bien-être, sinon de pouvoir.

Au-delà de la description de l'évolution sociale, il nous a paru utile d'évoquer les facteurs qui l'ont provoquée. Les uns, que l'on pourrait appeler facteurs internes, ressortissent à la psychologie collective et peuvent être rassemblés sous la désignation générale de prise de conscience : prise de conscience d'une situation misérable ou d'une exploitation par d'autres groupes, prise de conscience d'une capacité virtuelle, d'ordre technique ou intellectuel, à occuper dans la hiérarchie sociale une position plus favorable, prise de conscience, parfois, d'une inadaptation à suivre l'évolution d'une société dans laquelle les sources de la richesse et les moyens de puissance ont changé de nature.

Les autres, les facteurs externes, sont plus directement liés à l'histoire. Au premier rang de ces facteurs, on serait tenté de placer les révolutions politiques qui jalonnent notre XIXe siècle. Il n'est pas certain qu'elles aient toutes eu, dans ce domaine, l'importance que les contemporains leur attribuaient. Inversement, les guerres, au moins celles du XXe siècle, ont exercé sur l'évolution de la société une influence que les contemporains ont eu de la peine à apercevoir. Les révolutions techniques ou, si l'on ne peut parler de révolution, l'accélération du progrès technique, ont fait plus encore. Le progrès technique exerce un double effet, dans le domaine de la production et dans celui de la consommation : il provoque de larges redistributions de main-d'œuvre entre les différents secteurs, primaire, secondaire et tertiaire ; il pousse à l'uniformisation de certaines consommations, promues au niveau de consommations de masse, y compris, aujourd'hui, une certaine forme de culture. Les rythmes, inégaux, du progrès technique accélèrent ou retardent l'évolution sociale.

Il est d'autres rythmes, enfin, dont on ne saurait exagérer l'importance ; ce sont les fluctuations longues de la conjoncture économique. Les périodes de prospérité atténuent les tensions sociales, mais tous les groupes ne profitent pas également de leurs bienfaits. Dans la course au bien-être, certains se détachent et d'autres restent à la traîne. Les périodes de dépression exaspèrent les conflits, mais elles ne sont pas également néfastes pour tous. Elles ont leurs victimes, mais aussi leurs profiteurs. Il convient donc de considérer les tournants des fluctuations économiques comme des repères chronologiques d'importance, de plus d'importance parfois que les grandes dates de l'histoire politique.

Les dimensions de ce manuel ne nous ont pas toujours permis de pousser les analyses aussi loin que nous l'aurions désiré. Mais on trouvera, à la fin de chaque chapitre, outre des cartes, graphiques et documents qui complètent l'exposé, une orientation bibliographique qui permettra, nous l'espérons, de satisfaire les curiosités que la lecture aura fait naître. Ces bibliographies signalent les publications les plus importantes et les plus récentes. Il ne nous a pas paru utile de dresser une longue bibliographie générale, puisque tous les éléments en sont fournis par les ouvrages spécialisés de la collection Clio (DROZ, GENET, VIDALENC, *L'Époque contemporaine* I — *Restaurations et Révolutions, 1815-1871*, Paris, P.U.F., 1953, et RENOUVIN, PRÉCLIN, HARDY, GENET, *L'Époque contemporaine* II — *La Paix armée et la grande guerre*, Paris, P.U.F., nouvelle édit., 1960) ou Nouvelle Clio (GODECHOT, *Les Révolutions, 1770-1799*, Paris, P.U.F., 1963).

Mais il nous faut dire ici tout ce que nous devons à certains ouvrages traitant du même sujet ou de sujets voisins : les tomes IV (*De 1848 à nos jours*, par Georges DUVEAU) et V

(*Cent Ans d'esprit républicain, 1875-1963*, par François BEDARIDA, Jean-Marie MAYEUR, Jean-Louis MONNERON et Antoine PROST) de l'*Histoire du peuple français* (Paris, Nouvelle Librairie de France, 1954 et 1964), les tomes III (*L'Ère des révolutions, 1765-1914*, par Claude FOHLEN et François BEDARIDA) et IV (*La Civilisation industrielle, de 1914 à nos jours*, par Alain TOURAINE) de l'*Histoire générale du travail* (Paris, Nouvelle Librairie de France, 1960 et 1961), le tome II de l'*Histoire de la civilisation française*, de Georges DUBY et Robert MANDROU (Paris, A. Colin, 1958), ainsi que l'ouvrage stimulant, parce qu'il nous apporte le point de vue de l'étranger, de Gordon WRIGHT, *France in modern times, 1760 to the present* (Londres, John Murray, 1962); et rappeler qu'une étude d'histoire sociale ne peut être menée à bien sans recourir aux grandes revues spécialisées : les *Annales (Économies, Sociétés, Civilisations)*, la *Revue d'histoire économique et sociale*, le *Mouvement social*, la *Revue d'histoire moderne et contemporaine*.

Il nous reste à nous acquitter d'un agréable devoir, celui d'exprimer notre profonde reconnaissance à tous ceux qui ont bien voulu nous aider dans ce travail, et particulièrement à nos collègues René Rémond, Jean Bouvier et Guy P. Palmade, qui ont pris la peine de lire notre manuscrit et de nous faire bénéficier de leurs conseils et de leurs amicales critiques. Qu'ils en soient ici vivement remerciés. Mais qu'il reste bien entendu qu'ils ne partagent en rien la responsabilité des omissions, des erreurs, des jugements aventureux ou des interprétations abusives dont l'auteur a pu se rendre coupable.

G. D.

PRÉFACE A LA SIXIÈME ÉDITION

Les progrès très rapides de la recherche scientifique dans le domaine de l'histoire sociale qui, fort heureusement, attire de plus en plus les jeunes historiens, d'une part, la publication d'ouvrages de vulgarisation d'excellente qualité, d'autre part, exigeaient une mise à jour de ce manuel.

C'est sur les deux extrémités de notre période qu'ont surtout porté les mises au point. Les travaux récents sur la France d'Ancien Régime, en effet, renouvellent notre connaissance de cette période. Ils nous permettent de nous dégager d'une interprétation qui a longtemps dominé l'historiographie française et selon laquelle l'Ancien Régime n'était intelligible qu'en tant que porteur de sa contradiction, la Révolution de 1789. Débarrassés de cette « tyrannie exercée sur l'histoire du XVIIIᵉ siècle par l'événement révolutionnaire », les historiens regardent maintenant d'un œil critique et sans souci de quelque « vulgate » que ce soit une société dont la complexité n'a pas fini de fasciner les chercheurs.

Quant à la période toute contemporaine, la persistance d'un puissant courant de prospérité a incontestablement affermi les orientations que nous avions cru pouvoir dégager il y a huit ans; mais une « contestation » vive et bruyante de la civilisation de masse, ou plutôt de certains de ses aspects, réels ou imaginaires, a mûri si brusquement que les « orages de Mai » ont paru quelque temps tout remettre en question. Bien que nous ne disposions pas encore du recul nécessaire pour en mesurer exactement la portée, la crise de 68 ne peut être ignorée de l'historien, dût-il n'en présenter qu'une interprétation provisoire

LES HOMMES
ET LEURS ACTIVITÉS

Avant d'aborder la description des groupes sociaux, de leur structure et de leur évolution il est nécessaire de présenter un certain nombre de données statistiques qui font apparaître les changements du volume de la population de la France à l'époque contemporaine, de la fin du XVIIIᵉ siècle à nos jours, ainsi que les modifications survenues dans la composition de cette population : modifications de la structure démographique, de la répartition géographique, des secteurs de l'activité professionnelle. Ces modifications sont liées à des transformations économiques qu'il n'y a pas lieu d'examiner ici dans le détail, mais dont il convient de rappeler au moins certains aspects fondamentaux.

1. L'EVOLUTION DE LA POPULATION A L'EPOQUE CONTEMPORAINE

Des dernières années du XVIIIᵉ siècle à nos jours, la population de la France a presque doublé, passant de 27 millions à 50; pendant le même temps, celle de l'Europe a triplé, passant de 180 millions environ à 550 environ. Opposition saisissante, qu'illustre encore la réduction de la part de la France dans la population européenne : de 15 % environ en 1800, elle tombe à 7,8 % en 1950.

Les différences de rythme dans la progression n'ont pourtant pas toujours été aussi considérables. Pendant la deuxième moitié du XVIIIᵉ siècle, la population de la France a crû à un rythme voisin de celui de la population de l'Europe : augmentation de 29 % pour la première, de 38 % pour la seconde. De 1800 à 1850, l'écart se creuse : augmentation de 50 % pour l'Europe, de 33 % pour la France. De 1850 à 1900, tandis que la progression européenne maintient son rythme (48 %), l'élan démographique français s'affaisse; la progression n'est plus, en effet, pour ce demi-siècle, que de 8 %, ou de 11,5 % si l'on tient compte de la perte de l'Alsace-Lorraine. Dans la première moitié du XXe siècle, la population de la France ne s'accroît plus que de 7,5 %; la progression de l'Europe, bien que ralentie (33 %), reste très supérieure. Le contraste entre l'expansion démographique rapide de la plupart des pays d'Occident de la fin du XVIIIe siècle à la fin du XIXe et la *lente progression française* montre que « l'évolution de la France a son originalité au milieu de l'Europe : elle bat d'une pulsation plus lente » (POUTHAS).

D'une démographie dynamique à une démographie stationnaire

La deuxième moitié du XVIIIe siècle a donc été pour la population française une période d'essor remarquable. Une démographie de type nouveau a, en effet, remplacé la démographie ancienne, ou « pré-malthusienne ».

Celle-ci présentait deux traits fondamentaux : « un certain équilibre naturel, des déséquilibres à la fois énormes et passagers » (GOUBERT, *Beauvais et le Beauvaisis de 1600 à 1730*).

L'équilibre naturel était le produit d'une forte fécondité et d'une forte mortalité. Fécondité à vrai dire moins « naturelle » qu'entravée par les contraintes sociales et, particulièrement, religieuses : les conceptions hors mariage étaient exceptionnelles. Fécondité limitée aussi par la rupture des familles provoquée fréquemment par la mort prématurée d'un des conjoints; si une famille « complète », c'est-à-dire non rompue par la mort avant la fin de la période de fécondité de la femme, donnait généralement naissance à sept ou huit enfants, la famille moyenne n'en comprenait guère plus de cinq. Ce qui était d'ailleurs beaucoup plus que suffisant pour assurer le remplacement des générations. Mais la mortalité naturelle, très élevée pour les enfants jusqu'à quatre ans, n'en laissait guère subsister plus de la moitié; si bien que « les populations présentaient, en général, un taux de remplacement voisin de l'unité; dans les cas assez favorables, le taux de remplacement pouvait avoisiner 1,03 et donner un accroissement de 10 à 12 % en un siècle. »

Des crises démographiques redoutables, des « éruptions soudaines de mortalité » (GOUBERT), qui accompagnaient les « grandes disettes » troublaient cependant fréquemment cet équilibre. Les famines et les épidémies qui naissaient dans un milieu social affaibli par la faim faisaient généralement tripler, parfois quadrupler le nombre des décès. Les éruptions de mortalité s'accompagnaient d'une chute des mariages, dont le nombre pouvait diminuer de moitié, et d'une chute des conceptions de l'ordre des deux tiers. Ainsi, la population pouvait-elle être diminuée de 10 à 20 %, et, dans la pyramide des âges, apparaissait le phénomène des classes creuses qui, à une génération de distance, venait encore perturber l'instable équilibre démographique.

Les conditions changent dans la seconde moitié du XVIIIe siècle. L'accroissement des ressources économiques et l'atténuation des disettes, peut-être aussi les progrès de la prophylaxie, font à peu près disparaître les crises démographiques. L'excédent des naissances sur les décès devient régulier, et des classes nombreuses de jeunes engendrent à leur âge de maturité, des classes encore plus nombreuses. L'ensemble de la population fait un bond en avant.

Nous sommes alors au premier temps de la révolution démographique :

> La subite multiplication de l'homme, apparue au cours du deuxième quart du siècle, a augmenté de 30 à 40 % la population du royaume. Rien ne contraste davantage avec la démographie stationnaire de Louis XIV que la démographie révolutionnaire des deux règnes qui suivent. Non que la natalité se soit accrue. Mais la mortalité a reculé. Et, notamment, la mortalité des classes populaires lors de ces crises que nous disons « périodiques ». Plus de crises du type « famines » — « famines » sociales d'ailleurs bien plus complexes qu'il ne semble — accompagnées d'écroulements démographiques qu'il faut parfois une demi-génération pour réparer. A la crise « mortelle » a succédé la crise « vénielle », la crise qui fait grâce de la vie, mais diffère les problèmes en accumulant la population (E. Labrousse).

Mais cette première phase de la révolution démographique, qui devait provoquer une expansion considérable de la population européenne, a été en France extrêmement brève.

Les symptômes de la seconde phase de la révolution démographique apparaissent, en effet, dès la fin du XVIIIe siècle : la fécondité commence à décliner. L'examen de l'évolution des taux de natalité, même si l'on écarte les baisses accidentelles dues aux guerres de la fin de l'Empire, à la disette de 1817 ou au choléra de 1832, le montre bien. Au milieu du XVIIIe siècle on évalue ce taux à 35 pour 1 000 habitants. L'excellente année de 1801 donne 33. Sauf les deux moments de crise 1812 et 1818, le taux de natalité ne descend pas au-dessous de 31 avant 1827; à partir de 1829 il descend au-dessous de 30 pour n'y plus jamais remonter. Pendant ce temps, la mortalité continue son mouvement de baisse, de 27 $^o/_{oo}$ dans la première décennie du XIXe siècle à 23 en 1841-1850. Cette baisse n'atteint d'ailleurs pas également toutes les catégories sociales. En examinant le mouvement démographique dans les divers arrondissements de Paris, en divisant ces arrondissements en trois groupes, selon le critère du loyer payé par les habitants considéré comme un indice valable du niveau de vie, on a trouvé que dans le groupe à loyer moyen le plus élevé le taux de mortalité est passé, de 1817 à 1850, de 24,9 $^o/_{oo}$ à 18,2 $^o/_{oo}$, dans le groupe intermédiaire de 27,3 à 25,1, et dans le groupe à loyer le plus bas de 36,5 à 33,7. Il y a donc bien eu baisse générale de la mortalité, mais cette baisse a été plus rapide dans les quartiers riches, si bien que l'éventail du taux de mortalité est encore plus largement ouvert en 1850 qu'en 1817.

De 1850 à 1870 environ, la mortalité générale française varie peu, une sorte de palier s'établit, puis la baisse reprend, s'accélère dans les dernières années du siècle et persiste jusqu'à nos jours pour atteindre un taux de 13 $^o/_{oo}$ en 1950. Cette baisse de la mortalité est due avant tout au *recul de la mortalité infantile* (décès d'enfants de moins d'un an). Au début du XIXe siècle, le taux de mortalité infantile était de 187 pour 1 000 enfants nés vivants; il était encore de 179 pour les années 1861-1865, de 167 pour les années 1881-1885. Avec l'ère pastorienne, il tombe à 149 en 1900, à 126 à la veille de la première guerre mondiale. En 1935-1937 il n'est plus qu'à 66, et à 22 en 1962. La mortalité des adolescents (un à quinze ans) a également reculé dans des proportions considérables : de 107 $^o/_{oo}$ en 1900, elle n'est plus que de 50 en 1930 et 17 en 1950.

Si le recul de la mortalité, recul général en Europe, n'a pas provoqué cet accroissement considérable de population qu'on relève dans les autres pays, c'est qu'il a été accompagné d'un *recul persistant de la natalité*. La France est le premier pays où ait été largement pratiquée la limitation des naissances dans le mariage. Et ce malthusianisme, dont les premières manifestations remontent à la fin du XVIII° siècle, fait sentir ses effets jusqu'à la seconde guerre mondiale. La baisse de la natalité s'est même accélérée après 1880, si bien que dès les années 1886-1890 le taux net de reproduction de la population tombait au-dessous de l'unité. La France entrait, par le non-renouvellement des générations, dans une phase de dépopulation virtuelle.

TABLEAU I

TAUX NET DE REPRODUCTION

ANNÉES	France	Angleterre	Allemagne
1806-1810	1,08		
1811-1820	1,08		
1821-1830	1,06		1,31
1831-1840	1,04		1,25
1841-1850	1,01	1,28	1,30
1851-1860	0,97	1,34	1,29
1861-1870	1,01	1,42	1,37
1871-1880	1,04	1,53	1,48
1881-1890	1,02	1,47	1,47
1891-1900	0,97	1,32	1,52
1901-1910	0,96	1,23	1,48
1921-1930	0,93	0,95	0,90
1931-1935	0,90	0,77	0,79
1936-1939	0,89	0,79	0,98

Il suffisait alors de la conjonction de certaines conditions défavorables pour qu'apparaissent les conséquences de cette chute de la vitalité française. La première a été le prix de la guerre 1914-1918 : 1 400 000 morts, soit un pour vingt-cinq habitants, ou, plus exactement encore, deux hommes jeunes sur dix enlevés à la vie du pays, et un considérable déficit de naissances provoquant ce phénomène des « classes creuses » si visible sur la pyramide des âges. La seconde a été la crise économique des années trente. La baisse de la fécondité, due à la crise, s'est ajoutée à la baisse de la nuptialité provoquée par l'arrivée à l'âge du mariage des classes creuses nées de 1915 à 1919. Les naissances ont alors baissé suffisamment pour qu'apparût, à partir de 1935, un *excédent de décès* qui persista jusqu'à la fin de la seconde guerre mondiale.

A cette population menacée, le second conflit mondial porte un nouveau coup. Il entraîne la disparition prématurée de 150 000 soldats tués ou morts de leurs blessures, de 170 000 victimes de la guerre, de 290 000 Français morts en Allemagne, de 300 000 décédés (conséquence de la surmortalité), soit un total de 900 000 personnes dont la plupart, en temps normal, ne seraient décédées que quelques dizaines d'années plus tard.

Le renouveau démographique

En 1946, le nombre des naissances en France est de 840 000, et il est supérieur à celui d'avant-guerre de près de 40 %. Changement considérable, mais qui n'est pas limité à la France, et dont on se demande alors s'il sera durable.

Les démographes ont montré que ce changement était plus profond et plus ancien qu'on ne croyait; l'évolution ultérieure qu'il était durable. Si bien que la population de la France s'est accrue beaucoup plus en quinze ans (5 millions de 1946 à 1961) que pendant les quatre-vingts années précédentes (3 millions).

Le comportement des Français à l'égard de la maternité s'est profondément modifié depuis 1940. C'est à ce moment, en effet, que la fécondité des couples non dissociés a commencé à augmenter. L'accroissement de la fécondité des ménages non séparés par la guerre a été suffisant pour compenser, et au-delà, non seulement l'absence des maris prisonniers ou déportés, mais même la diminution du nombre des mariages. En 1945, la fécondité des couples présents était devenue telle qu'elle assurait le remplacement des générations, ce qui ne s'était pas vu depuis la fin du XIXe siècle.

Le taux net de reproduction s'établit aujourd'hui à 1,12. La France n'est plus dépassée en Europe que par le Portugal (1,34), les Pays-Bas (1,33) et la Finlande (1,23). Le taux français est maintenant supérieur à celui de l'Espagne (0,99), de l'Allemagne (0,97), de l'Angleterre (0,95) et de l'Italie (0,91).

RÉPARTITION DE 1 000 MARIAGES SELON LE NOMBRE D'ENFANTS NÉS VIVANTS

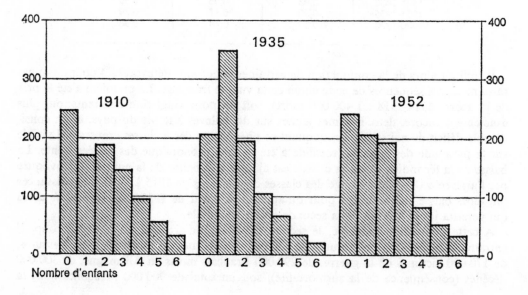

Le comportement des ménages se distingue de celui de l'avant-guerre par une venue plus rapide, mais non plus fréquente, du premier enfant; par une fréquence nettement plus grande de la venue d'un deuxième enfant dans les familles qui en ont déjà un; et par une fréquence un peu plus grande de la venue d'un troisième dans celles qui en ont déjà deux. La fécondité des familles déjà nombreuses n'a pas augmenté. Si bien que la *structure des familles* a légèrement changé : la proportion des familles sans enfant reste du même ordre que pendant l'entre-deux-guerres, celle des familles d'un enfant diminue, celle des familles de deux enfants varie peu, mais celle des familles de trois ou quatre enfants augmente. C'est donc surtout à une augmentation de la proportion des familles moyennes qu'aura conduit le relèvement de la fécondité.

Mais ces modifications sont encore trop récentes pour changer d'une façon appréciable la structure par âge de la population. Le *vieillissement de la population* reste un phénomène fondamental de l'histoire démographique française.

En 1851, les personnes âgées de plus de soixante ans ne représentaient que le dixième de la population totale; en 1901, elles en représentaient 13 %; en 1921, 13,8 %; en 1936, 14,7 % et en 1968, 17,9 %. En un siècle et demi, la proportion des personnes âgées a augmenté des quatre cinquièmes.

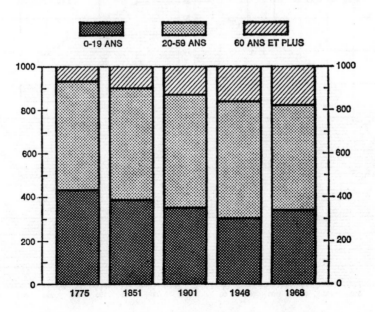

IMPORTANCE RELATIVE DES TROIS GRANDS GROUPES D'AGE DANS LA POPULATION FRANÇAISE

0-19 ANS   20-59 ANS   60 ANS ET PLUS

1775   1851   1901   1946   1968

TABLEAU 2

RÉPARTITION DE LA POPULATION FRANÇAISE
SELON TROIS GRANDS GROUPES D'AGE

Age en années révolues	1775	1851	1901	1946	1968
0-19	42,8	38,5	34,3	29,5	33,8
20-59	49,9	51,3	52,7	54,5	48,3
60 et plus	7,3	10,2	13,0	16,0	17,9
Tous âges	100,0	100,0	100,0	100,0	100,0

PYRAMIDE DES AGES DE LA POPULATION FRANÇAISE AU 1er JANVIER 1970

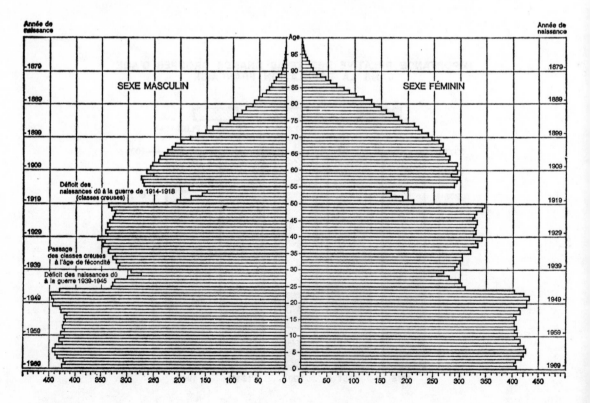

Ce phénomène est la conséquence des deux mouvements démographiques de base : baisse de la natalité (moins de jeunes) et baisse de la mortalité (du moins de la mortalité aux âges moyens et élevés, car la baisse de la mortalité infantile et de la mortalité de jeunes tend à rajeunir la population). La reprise de la natalité depuis 1946 a retardé un peu le rythme d'accroissement de la proportion des vieillards; mais le vieillissement de la population de la France se poursuivra encore pendant quelques années.

2. LES MIGRATIONS INTERIEURES

La population de la France n'a pas seulement varié en volume depuis la fin du XVIIIe siècle, elle a varié aussi dans sa distribution géographique.

Ces variations ne sont pas toujours faciles à saisir. On ne dispose, en effet, pour une étude globale de ces phénomènes, que des données des recensements quinquennaux. En comparant les données de recensements successifs, on connaîtra l'augmentation ou la diminution brute de la population, par département par exemple, puis en rapprochant ces données du mouvement naturel de la population, on calculera la part due à la balance des naissances et des décès et la part de l'émigration ou de l'immigration. En fait, ce procédé ne permet pas de connaître les mouvements migratoires réels, parce que des mouvements de sens contraire ont pu se produire, qui se sont annulés et n'apparaissent pas dans ces calculs. Supposons qu'un département ait vu, dans l'intervalle de deux recensements, partir 100 000 de ses habitants et arriver 200 000 personnes nées dans d'autres départements, les données des recensements ne feront apparaître qu'une immigration nette de 100 000 habitants, c'est-à-dire le solde des deux mouvements, et non pas leur amplitude réelle, qui est de 300 000. Les mouvements migratoires sont donc forcément sous-estimés.

Ces réserves faites, et sachant que nous n'atteignons qu'une partie des phénomènes, examinons les variations de la population par départements, du début du XIXe siècle à nos jours. Jusqu'en 1831, le nombre des habitants s'est accru dans tous les départements sans exception. A partir de 1836, à chaque recensement, la population de certains départements atteint son maximum pour décroître ensuite. L'écart entre ce maximum et la population en 1946 (et non en 1968, car le renouveau démographique d'après-guerre fausse les calculs) fait apparaître les régions de forte diminution de la population.

Les zones à très fort dépeuplement sont situées dans des régions montagneuses (Alpes méridionales, Jura, Massif central), dans le Bassin aquitain, les bordures orientales et occidentales du Bassin parisien. Ce sont toutes des régions à large prédominance de l'agriculture. A l'opposé, les départements à faible dépeuplement ou à croissance de la population possèdent tous de grandes villes (l'exception apparente des Bouches-du-Rhône et du Rhône tient aux erreurs du recensement de 1936). Le cas limite est évidemment celui des départements de la Seine et Seine-et-Oise, c'est-à-dire de la région parisienne.

DIMINUTION DE LA POPULATION DÉPARTEMENTALE EN 1946
D'APRÈS LE MAXIMUM CONSTATÉ

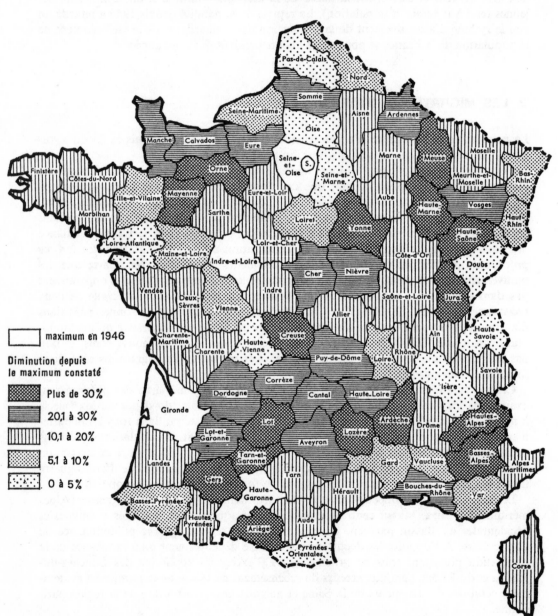

Source : HUBER, BUNLE, BOVERAT, *La Population de la France*, Hachette.

Ce mouvement des régions rurales vers les zones urbaines a été extrêmement sensible :

> On peut donner d'étonnants exemples de l'épuisement opéré sur certaines campagnes par la succion des villes. Le vide s'est fait dans les villages de Limagne pour répondre à l'appel des usines de caoutchouc de Clermont-Ferrand; dans ceux de Bourgogne autour du Creusot; dans ceux de Lorraine autour des usines métallurgiques; dans ceux de Champagne autour de Troyes. Aucune ville n'a pompé plus profondément ni plus loin la substance rurale que Paris. La population parisienne provient de toutes les provinces françaises : depuis le milieu du XIXe siècle, les deux tiers des Parisiens ne sont pas Parisiens de naissance. Près de la moitié de la population du Rhône avec Lyon s'est recrutée à l'extérieur; même proportion dans les Bouches-du-Rhône. Entre 1896 et 1906, la population urbaine en France s'était accrue de 1 414 000 habitants; sur ce chiffre, l'excédent des naissances sur les décès comptait pour 89 000; l'excédent de l'immigration sur l'émigration pour 1 325 000 (Demangeon, *La France économique et humaine*).

Ces migrations intérieures peuvent donc être étudiées plus aisément en distinguant population rurale et *population urbaine*. Cette distinction repose sur la définition adoptée en 1846, selon laquelle est comptée comme urbaine la population totale de toutes les communes ayant plus de 2 000 habitants agglomérés au chef-lieu. La croissance de cette population est remarquable, puisqu'elle passe de 8 647 000 en 1846 à 17 509 000 en 1911 et 33 000 000 en 1968. Cependant cette définition de la population urbaine apparaît arbitraire; elle montre qu'en 1846, on définissait comme urbaine une commune ne comptant que 2 000 habitants, alors qu'aujourd'hui ce chiffre serait considéré comme trop bas. On pourrait donc, non moins arbitrairement d'ailleurs, n'admettre comme villes que les communes comptant plus de 5 000 habitants. Le tableau ci-dessous montre que l'amplitude du mouvement reste du même ordre :

TABLEAU 3

ANNÉES	% de la population urbaine (communes de 2 000 habitants et plus) dans la population totale	% de la population des villes de 5 000 habitants et plus dans la population totale
1836		16,8
1846	24,4	
1851	25,5	17,9
1856	27,3	
1861	28,9	
1866	30,5	24.4
1872	31,1	
1881	34,8	
1891	37,4	
1901	40,9	35,6
1911	44,2	38,4
1921	46,4	41,1
1936	52,4	46,8
1954	56,0	50,2
1962	61,7	55,2
1968	70,5	59,0

MOUVEMENTS DE LA POPULATION DE LA FRANCE 1846-1968
en nombres absolus, échelle logarithmique

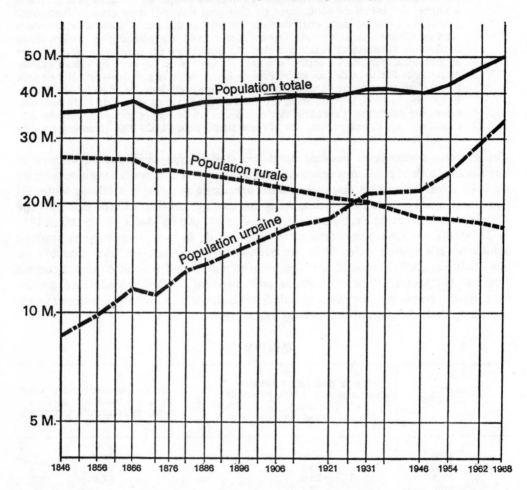

On peut se demander si ces mouvements de population vers les villes ont commencé longtemps avant 1846, date du premier recensement qui utilise cette notion de population urbaine. On estime qu'à la fin du XVIIe siècle ou au début du XVIIIe, la population urbaine ne représentait que le 1/10 de la population totale, et qu'à la fin du XVIIIe siècle elle en formait plus du cinquième. Comme en 1846 elle ne représentait encore qu'un peu moins du quart, on constate que la progression a été beaucoup moins rapide de la Révolution à 1846 qu'au cours du XVIIIe siècle. De 1801 à 1831, la population urbaine n'a pas augmenté plus vite que la population rurale; la poussée urbaine ne commence à se faire sentir que pendant la monarchie de Juillet, et à un rythme encore lent. L'industrie ne provoque pas encore de transformations profondes, car celle qui offre le grand emploi est l'industrie textile, installée souvent, en raison de sa forme domestique, en plein milieu rural.

Les migrations intérieures s'accroissent pendant la seconde moitié du XIXᵉ siècle, en raison des transformations économiques. A la campagne, le développement du machinisme pour les travaux agricoles, battages surtout, diminue les besoins en main-d'œuvre, tandis que les tisserands ruraux ne peuvent plus soutenir la concurrence de l'industrie textile moderne. Les chemins de fer, par les transformations économiques et sociales qu'ils provoquent, accélèrent le mouvement.

Le dépeuplement des campagnes

En réalité, ce déplacement des populations des campagnes vers les villes, que l'on qualifie généralement d'*exode rural*, reste assez mal connu et surtout très diversement apprécié dans ses formes et ses conséquences. Une étude qui porte sur une soixantaine de communes rurales de Picardie [1] permet de mieux saisir le phénomène. D'abord dans son déroulement dans le temps. De 1836 à 1872, le dépeuplement rural est encore localisé, et certaines communes poursuivent même leur ascension démographique; la grande période de l'exode rural s'étend de 1872 à 1911; de 1911 à 1936, la dépopulation rurale se poursuit et même s'accroît dans certaines communes, tandis que d'autres voient le mouvement s'étaler ou s'enrayer. Dans ses formes ensuite. La dépopulation globale recouvre deux types qui s'associent ou se combinent : une dépopulation « active », marquée par le départ de personnes ayant une activité professionnelle, et une dépopulation provoquée par le départ de personnes appartenant au secteur « non actif », c'est-à-dire surtout les jeunes. Ainsi, la première période (1836-1872) présente les caractères d'une dépopulation active : les artisans quittent les campagnes qui « voient se retirer de leurs terroirs des activités artisanales sur lesquelles elles avaient édifié leur structure sociale et leur population, leur surpeuplement du XVIIIᵉ et du début du XIXᵉ siècle ». Entre 1872 et 1911 « se place la période charnière d'exode rural, celle du départ des jeunes, entraînant un grave déficit de natalité dans les campagnes ». La dernière période est à nouveau une période de « dépopulation active » : mais cette fois, ce ne sont plus seulement les personnes exerçant les métiers de l'artisanat ou de l'industrie à domicile qui partent, mais aussi les agriculteurs eux-mêmes.

Faut-il parler « d'exode » rural? « Nos campagnes n'ont pas connu véritablement d'exode rural, puisque, dans leur grande majorité, les départs étaient du type normal. » Par départ normal il faut entendre le départ d'un excédent de population, c'est-à-dire de personnes qui, en raison de circonstances économiques ou techniques, ne trouvent pas à s'employer dans les villages. « Leur départ n'a pas entraîné un abandon de l'occupation ou de l'utilisation du sol; il n'y a pas eu d'installation et d'extension de friches, les campagnes picardes ont continué d'être solidement tenues. » Remarquons qu'il n'en est pas de même dans toutes les régions françaises qui ont connu ces mouvements de dépopulation rurale : dans les Alpes méridionales, dans une partie du Massif Central

---

1. Philippe PINCHEMEL : *Structures sociales et dépopulation rurale dans les campagnes picardes de 1836 à 1936* Paris, Armand Colin, 1957

et du Bassin Aquitain, il n'est plus resté assez d'hommes pour exploiter convenablement les ressources agricoles.

Le dépeuplement des campagnes a permis à ceux qui restaient d'agrandir leur exploitation et sans doute de vivre mieux. Mais il n'a pas eu que des effets bénéfiques. En Picardie « les villages sont devènus des communautés exclusivement agricoles avec, disséminés çà et là, un commerçant et quelques autres professions du secteur non agricole; cet appauvrissement de la structure socio-professionnelle, cette « ruralisation » des campagnes, sont un fait récent qui date de la seconde moitié du XIXᵉ siècle... Les campagnes ont cessé d'être un milieu de vie pour ne plus être qu'un milieu de travail à l'horizon singulièrement rétréci; au-dessous d'une certaine densité de population, au-dessous d'une certaine diversité socio-professionnelle, dans l'état actuel du niveau de vie du monde rural, nos campagnes ne constituent plus un milieu de vie sociale, où la promotion sociale, le développement culturel sont possibles sur place ». Ainsi, le dépeuplement des campagnes semble accélérer leur décadence.

La croissance des villes

Le mouvement d'émigration vers les villes peut être illustré par les courbes représentant la croissance de quelques villes importantes.

On voit que, pour la plupart, la progression ne se dessine nettement qu'après 1831. A partir de cette date, la progression s'accélère et trouve son plus grand élan de 1851 à 1866. Progression moins rapide pour les métropoles régionales comme Bordeaux et Toulouse, pour lesquelles les fonctions commerciale et administrative l'emportent de beaucoup sur la fonction industrielle, que pour les villes plus nettement orientées vers l'industrie, comme le groupe de Lille-Roubaix-Tourcoing et, plus encore, Saint-Étienne. Le développement de celle-ci apparaît, dans le cadre français, prodigieux; le démarrage se place en effet dès les premières années du XIXᵉ siècle, et la population double en trente ans (1801-1831); elle sextuple en deux tiers de siècle (1801-1866); en 1921, malgré le ralentissement des années 1901-1911, la population de Saint-Étienne est dix fois plus nombreuse qu'en 1801. Cet exemple illustre bien la corrélation entre les deux phénomènes de l'urbanisation et de l'industrialisation.

La plupart des courbes, cependant, semblent montrer que les progrès des villes, très rapides de 1851 à 1866, s'atténuent après cette date, et qu'un palier est atteint dans les premières années du XXᵉ siècle (il faut faire toutes réserves sur le cas de Marseille qui se désolidarise des autres, et peut-être même sur celui de Lyon en raison des inexactitudes flagrantes des recensements). Or nous savons que le dépeuplement des campagnes ne se ralentit nullement à cette époque. La contradiction s'explique aisément par les différenciations administratives à l'intérieur des grandes agglomérations : la commune urbaine est l'unité administrative de recensement; or elle ne représente plus, au début du XXᵉ siècle, qu'une partie de l'agglomération urbaine qui, en outre, a généralement fait le plein de sa population. Les immigrants s'installent dans les communes voisines qui deviennent des banlieues. C'est parce que les banlieues ne figurent pas sur les courbes que le mouvement d'urbanisation paraît fléchir et presque disparaître, alors qu'il se

MOUVEMENTS DE LA POPULATION DE QUELQUES VILLES
INDICE DE BASE 1801 = 100

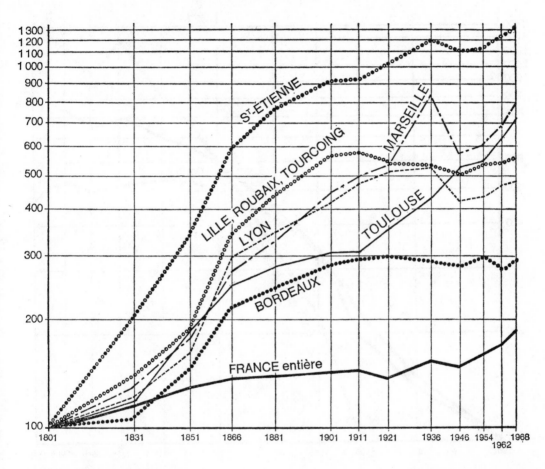

poursuit au même rythme.

Le cas extrême est celui de Paris : la ville de Paris est saturée en 1911, mais l'afflux des immigrants ne cesse pas, comme le montrent la courbe de la progression de la population dans le département de la Seine et, plus nettement encore, celle d'une commune de banlieue choisie entre beaucoup d'autres : Boulogne-Billancourt.

La *concentration de la population dans la région parisienne* est un des faits majeurs de l'histoire de la population française : aujourd'hui, près du cinquième (18,4 %) de la population totale du pays, et plus du quart de la population urbaine s'y trouvent rassemblés. Cette concentration est relativement récente, elle date de moins d'un siècle. En 1801, avec un peu plus d'un demi-million d'habitants, Paris ne comptait que le cinquantième de la population française; en 1851, avec un million d'habitants, à peine 3 %. Sous le Second Empire seulement se constitue « l'agglomération industrielle parisienne

MOUVEMENTS DE LA POPULATION DANS L'AGGLOMÉRATION PARISIENNE
INDICE DE BASE 1801 OU 1851 = 100

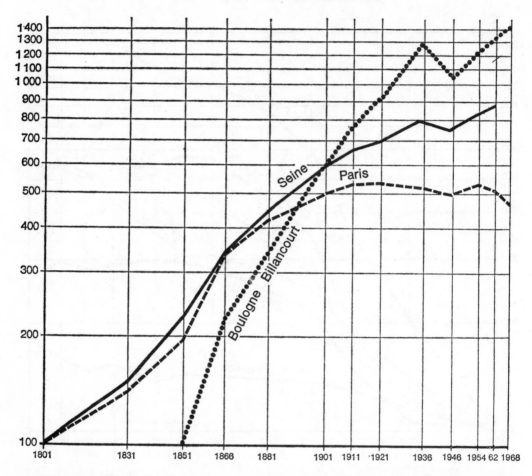

au sens moderne du mot et avec tout ce qu'il exprime : développement de la métallurgie et de la chimie à côté des branches professionnelles traditionnelles, concentration de main-d'œuvre au sein de grandes entreprises, à côté des ateliers et manufactures moyennes des vieux faubourgs, apparition du prolétaire à côté de l'artisan et du compagnon » (Louis Chevalier). En 1881, le département de la Seine groupe 7,5 % de la population nationale; en 1911, cette proportion est passée à plus de 10 %, et à près de 12 en 1931. A cette date, l'agglomération parisienne, qui déborde largement sur les départements de Seine-et-Oise et de Seine-et-Marne, représente 14 % de la population française (17 % aujourd'hui). Cette exceptionnelle concentration de population, qui s'explique par la concentration d'activités multiples dans la capitale et qu'on ne trouve dans aucun autre pays du monde à l'exception de l'Angleterre, s'aggrave chaque année (la population de l'agglomération parisienne progressant aujourd'hui au rythme moyen de cent vingt mille ménages par an) et provoque des déséquilibres inquiétants que l'on a dénoncés en opposant, dans une formule vigoureuse, « Paris et le désert français ».

3. LES MIGRATIONS PROFESSIONNELLES

On donne le nom de migrations professionnelles aux mouvements de la population active, c'est-à-dire aux déplacements d'une partie de la main-d'œuvre d'un métier vers un autre métier, aux sorties d'une branche d'activité et aux entrées dans une autre branche d'activité, les travailleurs semblant être chassés de certains secteurs et accueillis par d'autres. La structure professionnelle de la population est instable, au moins sur longues périodes, et la France présente un assez bon exemple de cette instabilité, puisque, à la veille de la Révolution, plus des deux tiers de ses habitants vivaient de l'agriculture, contre moins du cinquième aujourd'hui.

Malheureusement, notre information en ce domaine est incomplète, souvent imprécise, parfois peu digne de confiance. Il faut en effet attendre 1851 pour disposer d'un recensement qui donne des renseignements sur la profession des habitants de la France. Mais, à cette date, la méthode statistique n'en était encore qu'à ses débuts, et les services administratifs n'étaient guère équipés pour se livrer à des opérations aussi complexes. Des progrès furent réalisés au cours des dénombrements ultérieurs : à partir de 1881, des bulletins individuels furent utilisés, à partir de 1896 ils furent tous dépouillés à Paris, par un personnel compétent. Un résultat curieux de ces améliorations fut enregistré en 1896 : on trouva que le nombre des individus exerçant une profession était supérieur de deux millions au nombre publié en 1891! La population active avait-elle donc brusquement augmenté en cinq ans? Ce n'était, bien entendu, que la traduction statistique de l'amélioration des procédés.

Une difficulté supplémentaire provient des différences de points de vue qui ont présidé à la conception des recensements professionnels. En 1851, on a demandé aux Français quelles étaient leurs occupations professionnelles; mais, de 1856 à 1891, on a considéré qu'il était plus intéressant de savoir quels étaient les moyens d'existence de l'ensemble de la population, et on a classé, dans une même profession, non seulement le travailleur lui-même, mais l'ensemble des personnes qu'il faisait vivre. A partir de 1896, on n'a plus classé par professions que les travailleurs eux-mêmes, mais en considérant tantôt leur activité individuelle, c'est-à-dire leur métier (par exemple un menuisier travaillant dans une usine textile est rattaché à la profession de menuisier), tantôt l'activité collective à laquelle ils appartiennent (dans ce cas, le menuisier de l'exemple précédent est rattaché à l'industrie textile). Aussi, les recensements réalisé sur des bases aussi différentes sont-ils très difficiles à comparer. Les statisticiens qui ont entrepris cette tâche s'entourent de multiples précautions, mais ils sont les premiers à reconnaître l'imprécision des résultats obtenus et à recommander la plus grande prudence dans l'interprétation de ces résultats. Il sera bon de garder ces réserves à l'esprit.

Du milieu du XIXe siècle à 1921, la population active française a crû régulièrement, passant de 14 millions environ en 1856 à 20 millions environ en 1921. A peu près stable pendant une décennie, elle subit, de 1931 à 1936, une diminution de 1 200 000 personnes, ce qui est une conséquence de la crise économique. Depuis la seconde guerre mondiale, la population active s'est stabilisée, puis a repris une progression qui l'a portée à près de 21 millions de personnes (20 770 en 1969).

L'importance de la population active dans la population totale varie dans le temps : pendant la deuxième moitié du XIXᵉ siècle, la proportion de travailleurs reste à peu près constante (de 40 à 43 % de la population totale); elle progresse de la fin du siècle à la première guerre mondiale (51 % en 1911), recule pendant la crise (47 % en 1936) et continue à décroître jusqu'à nos jours (40,8 % en 1968). Ce recul du *taux d'activité* n'est pas le fait, comme on pourrait parfois le croire, d'une diminution du nombre de femmes au travail : la proportion des hommes et des femmes dans la population active est à peu près constante depuis un siècle (il y avait, en 1866, 31 femmes actives pour 69 hommes, et en 1968, 35 femmes actives pour 65 hommes). Il semble que la décroissance du taux d'activité de la population française provienne d'une part du recul de l'âge de la mise au travail des jeunes, et, d'autre part, du vieillissement de la population et des mesures sociales décidées en faveur des travailleurs âgés. Si, à la fin du XIXᵉ siècle, les deux tiers des hommes de plus de 65 ans exerçaient encore une profession, en 1968, un tiers seulement restait en activité. Ainsi tend à augmenter le nombre des personnes à la charge de la collectivité [1].

La répartition de la population active en secteurs d'activité a subi, en un siècle, de profondes modifications, qu'il n'est pas toujours facile de saisir avec précision, en raison des changements de méthodes, et particulièrement de la nomenclature, utilisées pour les opérations de recensement. Aussi est-il prudent de ne considérer que les grands types d'activité.

— *Le groupe de l'agriculture* a été, jusqu'à nos jours, le plus important dans la population active française; mais son importance n'a cessé de diminuer dans le temps. Il est toutefois difficile de chiffrer l'amplitude de cette évolution, non pas que la profession d'agriculteur soit mal définie, mais parce qu'on a, à divers recensements, considéré comme actifs non seulement le chef de famille qui s'était déclaré agriculteur, mais également son épouse et les parents vivant avec eux, âgés de 14 à 70 ans, à condition que ces personnes n'aient pas indiqué d'autre profession. Il est prudent, dans ces conditions, de ne retenir que les chiffres qui concernent la population masculine; encore trouve-t-on qu'en 1851, le nombre des agriculteurs s'élevait à 7 800 000, ce qui paraît très exagéré. De 1856 à 1891, les chiffres oscillent entre 5 100 000 et 5 800 000, sans qu'on puisse affirmer que ces oscillations correspondent à une réalité économique; mais l'ordre de grandeur semble tout à fait acceptable, et l'on peut dire que la proportion d'agriculteurs dans la population active masculine passe de 52 % environ au milieu du XIXᵉ siècle à 45 % environ à la fin. Dans la première moitié du XXᵉ siècle, le phénomène continue

---

1. Nombre déjà élevé par lui-même, en raison de la composition par âges de la population. Nous avons vu que la proportion des personnes âgées est forte, alors que celle des adultes en âge de travailler est réduite par le phénomène des classes creuses.

en s'accélérant : de 5,7 millions en 1896, le nombre d'agriculteurs passe à 5 millions en 1921, à 4,5 millions dix ans plus tard, 4,2 en 1936 et 1946, et descend enfin à 2 millions en 1968, soit 15 % seulement de la population masculine active totale. De 1954 à 1962, le recul de la population active agricole a été très rapide (diminution de 3,5 % par an en moyenne); ce recul s'est encore accéléré depuis puisque, de 1962 à 1968, la population active agricole a diminué de 3,8 % par an en moyenne. Cette régression du nombre d'actifs agricoles a touché les non-salariés comme les salariés, et surtout les jeunes gens. Phénomène inquiétant qui aggrave le déséquilibre démographique des campagnes.

— *Le secteur industriel* a employé un nombre à peu près constant des travailleurs des deux sexes de 1856 à 1891 (environ 4,5 millions). A partir de la fin du XIXe siècle, ce nombre croît, proportionnellement à la population active globale, pour atteindre 7 millions en 1931, chiffre maximum (soit une augmentation des deux tiers depuis le milieu du XIXe siècle). Puis la crise économique fait sentir ses effets : de 1931 à 1936, la diminution est de 18 %. L'augmentation reprend après la seconde guerre mondiale; au recensement de 1962, les travailleurs de l'industrie sont au nombre de 7,3 millions, ce qui représente 38,5 % de la population active globale; en 1968, ils sont près de 8 millions (38,6 %). Le nombre des femmes qui travaillent dans l'industrie est passé, en 1906, par un maximum de 2 millions, mais n'a cessé de décroître depuis cette date, pour s'établir au niveau de 1,8 million en 1968, sensiblement égal à celui de 1876; au contraire, le nombre d'hommes, qui était passé par un premier maximum en 1931 (5 millions), atteint en 1968 un niveau record (6 millions).

Au sein de cette main-d'œuvre employée dans l'industrie, des mouvements ont eu lieu, traduisant les progrès ou les reculs de tel ou tel secteur industriel, mouvements qu'il n'est pas toujours facile de saisir en raison de l'insuffisance des données des recensements. Cependant l'évolution des principales branches de l'industrie peut être retracée à grands traits.

Le personnel des industries extractives, presque uniquement masculin, a augmenté constamment du milieu du XIXe siècle à 1931 (le nombre des mineurs de charbon, qui était de 33 600 en 1851 selon la *Statistique de l'industrie minérale*, atteignait 292 000 en 1930). Après un recul temporaire lié à la crise économique, il a augmenté à nouveau après la Libération, au moment où un vigoureux effort était entrepris pour accroître la production énergétique. Les progrès importants réalisés dans l'équipement des mines ont permis ensuite une réduction sensible de la main-d'œuvre, notamment dans les mines de charbon, où le rendement par travailleur a augmenté dans des proportions remarquables.

Le secteur de la métallurgie et du travail des métaux a connu des progrès encore plus considérables : en 1866, il groupait moins de 400 000 travailleurs, au début du XXe siècle 900 000, et 1 650 000 en 1931. Après le léger recul des années de crise, la progression reprenait au lendemain de la seconde guerre mondiale, portant, en 1962, les effectifs à près de 2,5 millions, ce qui représentait 33 % de la population active industrielle. Le rythme moyen d'accroissement a été de près de 2 % par an pendant un siècle. Dans ce secteur, c'est la sidérurgie qui est la branche-clé, et ses progrès ont été remarquables de 1896 à 1936, puisque ses effectifs ont été, pendant cette période, multipliés par 2,3. Mais pendant le même temps, ceux de la métallurgie des métaux non ferreux ont triplé.

Secteur en plein essor aussi que celui des industries chimiques : les effectifs y ont plus que triplé entre 1866 et 1921 et presque doublé à nouveau entre 1921 et 1954. Parmi ces industries, celle des pétroles et des carburants, bien qu'employant une main-d'œuvre peu nombreuse, a progressé le plus vite.

Les industries de consommation ont connu une évolution différente. Au milieu du XIXᵉ siècle, les industries textiles occupaient une main-d'œuvre considérable, la plus importante de toutes les industries françaises. Le chiffre le plus élevé est atteint en 1866, avec plus d'un million de travailleurs (dont 64 % du sexe masculin). Puis les hommes se sont progressivement écartés de cette activité; en 1936, ils étaient moins de 300 000. Les effectifs féminins sont restés à peu près constants jusqu'en 1921, puis ont diminué à leur tour. De 1926 à 1954, la baisse globale des effectifs a été de 32 %. L'industrie du vêtement a connu un rythme un peu différent : progression des effectifs jusqu'en 1906, puis effondrement après la première guerre mondiale jusqu'à nos jours (baisse de l'ordre des deux tiers). Transformation des mœurs et progrès de la productivité, par substitution de la « confection » au travail manuel, expliquent cette évolution. Les mêmes causes ont produit les mêmes effets dans l'industrie du cuir, dont les effectifs ont cependant baissé moins rapidement (30 % de 1901 à 1954). Parmi les autres industries de consommation, seules les industries polygraphiques (imprimerie, édition, photographie, etc.) et les industries alimentaires ont vu leurs effectifs croître régulièrement pendant la période couverte par les recensements professionnels, c'est-à-dire depuis un siècle.

Les progrès des moyens de transport ont attiré vers ce secteur une main-d'œuvre importante. Au milieu du XIXᵉ siècle, la révolution des transports commence seulement à faire sentir ses effets en France, et le recensement de 1866 ne signale encore que 264 000 personnes employées dans les « Transports et manutentions » dont 107 000 dans les chemins de fer. Ceux-ci en occupent, en 1930, 550 000, chiffre record, car la modernisation et les progrès de la productivité réduisent ensuite les effectifs qui ne sont plus que de 360 000 en 1959. Mais le développement des transports maritimes, routiers et aériens, porte l'ensemble des effectifs du secteur à 723 000 en 1936 et 800 000 en 1968. En un siècle, l'augmentation est considérable, de l'ordre du triplement.

— *Le développement du secteur de la distribution* est un phénomène bien connu, que confirment les données des recensements. Les effectifs du commerce ont crû rapidement de 1866 (973 000) à 1936 (2 833 000), moins vite ensuite (3 400 000 en 1968); ils ont donc plus que triplé. La prédominance masculine (très sensible au XIXᵉ siècle : deux hommes pour une femme) tend à disparaître (aujourd'hui hommes et femmes y sont à peu près à égalité). L'augmentation des effectifs atteint tous les genres de commerce mais à des degrés différents : entre 1896 et 1936, elle est de 24 % pour les débits de boissons et l'hôtellerie, de 62 % pour les commerces alimentaires, de 175 % pour les commerces de tissus et articles d'habillement, de 236 % pour les librairies, et enfin de 450 % dans les banques et assurances, où les effectifs féminins, autrefois en très faible minorité (5 % en 1896), dominent aujourd'hui.

— *Dans les professions libérales*, qui occupent un nombre de personnes croissant : 900 000 individus environ en 1851, 2 270 000 en 1954, les femmes ont conquis de même une place très importante, Mais ce terme de « professions libérales » est trop large pour être susceptible d'une interprétation d'ensemble, et il faut en considérer séparément les divers éléments. Les professions judiciaires sont remarquablement stationnaires depuis cent ans : il s'agit surtout de charges de notaires, d'avoués, d'huissiers, qui se transmettent nominativement. De même, les « Lettres et Arts » ne font guère vivre plus de personnes aujourd'hui qu'il y a cent ans. Au contraire, la carrière d'ingénieur attire de plus en plus les Français, mais il est difficile d'en suivre la progression, parce que les recensements n'ont longtemps classé comme tels que les ingénieurs établis à leur compte, les autres étant classés avec leur activité de rattachement. Les professions médicales et para-médicales (médecins, dentistes, sages-femmes, vétérinaires, pharmaciens, personnel des établissements hospitaliers, etc.) se sont considérablement développées; elles occupaient 40 000 personnes en 1851, 400 000 en 1951. Cette progression extraordinaire n'est dépassée que par celle des étudiants, profession temporaire il est vrai, passés de 17 000 en 1890 à 30 000 en 1900, 135 000 en 1950, 400 000 en 1965, 700 000 en 1970.

— *Les services publics*, inclus par les auteurs des recensements dans les professions libérales, ont connu aussi une très importante augmentation d'effectifs : 130 000 fonctionnaires en 1839, 500 000 en 1914, 682 000 en 1936, 950 000 en 1946. La très forte augmen-

TABLEAU 4

LES EFFECTIFS DES AGENTS DE LA FONCTION PUBLIQUE (AU 31 DÉCEMBRE DE CHAQUE ANNÉE, EN MILLIERS)

BUDGETS CIVILS	1952	1960	1968	1970	Rapport (arrondi) 1970/1952
Affaires étrangères et Relations extérieures	12,4	26,2	15,3	15,4	124
Ministères sociaux	19	18	26,2	25,6	135
Education nationale et Affaires culturelles	263,2	430,7	649,3	750,2	285
P.T.T. et Caisse Nationale d'Epargne	201,3	235,2	283,5	297,4	148
Finances et Affaires économiques...	104,8	114,1	130,9	136,2	130
Intérieur	79,5	77,9	109,6	114,5	144
Equipement, Logement et Transports	94	86,1	80,5	81,9	87
Agriculture	14,6	17,2	22	25,5	175
Justice	17,7	16,4	23,7	25,5	144
Divers	12,2	9,3	9,6	11,6	95
Personnels civils des établissements militaires	194,1	172,7	146,9	145,6	75
Personnels militaires de carrière	495,3	426	284,0	283,7	57
TOTAL	1 508,1	1 629,8	1 781,5	1 913,1	127

Source : Ministère de l'Economie et des Finances.

tation de la décennie 1936-1946 ne s'est pas poursuivie après cette date, malgré l'accrois-sement du personnel de l'enseignement consécutif à la poussée démographique d'après guerre. L'enseignement public comptait 65 000 fonctionnaires en 1866, 150 000 en 1914, 186 000 en 1936, 224 000 en 1946, 313 000 en 1956. A cette date, l'Enseignement et les Postes et Télécommunications (206 000 personnes) représentaient exactement la moitié du personnel civil de l'État. Depuis, les effectifs des agents de la Fonction publique ont évolué comme l'indique le tableau ci-dessus.

— *Le secteur des services domestiques*, lui, se désolidarise des précédents. Le nombre des domestiques (domestiques agricoles, c'est-à-dire ouvriers exclus) était, au XIXe siècle, très élevé en France. Le maximum semble avoir été atteint vers la fin du siècle, avec 1 156 000 domestiques recensés en 1881 (dont 70 % de femmes). Ce nombre se réduit à moins de 800 000 en 1931 et 530 000 en 1968 (dont 94 % de femmes). L'évolution est encore plus sensible si l'on considère les domestiques logés, progressivement remplacés par des femmes de ménage. L'évolution des mœurs, la réduction des dépenses somp-tuaires des catégories les plus favorisées du côté des employeurs, la recherche d'une plus grande indépendance du côté des employés, sont à l'origine de cette rapide évolution.

Une vue d'ensemble des changements intervenus en un siècle dans la structure de la population peut être dégagée en utilisant les modes de classement et la terminologie de Colin Clark, qui distingue trois grands secteurs d'activité : le secteur primaire (agri-culture, forêts, pêche), le secteur secondaire (industries extractives et de transformation, construction et travaux publics, eau, gaz, électricité) et le secteur tertiaire (toutes les autres activités, c'est-à-dire principalement les services de distribution, les services publics et toutes les activités qui n'ont pas pour objet d'élaborer une production phy-sique). En France, l'évolution des effectifs de ces trois secteurs a été la suivante :

TABLEAU 5

LES EFFECTIFS DES TROIS SECTEURS

ANNÉES	1851	1881	1901	1921	1931	1936	1954	1962	1968
Secteur primaire (en %)	53	48	42	43	37	37	30	22	16
Secteur secondaire (en %)	25	27	31	29	33	30	34	37	40
Secteur tertiaire (en %)	22	25	27	28	30	33	36	41	44

Il y a cent ans, on comptait environ deux agriculteurs pour un travailleur de l'industrie et un travailleur du secteur tertiaire. Aujourd'hui la prépondérance est passée au secteur tertiaire qui l'emporte légèrement sur le secteur secondaire et laisse loin derrière lui le secteur primaire. La diminution des effectifs du secteur primaire a été très importante (réduction des deux tiers), et il y a eu glissement de la population active vers le secteur secondaire (progression de plus de moitié) et surtout vers le secteur tertiaire (doublement). Ces phénomènes sont d'ailleurs tout à fait classiques ; on les rencontre, avec quelques variations d'amplitude, dans tous les pays évolués, dans toutes les sociétés dites « industrielles ». Une comparaison avec les grands pays voisins montrerait que la France est située, de ce point de vue, entre l'Italie d'une part (où la part du secteur primaire reste importante, de l'ordre de 40 %) et d'autre part l'Allemagne (où le glissement vers le secteur secondaire est beaucoup plus net) et l'Angleterre, dont plus de la moitié de la population active appartient au secteur secondaire, et près des deux cinquièmes au secteur tertiaire. Ces pays européens avancés restent eux-mêmes

RÉPARTITION DE LA POPULATION ACTIVE PAR SECTEUR

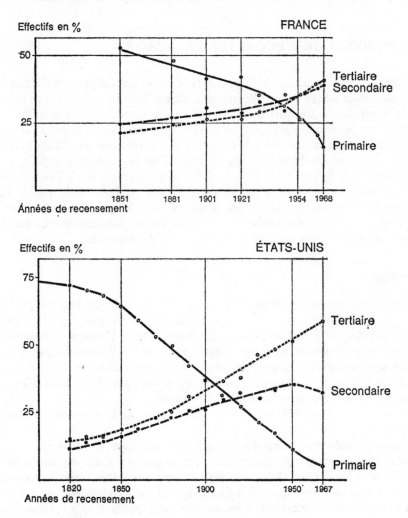

Source : FRIEDMANN-NAVILLE, *Traité de sociologie du travail*, A. Colin.

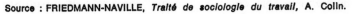

très en retard sur les États-Unis où, dès 1920, les trois secteurs s'équilibraient et, dès 1930, le secteur tertiaire devenait prépondérant.

Néanmoins l'évolution de la structure de la population active française semble s'accélérer. Une étude de l'I.N.S.E.E. portant sur les changements intervenus entre 1954 et 1960 montre que le secteur primaire a perdu 14 % de ses effectifs, tandis que le nombre des ouvriers de l'industrie a progressé de 6 %. Mais la progression la plus remarquable est celle des professions libérales et des cadres : elle atteint 31 %. Certes, ces catégories ne groupent qu'une très petite partie de la population active, moins du dixième, mais leur remarquable progression peut apparaître comme le signe d'une mutation profonde de notre société.

4. LES PROGRES DE L'ECONOMIE FRANÇAISE

Les modifications de structure de la population active ont été provoquées par les changements intervenus dans l'économie française depuis le XVIIIe siècle. En ce domaine, les termes de « révolution industrielle » ont été souvent employés, bien qu'on s'accorde à considérer que les transformations ont été lentes et qu'il s'agit plutôt d'une évolution que d'une révolution, si ce n'est à long terme. On parle aussi de plusieurs révolutions industrielles, la première étant celle du charbon et de la machine à vapeur, la seconde celle de l'électricité, du pétrole et de la turbine, la troisième celle de l'énergie nucléaire. Mais les révolutions industrielles ne se caractérisent pas seulement par la nature de l'énergie nouvelle utilisée, mais aussi par la substitution de la machine au travail manuel, puis la mise au point de machines nouvelles, du métier mécanique, par exemple, aux machines-transfert, en passant par le convertisseur de Bessemer.

L'innovation

C'est la première révolution industrielle qui a provoqué les ruptures les plus brutales. Avec elle, le milieu naturel, qui a servi de cadre à l'humanité depuis les origines, cède peu à peu la place au milieu technique. En même temps, l'économie naturelle, caractérisée par la prépondérance des activités agricoles et de l'exploitation agricole travaillant pour la consommation domestique, recule devant l'économie de marché. C'est pourquoi le secteur secondaire et le secteur tertiaire groupent une part de plus en plus grande de la population active, aux dépens du secteur primaire.

Quelles ont été les modalités et les principales étapes de la *première révolution industrielle*?

Le progrès technique est venu d'abord d'Outre-Manche.

— *L'utilisation de l'énergie produite par la vapeur* revient à des Anglais : Newcomen (vers 1710), Watt (vers 1770). En 1779, Watt fournit aux frères Périer la « pompe à feu de Chaillot » pour le service des eaux de la ville de Paris. Au début de la Révolution, une dizaine seulement de machines à vapeur sont employées dans les mines de charbon pour épuiser l'eau; pour la première fois, en 1803, une machine à vapeur fut utilisée comme moteur dans une filature. En 1816, la France possédait entre 150 et 200 machines à vapeur, dont 50 seulement fabriquées dans le pays ; jusqu'en 1820. ce nombre augmenta peu. L'augmentation fut lente mais continue entre 1820 et 1827, se ralentit pendant les cinq années suivantes, puis reprit vigoureusement à partir de 1833. L'équipement de la France en machines à vapeur progressa ensuite régulièrement pendant tout le XIXᵉ siècle jusqu'à la première guerre mondiale.

C'est également à partir d'innovations britanniques que se produisit « l'introduction du machinisme dans l'industrie française ». Les progrès les plus rapides eurent lieu dans

PROGRÈS DES TECHNIQUES 1825-1965

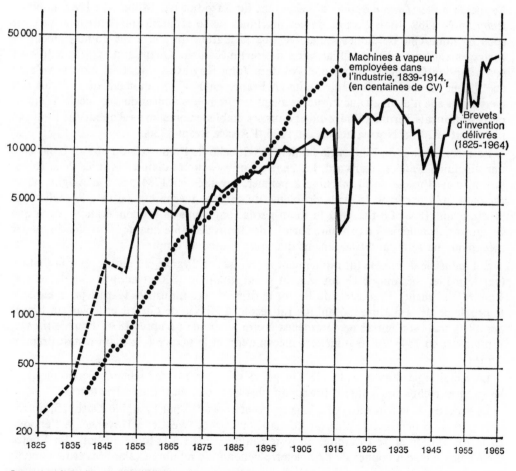

Source : *Annuaire statistique de la France,* P.U.F.

l'industrie textile, sans doute parce que dans cette industrie le facteur main-d'œuvre du prix de revient est beaucoup plus important que dans la métallurgie, et aussi parce que la mécanisation y est souvent plus facile et moins coûteuse. Au sein de cette industrie même, le facteur main-d'œuvre est plus important dans la filature que dans le tissage : elle se modernisa plus rapidement.

— *L'histoire de l'introduction du machinisme* dans l'industrie textile se réduit presque exclusivement à celle de l'introduction de machines anglaises par des entrepreneurs étrangers, anglais comme John Holker, Edward Milne, suisses comme Oberkampf. Parmi les entrepreneurs français, les Alsaciens, à peu près seuls, transformèrent leur matériel de fabrication.

L'industrie du coton offrait le terrain le plus favorable aux innovations, car c'était une industrie nouvelle qui échappait à la réglementation. L'usage de la broche à filer *(spinning-jenny)*, mise au point par Hargreaves en 1765, fut adopté en France vers 1771. Le métier à filer *(water-frame)* d'Arkwright fut introduit par Milne vers 1787, la *mule-jenny* après 1789. Mais l'usage de ces machines ne se répandit que lentement et c'est sous la monarchie de Juillet seulement que la filature du coton fut complètement et correctement (la qualité du fil laissait à désirer) mécanisée. Quant au tissage mécanique, son adoption fut encore plus lente. Pourtant John Kay avait inventé la navette volante en 1733 et l'avait lui-même introduite en France en 1747, au moment où il fuyait son pays; mais elle n'avait eu aucun succès avant les premières années du XIXe siècle. L'entrepreneur français Ternaux l'introduisit dans ses établissements, mais Roubaix ne l'adopta pas avant 1820, la Normandie avant 1825, l'Alsace avant 1830.

La mécanisation de l'industrie lainière suivit celle de l'industrie du coton, mais avec une vingtaine d'années de retard. La *jenny* est utilisée pour la laine à la veille de la Révolution, mais l'usage de la machine à peigner, inventée en 1784 par Cartwright, ne se répandit qu'à partir de 1825; le problème du cardage mécanique ne fut pas réellement résolu avant 1830. Le tissage à la main garda longtemps sa prépondérance, parce que les industriels tendaient à produire surtout des tissus de haute qualité; l'emploi du métier mécanique ne se répandit largement que sous le second Empire.

Si l'industrie de la soie fut rapidement mécanisée en France, au moins pour la filature (car le métier mécanique ne fut mis au point qu'après 1830 et adopté sous le second Empire seulement), l'industrie du lin fut la dernière des industries textiles pour laquelle le problème de la filature mécanique fut résolu. Philippe de Girard prit bien un brevet dès 1810, mais son œuvre ne commença à être reconnue qu'après 1830. Pour le tissage, il n'y avait en 1848 que 600 métiers mécaniques, et le tissage à la main restait prépondérant.

La métallurgie illustre la loi de l'inégal développement des secteurs économiques : les progrès techniques y furent beaucoup plus lents que dans l'industrie textile.

Le procédé de la fonte au coke, mis au point vers 1713 par l'Anglais Darby, fut introduit plus d'un demi-siècle plus tard dans les usines de Wendel à Hayange. A l'époque de la Révolution et de l'Empire, on reste toujours fidèle à la fonte au bois. La France a été complètement coupée de l'Angleterre pendant de nombreuses années et ne connaît pas le procédé du *puddlage* (élimination du carbone et des impuretés de la fonte sur feu de coke), inventé par Cort en 1784. Après la paix, des industriels français se rendent en Angleterre et en rapportent les nouvelles techniques. En 1819, le *puddlage* est adopté par quelques-uns d'entre eux, les Wendel en Lorraine, les Manby et Wilson au Creusot. Au milieu du XIXe siècle encore, une forge française seulement sur quatre pratiquait le *puddlage* et le laminage. Les progrès importants eurent lieu sous le second Empire, avec l'adoption du convertisseur Bessemer, puis du procédé de réduction Siemens-Martin. Encore fallut-il attendre l'invention du procédé Thomas-Gilchrist (1878), qui permet de traiter facilement les minerais phosphoreux, comme ceux des gisements de Lorraine, pour voir se produire en France la « révolution de l'acier ».

Le progrès technique a donc été relativement lent, surtout si on le compare à celui qu'a connu l'Angleterre à partir du milieu du XVIIIe siècle. Les années 1780-1792 ont été « des années d'effort, de tentatives dispersées sans plan d'ensemble, modifiant les conditions de la production, mais sans conséquence sensible sur l'ensemble de l'organisation économique » (Ch. Ballot). Après la stagnation de la Révolution et de l'Empire, « la période 1815-1848 marque en France le départ de la première phase de la Révolution industrielle, mais non pas son plein épanouissement qui n'eut lieu qu'après 1860 » (Dunham). Même après cette date, le retard n'a pas été comblé : « Entre 1815 et 1914, le revenu réel global et par tête d'habitant a augmenté plus lentement en France qu'en n'importe quel autre grand pays industriel. Il en est de même pour la formation du capital, la production industrielle et d'autres indices de la croissance économique » (Cameron).

Il n'est pas aisé de discerner la cause du *retard français* ou plutôt de recenser toutes les causes, car elles ont dû être nombreuses. Une des plus importantes paraît avoir été, au moins dans les débuts de la révolution industrielle, la répugnance des chefs d'entreprises à utiliser la nouvelle source d'énergie, le charbon. A la fin du XVIIIe siècle les maîtres de forges ne voyaient pas l'utilité ou n'éprouvaient pas le besoin d'abandonner le bois pour le charbon. Les propriétaires de forêts ont sans doute aussi fait pression sur le gouvernement pour gêner l'importation de charbons étrangers et défendre ainsi le niveau de leurs revenus. En outre, les conditions naturelles de l'exploitation du charbon français n'étaient pas excellentes, le coût d'extraction était en moyenne beaucoup plus élevé qu'en Angleterre. Avant la construction des chemins de fer, le coût du transport contribuait, plus que tout autre facteur, à maintenir des prix élevés et à restreindre la consommation ; sous la Restauration, il élevait parfois le prix à huit ou dix fois le prix à la mine. Dans les dernières années du XIXe siècle encore, le prix moyen de la tonne métrique de charbon atteignait en France 12 francs contre 9,16 en Allemagne, 8,60 en Angleterre, 5,69 aux États-Unis.

Les historiens ont fréquemment mis en lumière le rôle très important de l'État dans la révolution industrielle. A la fin du XVIIIe siècle, c'est le gouvernement qui encourage la diffusion du progrès technique, se chargeant souvent lui-même d'envoyer en Angleterre des hommes de métier étudier les procédés nouveaux, favorisant même le vol des secrets de fabrication. Au XIXe siècle, l'administration, et particulièrement le corps des Ponts et Chaussés et le Service des Mines, contribue activement au progrès technique. Cette intervention de l'État souligne l'indifférence de la grande majorité des entrepreneurs français à l'égard des innovations, indifférence que l'on attribue souvent à leur individualisme. L'individualisme imprègne d'ailleurs le corps économique tout entier, au moins au début du XIXᵉ siècle, depuis le chef d'industrie jusqu'au dernier manœuvre; il a ses racines dans un passé paysan alors très récent.

La protection douanière, renforcée par les lois de 1821 et 1822, a-t-elle retardé le progrès technique? Certains auteurs y ont vu « un cancer » qui lésait gravement le commerce extérieur et, à l'intérieur, décourageait les progrès et l'initiative. D'autres prétendent au contraire qu'elle a favorisé l'innovation parce que les expériences des entrepreneurs les plus hardis ont pu se développer à l'abri de ce régime parfois prohibitif.

L'accord se fait aisément, au contraire, sur les insuffisances de l'investissement. La France du XIXᵉ siècle disposait de sommes relativement considérables qui auraient pu s'investir dans des activités productrices. Mais une forte part de l'épargne allait aux emprunts, emprunts d'État ou des collectivités locales, à la construction de logements ou, plus fréquemment, aux achats de terres considérés à la fois comme plus sûrs et plus capables de conférer un certain « rang » social. Dans la seconde moitié du siècle, les détenteurs de capitaux s'orientèrent vers les placements en valeurs étrangères. Ainsi préférait-on, aux investissements industriels, des investissements à rendement plus faible en biens fonciers ou en rente, ou des investissements en obligations étrangères avec des risques plus grands, mais avec des rendements supérieurs.

De son côté, l'État, par son système fiscal, ne favorisait pas l'investissement. Le niveau des finances publiques, tant pour les recettes que pour les dépenses, mesuré par tête d'habitant, fut en France le plus élevé du monde au cours de presque tout le XIXᵉ siècle. Ce niveau de fiscalité eût été justifié si le gouvernement avait attribué les ressources obtenues au développement économique. Or les frais de perception absorbaient chaque année une part excessive des recettes fiscales [1], ce qui révélait l'inefficacité d'une armée de fonctionnaires trop nombreux, et les dépenses militaires (y compris le service des dettes de guerre) absorbaient près de la moitié des recettes budgétaires.

On a donc pu calculer que, de 1820 à 1900, les investissements dans l'agriculture et l'industrie n'ont pas dépassé 50 à 60 milliards de francs, soit une moyenne annuelle de 600 millions, et constater que « la croissance de l'industrie française ne s'est pas maintenue au niveau de celle des pays voisins parce que la France n'investissait pas » (Cameron).

Il est d'ailleurs juste de reconnaître que la faible croissance démographique ne contribuait pas à rendre très sensible la nécessité d'un tel effort et que, d'autre part, les conditions techniques nécessaires au développement des investissements n'existaient pas encore au début du XIXᵉ siècle. En 1815, le *marché financier* de Paris n'avait qu'une importance limitée. La Banque de France n'avait encore fonctionné que dans les circonstances anormales de la guerre. La loi de 1816 réorganisant la Bourse limitait de façon permanente le nombre de ses agents de change à soixante. Les actions industrielles devaient y être traitées dans la coulisse, dont les courtiers n'étaient pas légalement reconnus. Les prix d'émission de ces actions étaient généralement très élevés (de 5 à 10 000 francs). Au début, la Bourse s'occupait presque exclusivement des rentes françaises, puis de

---

1. En 1863, par exemple, les sommes perçues par l'État au titre des impôts directs ont atteint 514 millions, et le budget du personnel du ministère des Finances 126 millions, soit 24,5 % (Deleforterie et Morice, *Les Revenus départementaux en 1864 et 1954*, A. Colin, pp. 36 et 50).

diverses sortes d'assurances et de quelques services publics, comme les Messageries Royales, et d'une ou deux compagnies du gaz. Sous la Monarchie de Juillet, elle cota les valeurs des canaux, des ponts, des plus importantes compagnies houillères, d'un certain nombre d'établissements métallurgiques, de quelques sociétés textiles, et bien sûr, des compagnies de chemins de fer.

Malgré ces progrès, la situation au milieu du siècle reste difficile. La Banque de France commence à vaincre la méfiance populaire à l'égard de ses billets qui circulent sur tout le territoire, mais elle n'assure son autre fonction, le réescompte, qu'avec beaucoup de prudence, n'acceptant que du papier à moins de trois mois et garanti par la signature d'un escompteur préalable. Elle a opté pour « un conservatisme malthusien fondé sur la cherté des capitaux » (Palmade). La « haute banque » assure le placement des emprunts d'État, drainant ainsi les capitaux vers les fonds publics et non vers les entreprises industrielles et commerciales. Pour celles-ci, Laffitte avait songé à créer, en 1825, une grande « Société commanditaire de l'industrie » dont l'objet aurait été de « contribuer et participer au succès de toute entreprise, de toute invention et de tout perfectionnement relatifs à l'agriculture, à l'industrie et au commerce », mais le gouvernement avait refusé de donner l'autorisation nécessaire. Laffitte avait repris son projet en 1837, en créant une Caisse générale pour le Commerce et l'Industrie, et il avait eu quelques imitateurs à Paris et en province. Mais ces caisses n'ont pu résister à la crise de 1848 et ont disparu.

C'est sous le Second Empire qu'ont eu lieu, en matière de mobilisation des capitaux, les progrès décisifs : la haute banque commence à investir à long terme dans les entreprises industrielles, mais surtout de nouvelles institutions bancaires apparaissent. Le Crédit mobilier, constitué en novembre 1852, était une banque d'investissements destinée à mobiliser l'épargne française au moyen d'obligations répandues dans le public et à la mettre à la disposition des entreprises industrielles. Il y réussit partiellement, mais ne put trouver son équilibre et disparut, à peu près avec l'Empire lui-même. Appelées, au contraire, à s'enraciner durablement, des banques de dépôt : Comptoir d'escompte de Paris (devenu banque privée en 1853), Crédit industriel et commercial (1859), Crédit lyonnais (1863), Société générale (1864), développent le crédit à court terme, sans s'interdire encore les opérations plus ambitieuses dont plusieurs crises leur apprendront les dangers. Des banques d'affaires, enfin, mieux armées pour le financement à long terme des entreprises industrielles, apparaissent un peu plus tard : Banque de Paris et des Pays-Bas (1872), Banque parisienne (1874) devenue, en 1940, Banque de l'union parisienne, Banque de l'Indochine (1875), puis Banque française pour le commerce et l'industrie (1901).

A la fin du XIXe siècle, la France dispose donc d'un *équipement bancaire* qui paraît satisfaisant et d'une masse importante de capitaux disponibles. Pour diverses raisons, ces capitaux tendent de plus en plus à s'investir non dans les entreprises nationales mais à l'étranger. Les investissements extérieurs représentent environ 25 % du total des investissements en 1880, et 45 % environ à la veille de la guerre de 1914. Ces exportations de capitaux présentent sans doute certains avantages, économiques ou politiques, mais il n'est pas interdit de penser qu'elles sont largement responsables des lenteurs du développement industriel de la France en la privant d'une partie des capitaux dont elle aurait eu besoin pour maintenir sa croissance au rythme atteint par d'autres puissances européennes, sans parler des États-Unis d'Amérique. C'est ce problème de la croissance économique de la France qu'il convient maintenant d'aborder.

La croissance

Les recherches sur la croissance de l'économie française ne sont encore qu'amorcées, et restent difficiles en raison de la faiblesse des instruments de mesure dont nous disposons.

Une première approche peut être utilisée, celle de l'évolution du *revenu national*, grâce aux recherches de F. Perroux. Il est impossible de constituer une série chronologique du revenu national défini d'une façon homogène. Mais en combinant les évaluations d'auteurs contemporains, et en tenant compte surtout des « évaluations liées », c'est-à-dire de séries partielles qu'ils ont constituées, on parvient à discerner les grandes lignes de l'évolution.

L'accroissement du revenu national a été, en gros, géométrique entre 1789 et 1914. Pendant la période 1789-1850, le revenu national semble avoir plus que doublé, passant de moins de 5 milliards à 10; doublé encore de 1850 à 1880, et n'avoir plus augmenté que de moitié de 1880 à 1914. Pour l'ensemble de la période 1789-1914, le taux moyen de croissance du revenu national pourrait s'établir à un peu moins de 2 % par an.

Depuis la première guerre mondiale, l'évolution a été beaucoup plus irrégulière. En utilisant la série constituée par A. Sauvy (revenu national calculé en francs constants), on constate que le niveau d'avant-guerre n'a été retrouvé qu'en 1923. De 1923 à 1929, la progression a été de 38 %; de 1930 à 1936, une baisse de 18 % le ramène au niveau de 1924. De 1936 à la guerre, le revenu national stagne, pour s'effondrer jusqu'en 1944. Le niveau de 1938 ne se retrouve que dix ans plus tard. Puis une progression très vigoureuse se dessine qui porte le revenu national à un très haut niveau : en douze ans, 1948-1960, le revenu national français a presque doublé (augmentation de 85 %). Il a doublé à nouveau de 1960 à 1970.

Une étude récente des progrès de l'économie française (J. Marczewski), encore qu'elle ait dû utiliser, elle aussi, des sources composites et d'inégale valeur qui affectent ses conclusions d'une marge d'incertitude difficile à réduire, permet de serrer de plus près ces problèmes de la croissance. La croissance du *produit matériel* a été calculée à partir du produit agricole et du produit industriel par le procédé des moyennes décennales.
— *Les données du produit agricole* brut ont été établies à partir de quantités physiques. La croissance de ce produit a été généralement lente : le taux annuel moyen géométrique ne dépasse, en aucune décennie, 1,5 % par an. Les progrès les plus rapides ont eu lieu pendant la première moitié du XIXe siècle; à partir de la décennie 1855-1864, « la croissance agricole se ralentit principalement sous l'effet de la concurrence des pays d'outre-mer. A partir de 1873, commence la grande dépression agricole qui ne prend fin que vers 1896. » A la fin du siècle, une reprise se dessine qui dure jusqu'à la première guerre mondiale; elle est due sans doute à la mise en œuvre du tarif protectionniste. Mais « la politique protectionniste ainsi inaugurée contribuera à la sclérose des structures

ESTIMATIONS DU REVENU NATIONAL

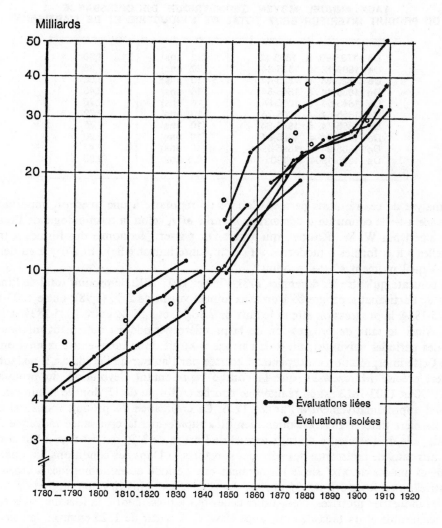

Source : *Cahiers de l'I.S.E.A.*, série D, n° 7.

productives du pays et à long terme ralentira la croissance de l'économie française considérée dans son ensemble. »

— *Le produit brut de l'industrie et de l'artisanat* a évolué ainsi :

TABLEAU 6

**TAUX ANNUEL MOYEN GÉOMÉTRIQUE DE CROISSANCE
DU PRODUIT INTERIEUR BRUT TOTAL DE L'INDUSTRIE ET DE L'ARTISANAT**

De 1781-90 à 1803-12	(22 ans)	1,98
De 1803-12 à 1825-34	(22 ans)	2,86
De 1825-34 à 1835-44	(10 ans)	3,52
De 1835-44 à 1845-54	(10 ans)	2,45
De 1845-54 à 1855-64	(10 ans)	2,76
De 1855-64 à 1865-74	(10 ans)	2,72
De 1865-74 à 1875-84	(10 ans)	2,75
De 1875-84 à 1885-94	(10 ans)	2,20
De 1885-94 à 1895-1904	(10 ans)	2,47
De 1895-1904 à 1905-13	(9,5 ans)	2,85

L'analyse de ces résultats permet d'abord de répondre à une question importante : la France a-t-elle connu un « démarrage » *(take-off)*, selon la terminologie de l'économiste américain W. W. Rostow, qui aurait fait passer l'économie des formes « traditionnelles » aux formes « modernes » (à dominante industrielle)? Et s'il y a eu démarrage, à quel moment s'est-il produit?

On constate qu'entre les décennies 1781-1790 et 1803-1812, le produit total de l'industrie et de l'artisanat a progressé à un taux annuel voisin de 2 % (1,98); entre 1803-1812 et 1825-1834, la progression atteint le taux de 2,86 %, et 3,52 % entre 1825-1834 et 1835-1844. Ainsi le taux de progression de la première période est nettement inférieur au taux des périodes suivantes; un « démarrage » serait donc intervenu aux environs de 1830. Cette interprétation est cependant écartée par l'auteur de l'étude : « Il ne faut pas oublier, précise Marczewski, que la courbe représentant l'évolution du produit en 1781-1790 et 1803-1812 est en réalité une courbe en forme de U, dont le minimum correspond approximativement à l'année 1796. La croissance du produit industriel entre cette dernière date et 1812 est donc bien plus rapide que la croissance moyenne de la période; elle doit atteindre un taux annuel de l'ordre de 3 % qui est tout à fait comparable aux taux de croissance des périodes suivantes. » Dans ces conditions, les quarante premières années du XIXe siècle formeraient une période assez homogène, à croissance industrielle rapide de 3 à 3,5 % par an. Au début, les industries du coton et de la soie sont les industries motrices, c'est-à-dire celles qui « présentent à la fois un poids relatif non négligeable et un taux de croissance élevé ». A partir de 1825 environ, la soie et le coton détiennent toujours la première place parmi les industries motrices; mais le rôle des charbonnages et de la sidérurgie s'affirme, et l'on voit apparaître, au nombre des industries motrices, la transformation des métaux. Ce serait l'installation, entre 1825 et 1830, d'une grande industrie métallurgique qui, en assurant le relais des industries textiles, plus anciennes, aurait donné à l'économie française une vigoureuse impulsion.

EVOLUTION DU REVENU NATIONAL DEPUIS 1901
(en francs constants)

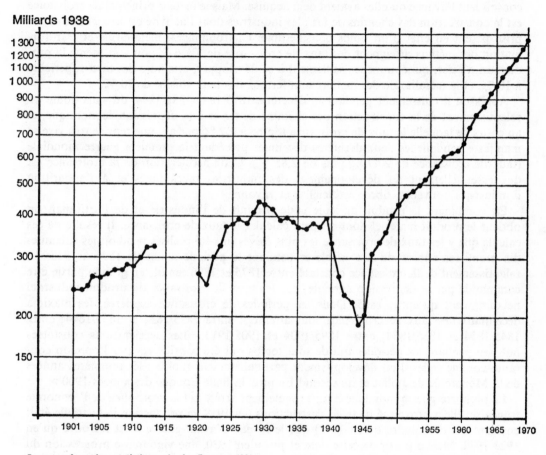

Source : *Annuaire statistique de la France*, 1961.

Entre les décennies 1835-1844 et 1845-1854, le taux de croissance du produit brut industriel tomberait à 2,45 %. L'industrie du coton disparaît de la liste des industries motrices, celle de la soie s'y maintient mais son taux de croissance s'affaiblit. Une nouvelle venue, l'industrie chimique, se signale par un taux de croissance extrêmement élevé (15 %), mais son poids relatif est encore faible. Industrie métallurgique et charbonnages progressent, mais à un rythme modéré. « Il s'agit en somme d'une période de transition entre l'expansion des industries du coton et de la soie qui commence déjà à perdre son élan et le développement des chemins de fer qui donnera son plein effet seulement à partir des années 1850. »

De 1845-1854 à 1875-1884, le taux de croissance se stabiliserait aux environs de 2,7 % par an. Les industries textiles, à l'exception de celle du jute, industrie nouvelle, ne figurent plus parmi les industries motrices. Industrie du bâtiment et industries alimentaires, stimulées par l'augmentation rapide des revenus, progressent; les industries chimiques consolident l'avance qu'elles avaient déjà acquise. Mais le facteur principal de croissance est la construction des chemins de fer : les industries dont l'activité est liée à cette entreprise pèsent en effet d'un poids considérable. Charbonnages, métallurgie et transformation des métaux atteignent des taux de croissance de 3 à 6 %; on voit même la production d'acier, qui commence seulement à se développer, atteindre des taux supérieurs à 10 %, et la métallurgie des métaux non ferreux des taux voisins de 20 %.

Après un fléchissement pendant la décennie 1875/1884-1885/1894, dû sans doute au ralentissement de la construction des chemins de fer et à la dépression économique, et au cours de laquelle le taux de croissance tombe à 2,2 % par an, une reprise très vive se manifeste pendant les deux dernières décennies précédant la première guerre mondiale (taux de croissance de 2,47 % puis de 2,85 %). Cette accélération de la croissance est due essentiellement au développement des industries mécaniques et à l'apparition d'industries nouvelles, fibres artificielles et rayonne.

En combinant le produit agricole et le produit de l'industrie et de l'artisanat, on obtient le produit matériel dont on peut calculer le taux de croissance. Il résulte de ces calculs que « les taux de croissance les plus élevés ont été réalisés pendant les soixante-dix premières années du XIXᵉ siècle et pendant la période allant de 1896 à 1913. Le ralentissement de la croissance constaté entre 1875 et 1896 semble en grande partie être commandé par la dépression agricole; car les taux de croissance du produit industriel ne diminuent qu'après 1885. Dans les périodes de croissance accélérée, les maxima décennaux des taux de croissance sont atteints : entre 1825/1834 et 1835/1844; entre 1845/1854 et 1855/1864; entre 1895/1904 et 1905/1913... Les accélérations constatées ont lieu pendant les périodes qui de tout temps ont été considérées par l'opinion courante comme celles d'un développement particulièrement rapide : les premières années de la Monarchie de Juillet et du second Empire, la Belle Époque des années 1900 ».

La première guerre mondiale n'a pas seulement arrêté net la croissance de l'économie française, elle a provoqué de telles destructions (en 1919, la production industrielle était environ moitié moindre qu'en 1913) que le niveau d'avant-guerre n'est retrouvé qu'en 1923-1924. Mais à partir de cette date et jusqu'en 1930, une vigoureuse progression du produit matériel est observée, avec des taux de croissance de 1,8 % pour l'agriculture, de 4 % pour l'industrie : « La France est en tête du progrès industriel européen. Ces résultats sont dus non seulement à notre dynamisme propre, mais aussi au piétinement du Royaume-Uni et au relèvement (relativement) lent de l'Allemagne » (Fr. Walter).

Après cette période brillante survient une catastrophe : « La grande crise mondiale de 1929 nous atteint plus tard que les autres pays, mais elle sera chez nous beaucoup plus durable. En 1938, notre production d'acier, pour 90 départements, est inférieure à celle de 1913! Notre industrie de transformation des métaux dépasse à peine (de 2 %) celle de 1913, alors que notre production textile s'est réduite de 17 %. Pour l'ensemble de l'industrie, la chute est de 14 %, alors que pour le reste de l'Europe occidentale, il y a accroissement de l'ordre d'un quart » (Fr. Walter).

Pendant la seconde guerre mondiale et les années d'occupation, la production française a lentement décliné; les récoltes de 1945 représentaient moins de 60 % de leur niveau d'avant-guerre, la production industrielle, au début de 1944, atteignait à peine 55 % de son niveau de 1938. En outre, le matériel industriel avait vieilli, faute de renouvellement et par insuffisance d'entretien. Cette situation se trouvait d'ailleurs aggravée par la faiblesse des investissements réalisé au cours des années 1931 à 1939.

Mais, avec la Libération, une nouvelle politique économique a été adoptée, dont les effets sur la croissance ont été considérables :

> Les plans ... par une politique d'investissements massifs et judicieusement dosés, par une action budgétaire, fiscale, réglementaire, par une intervention systématique dans le domaine des prix, ont placé le grand problème de la croissance, et surtout de la croissance industrielle, en le liant à celui de la productivité, au cœur de leur édifice. Centrée d'abord sur le redressement des grands secteurs de base, charbon, électricité, pétrole, mines de fer et mines de métaux divers, la planification française s'est ensuite étendue aux produits industriels fondamentaux, issus de la sidérurgie, de l'industrie des ciments, des industries chimiques. Elle a enfin englobé les industries de transformation, et surtout les industries marchandes : industrie électronique et radio-électrique, industrie des fibres artificielles et synthétiques, des matières plastiques. Dans tous ces domaines, l'action du Commissariat au Plan a été toute d'habileté et de persuasion, à l'égard des cadres administratifs traditionnels, à l'égard aussi dn patronat, se gardant bien d'imposer et se contentant de suggérer, visant à l'expansion de la production par l'injection de crédits judicieusement distribués, par la modernisation et l'abaissement des coûts. Peu à peu, les normes et les coefficients des Plans successifs ont fini par être admis par les branches essentielles de l'industrie nationale, qui trouvaient leur intérêt à suivre leurs directives. Peu à peu aussi, un « ordre » nouveau s'imposait à un patronat jusqu'alors rebelle à toute discipline, et ... la notion de profit elle-même se transformait et se subordonnait à des calculs à longue échéance, éminemment profitables à la croissance industrielle et, par conséquent, à l'intérêt national. En même temps, l'Administration du Plan, peu nombreuse, mais composée d'éléments de premier ordre et infiniment dynamiques, s'efforçait d'appuyer son œuvre de modernisation et d'expansion par un soutien sans cesse plus efficace à la recherche scientifique et technique (P. Léon).

Aussi, dès 1947, la production industrielle retrouvait-elle le niveau de 1938; dès 1949, elle retrouvait le niveau record de 1929. Depuis 1949, le taux moyen géométrique de croissance du produit industriel a atteint 6 % l'an, ce qui n'avait jamais été observé en France. On peut se demander alors si le « démarrage », que l'on avait cru à tort pouvoir situer dans la première moitié du XIXᵉ siècle, n'a pas plutôt eu lieu *aux environs de 1950*. Les conséquences de ce phénomène, dû au poids accru de l'industrie dans l'ensemble du produit national, à l'accélération du progrès technique, et à la politique délibérée des dirigeants nationaux, peuvent être, pour l'avenir de la société française, de considérable importance.

LECTURES COMPLEMENTAIRES

Les mouvements de population

Les principaux ouvrages à consulter sont :

O ARMENGAUD (A.), *La Population française au XIXe siècle* et *La Population française au XXe siècle*, Paris, P.U.F., 1965 et 1971.

O TOUTAIN (J.-C.), *La Population de la France de 1700 à 1959*, Cahier de l'Institut de Science Économique Appliquée, série AF, n° 3, janvier 1963.

O POUTHAS (Ch.-H.), *La Population française pendant la première moitié du XIXe siècle*, Paris, P.U.F., 1956 (I.N.E.D., « Travaux et documents », cahier n° 25).

O ARIÈS (Ph.), *Histoire des populations françaises et de leurs attitudes devant la vie depuis le XVIIIe siècle*, Paris, S.E.L.F., 1948.

On trouvera une étude générale et des mises au point dans :

O POUSSOU (J.-P.) et GUILLAUME (P.), *Démographie historique*, Paris, Armand Colin, Coll. U, 1970, et on consultera les nombreux articles de la revue *Population*.

Les migrations intérieures

On en prendra une vue générale dans *Annales de démographie historique*, 1970 — *Migrations*, Paris, Mouton, 1971.

O CHEVALIER (L.), *La Formation de la population parisienne au XIXe siècle*, Paris, P.U.F., 1950 (I.N.E.D., « Travaux et documents », cahier n° 10).

O FRIEDMANN (G.), *Villes et campagnes, civilisation urbaine et civilisation rurale en France*, Paris, S.E.V.P.E.N., 1953.

O PINCHEMEL (P.), *Structures sociales et dépopulation rurale dans les campagnes picardes de 1836 à 1936*, A. Colin, 1957.

O PINCHEMEL (P.), CARRIÈRE (F.), *Le Fait urbain en France*, Paris, A. Colin, 1963.

La population active et les migrations professionnelles

Nous avons utilisé :

O I.N.S.E.E., *Annuaire statistique de la France*, rétrospectif, édition 1961, Paris, P.U.F., 1961, ainsi que :

O MICHON (F.), *Structures de la population active. Résultats des enquêtes sur l'emploi, 1962-1967, ibidem*, 1971.

O CAHEN (L.), « Évolution de la population active en France depuis cent ans d'après les dénombrements quinquennaux », *Études et conjoncture*, mai-juin 1953.

O « Quelques aspects de l'évolution des populations actives dans les pays d'Europe occidentale », *Études et conjoncture*, novembre 1954.

O FOURASTIÉ (J.) (sous la direction de), *Migrations professionnelles*, données statistiques sur leur évolution en divers pays de 1900 à 1955, Paris, P.U.F., 1957 (I.N.E.D., *Travaux et documents*, n° 31).

O FRIEDMANN (G.) et NAVILLE (P.), *Traité de sociologie du travail*, tome I, chapitre VI, Paris, A. Colin, 2e édition, 1964.

L'Innovation

O FOHLEN (C.) et BÉDARIDA (F.), *Histoire générale du travail*, tome III : *L'Ère des révolutions*, Paris, Nouvelle librairie de France, 1959. (Particulièrement : 1re partie, chapitre Ier : « Naissance de la grande industrie », et 2e partie, livre Ier : « Les conquêtes de la technique ».)

O GILLE (B.), « Recherches sur le problème de l'innovation. Perspectives historiques dans le cas français », *Cahiers de l'I.S.E.A.*, série A-D, n° 1.

O BALLOT (C.), *L'Introduction du machinisme dans l'industrie française*, Lille, 1923.

O DUNHAM (A.-L.), *La Révolution industrielle*

en France (1815-1848), Paris, Rivière, 1953 (cf. le compte rendu de GILLE (B.), *Revue d'histoire moderne et contemporaine*, avril-juin 1954).

○ PALMADE (G.-P.), *Capitalisme et capitalistes français au XIXe siècle*, Paris, A. Colin, 1961 (particulièrement pp. 89-112, 131-150, 196-207, 223-228).

La croissance

○ ROSTOW (W.-W.), *Les Étapes de la croissance économique*, Paris, Seuil, 1962.

○ LÉON (P.), « L'industrialisation en France en tant que facteur de croissance économique, du début du XVIIIe siècle à nos jours », in *Première conférence internationale d'histoire économique, Contributions, communications*, Stockholm, 1960.

○ CAMERON (R.-E.), « Profit, croissance et stagnation en France au XIXe siècle », *Économie appliquée*, tome X, avril-sept. 1957.

○ CAMERON (R.-E.), *La France et le développement économique de l'Europe au XIXe siècle*, Paris, Le Seuil, 1971.

○ « La croissance du revenu national français depuis 1780 », *Cahiers de l'I.S.E.A.*, série D, n° 7.

○ MARCZEWSKI (J.), « Le Take-off en France », *Cahiers de l'I.S.E.A.*, série A-D, n° 1.

○ PAUTARD (J.), *Les Disparités régionales dans la croissance de l'agriculture française*, Paris, Gauthier-Villars, 1965.

○ WALTER (F.), « Recherches sur le développement économique de la France de 1900 à 1955 », *Cahiers de l'I.S.E.A.*, série D, n° 9.

○ CARRÉ (J.-J), DUBOIS (P.), MALINVAUD (E.), *La Croissance française, un essai d'analyse économique causale de l'après-guerre*, Paris, Le Seuil, 1972.

DOCUMENTS

1. Évolution générale de la population de la France depuis la fin du XVIIIe siècle

Année de recensement	Chiffre total (en milliers	Accroissement absolu	Accroissement annuel pour 100 habitants
1791	27 190		0,005
1801	27 350	160	0,56
1821	30 462	3 112	0,69
1831	32 569	2 107	0,59
1836	33 541	972	0,41
1841	34 230	689	0,68
1846	35 400	1 170	0,21
1851	35 783	383	0,14
1856	36 039	256	0,74
1861 (a)	37 386	1 347	0,36
1866	38 067	681	
1872 (b)	36 103		0,55
1876	36 906	803	0,41
1881	37 672	766	0,29
1886	38 219	547	0,06
1891	38 343	124	0,09
1896	38 518	175	0,23
1901	38 962	444	0,15
1906	39 252	290	0,18
1911	39 605	353	
1921 (c)	39 210		
1926	40 744	1 534	0,78
1931	41 835	1 091	0,53
1936 d)	41 907	72	0,03
1946	40 503		
1954	42 777	2 274	0,70
1962	47 558	4 781	0,80
1968	50 105	2 547	0,70

(a) Avec Nice et Savoie (669 000 habitants).
(b) Sans Alsace et Lorraine (1 500 000 habitants).
(c) Avec Alsace et Lorraine (1 710 000 habitants).
(d) Surestimation d'environ 400 000 (dont 200 000 pour les Bouches-du-Rhône, 100 000 pour le Rhône et 100 000 pour la Corse).

Le premier dénombrement de la population par districts, cantons et municipalités a été demandé, en juillet 1790, par le Comité de division de l'Assemblée constituante. Les résultats en ont été rassemblés en 1791. Le dénombrement de 1801, prescrit le 16 mai 1800 par le ministre de l'Intérieur, a été fait par communes; les résultats en ont été publiés dans la *Statistique générale de la France*, tome III, par départements et arrondissements. Celui de 1806 a été publié sous la même forme. Les dénombrements de 1811 et de 1816 ne sont que des évaluations à partir des résultats de 1806 et du mouvement des naissances et des décès dans l'intervalle. Après l'ordonnance du 16 janvier 1822, le dénombrement devient quinquennal. A partir de 1836, on substitue aux états numériques des listes nominatives. A partir de 1881, recensement à jour fixe.

2. Mariages, naissances, décès de 1806 à 1969

PÉRIODES	NOMBRE ANNUEL MOYEN (en milliers)				PROPORTION POUR 10 000 HABIT. DES			
	Mariages	Enfants déclarés vivants	Décès	Excédents de naissances ou de décès	Mariages	Enfants déclarés vivants	Décès	Excédents de naissances ou de décès
1806/1810	229,0	921,9	767,5	+ 156,4	157	317	263	+ 54
1811/1815	250,5	930,7	789,3	+ 141,4	171	317	269	+ 48
1816/1820	218,5	955,1	757,0	+ 198,1	146	319	253	+ 66
1821/1825	240,3	971,8	765,2	+ 206,6	155	314	247	+ 67
1826/1830	254,3	976,6	815,5	+ 161,1	159	305	255	+ 50
1831/1835	259,7	975,0	856,2	+ 118,8	158	296	260	+ 36
1836/1840	273,0	959,4	799,8	+ 159,6	162	284	237	+ 47
1841/1845	282,3	976,0	786,0	+ 190,0	163	281	227	+ 54
1846/1850	277,6	949,6	848,3	+ 101,3	156	267	239	+ 28
1851/1855	280,6	939,8	867,2	+ 72,6	156	261	241	+ 20
1856/1860	294,9	967,4	866,2	+ 101,2	162	266	238	+ 28
1861/1865	301,8	1 004,9	861,7	+ 143,2	160	267	229	+ 38
1866/1870	291,0	998,8	934,0	+ 64,8	152	261	244	+ 17
1871/1875	320,7	981,0	949,6	+ 31,4	169	258	250	+ 8
1876/1880	292,3	993,6	874,2	+ 119,4	151	257	226	+ 31
1881/1885	294,3	983,8	879,4	+ 104,4	149	250	223	+ 27
1886/1890	286,3	930,0	879,4	+ 50,6	143	233	221	+ 12
1891/1895	297,9	905,6	893,9	+ 11,7	149	226	223	+ 3
1896/1900	305,3	899,6	835,1	+ 64,5	151	222	206	+ 16
1901/1905	312,2	883,5	800,9	+ 82,6	153	216	196	+ 20
1906/1910	323,6	833,4	787,3	+ 46,1	157	202	191	+ 11
1911/1915	250,0	721,5	891,1	— 169,6	121	174	215	— 41
1916/1920	336,5	519,8	868,5	— 348,7	171	132	221	— 89
1921/1925	380,7	771,2	686,6	+ 84,6	191	193	172	+ 21
1926/1930	339,4	748,1	690,0	+ 58,1	165	182	168	+ 14
1931/1935	308,0	690,2	658,4	+ 31,8	147	165	157	+ 8
1936/1940	252,7	606,5	684,3	— 77,8	121	145	159	— 14
1941/1945	262,0	595,0	673,0	— 78,0	133	151	171	— 20
1946/1950	397,4	860,1	537,2	+ 322,9	194	210	131	+ 79
1951/1955	313,8	810,4	534,9	+ 275,5	147	190	126	+ 64
1956/1960	311,0	813,0	518,0	+ 295,0	139	182	116	+ 66
1961/1965	333,0	852,2	529,1	+ 323,1	140	179	111	+ 68
1966/1969	355,6	842,5	546,2	+ 296,3	143	169	110	+ 59

3. Les étrangers en France

ANNÉES	POPULATION LÉGALE ou de RÉSIDENCE HABITUELLE		POPULATION PRÉSENTE			
			ÉTRANGERS		NATURALISÉS	
	Milliers d'étrangers	Etrangers pour 10 000 habitants	Milliers	pour 10 000 habitants	Milliers	pour 10 000 habitants
1851	379	106				
1861	506	135				
1866	655	172				
1872	741	205				
1876	802	218				
1881	1 000	266	1 001	267	77	21
1886	1 115	292	1 127	297	104	28
1891	1 102	287	1 130	297	171	45
1896	1 027	267	1 052	275	203	53
1901	1 038	267	1 034	269	222	59
1906	1 009	256	1 047	270	222	57
1911	1 133	286	1 160	296	253	64
1921	1 550	396	1 532	395	254	66
1926	2 505	615	2 409	599	249	62
1931	2 891	691	2 715	658	361	88
1936	2 454	585	2 198	534	517	125
1946	1 672	412	1 685	424	853	214
1954	1 452	340	1 558	364	1 082	253
1962			2 170	456	1 284	276
1968			2 664	531	1 316	262

4. Mouvement de la population de la région parisienne

ANNÉES DES RECENSEMENTS	Quartiers compris dans les limites antérieures à l'annexion de 1860	Communes de petite banlieue annexée en 1860	Population totale de la ville de Paris et de l'ancienne petite banlieue	Département de la Seine
1801	546 856	»	»	631 585
1811	622 636	»	»	»
1817	713 966	»	»	»
1831	785 866	75 574	861 440	935 108
1836	899 313	103 320	1 002 633	»
1841	936 261	124 564	1 059 825	1 194 603
1846	1 053 897	173 083	1 226 980	1 364 467
1851	1 053 261	223 802	1 277 063	1 422 065
1856	1 174 346	364 257	1 538 603	1 727 419
1861			1 696 141	1 953 660
1866			1 825 274	2 150 916
1872			1 851 792	2 220 060
1876			1 988 806	2 410 849
1881			2 269 023	2 799 329
1886			2 344 550	2 961 089
1891			2 447 957	3 141 595
1896			2 536 834	3 340 514
1901			2 714 068	3 669 930
1906			2 763 400	3 848 618
1911			2 888 100	4 154 042
1921			2 906 500	4 411 691
1926			2 871 400	4 628 637
1931			2 891 000	4 933 855
1936			2 829 746	4 962 967
1946			2 725 374	4 775 711
1954			2 850 189	5 154 834
1962			2 753 014	5 575 288
1968			2 590 771	6 424 751

Source : L. CHEVALIER, *La Formation de la population parisienne au XIXᵉ siècle*, Paris, P.U.F., p. 284, *Annuaire statistique de la France*, rétrospectif, édition 1961, Paris, P.U.F.

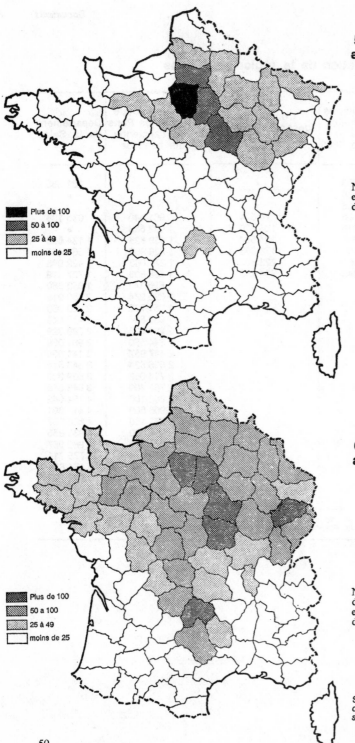

5. L'immigration parisienne au XIXᵉ siècle

Nombre d'individus vivant à Paris en 1833, pour 1 000 habitants vivant dans chaque département.

Plus de 100
50 à 100
25 à 49
moins de 25

6. L'immigration parisienne au XIXᵉ siècle

Nombre d'individus nés dans chaque département et recensés dans la Seine en 1891, pour 1 000 habitants vivant dans chacun des départements.

Plus de 100
50 a 100
25 à 49
moins de 25

Source : L. CHEVALIER, *La Formation de la population parisienne au XIXᵉ siècle.*

7. Importance de la population urbaine en 1968

Population habitant des communes urbaines (communes comptant 2 000 habitants ou plus agglomérés au chef-lieu) en % de la population totale du département.

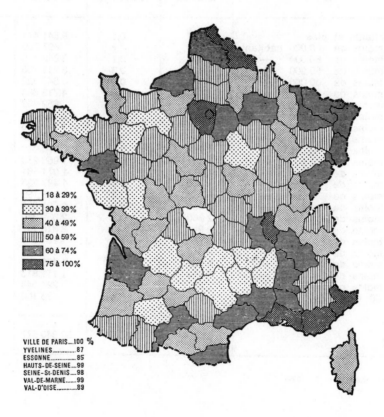

18 à 29%
30 à 39%
40 à 49%
50 à 59%
60 à 74%
75 à 100%

VILLE DE PARIS....100 %
YVELINES.............87
ESSONNE.............85
HAUTS-DE-SEINE....99
SEINE-St-DENIS....98
VAL-DE-MARNE......99
VAL-D'OISE.........89

8. Répartition des communes suivant l'importance de leur population en 1968

	NOMBRE DE COMMUNES		POPULATION DE CES COMMUNES	
	En valeur absolue	En valeur relative %	En valeur absolue	En valeur relative %
100 000 habitants et plus	37	0,1	9 641 471	19,0
80 000 à moins de 100 000 habitants	10	ε	897 750	1,8
50 000 à moins de 80 000 —	50	0,1	3 043 475	6,0
30 000 à moins de 50 000 —	100	0,3	3 911 758	7,7
20 000 à moins de 30 000 —	137	0,4	3 347 322	6,6
10 000 à moins de 20 000 —	345	0,9	4 713 885	9,3
9 000 à moins de 10 000 —	69	0,2	652 492	1,3
6 000 à moins de 9 000 —	327	0,9	2 380 872	4,7
5 000 à moins de 6 000 —	246	0,6	1 342 895	2,6
4 000 à moins de 5 000 —	312	0,8	1 381 232	2,7
3 500 à moins de 4 000 —	234	0,6	870 046	1,7
3 000 à moins de 3 500 —	331	0,9	1 068 283	2,1
2 500 à moins de 3 000 —	392	1,0	1 071 161	2,1
2 000 à moins de 2 500 —	669	1,8	1 487 233	2,9
1 500 à moins de 2 000 —	1 134	3,0	1 948 196	3,8
1 000 à moins de 1 500 —	2 484	6,6	2 991 699	5,9
700 à moins de 1 000 —	2 860	7,6	2 359 360	4,6
500 à moins de 700 —	3 964	10,5	2 316 167	4,6
400 à moins de 500 —	2 776	7,4	1 233 312	2,4
300 à moins de 400 —	4 018	10,7	1 387 331	2,7
200 à moins de 300 —	5 822	15,4	1 428 675	2,8
100 à moins de 200 —	7 514	19,9	1 111 813	2,2
50 à moins de 100 —	2 895	7,7	221 049	0,4
Moins de 50 habitants	982	2,6	33 100	0,1
TOTAL	37 708	100,0	50 840 577	100,0

Source : Recensement de 1968

9. La croissance du produit agricole français en francs constants en indice (base 100 en 1892) (ordonnées logarithmiques)

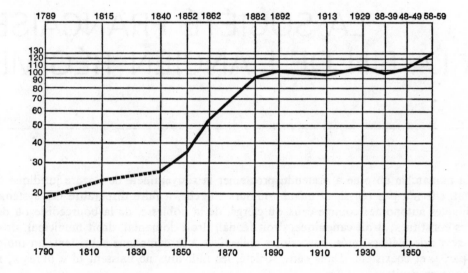

Source : PAUTARD, *Les Disparités régionales dans la croissance de l'agriculture française*, p. 41.

Chapitre premier

LA SOCIÉTÉ FRANÇAISE A LA FIN DE L'ANCIEN RÉGIME

Si la monarchie absolue a prétendu proclamer la souveraineté de l'ordre juridique de l'État, elle n'a pas réussi, ni même toujours cherché, à faire disparaître des systèmes juridiques autonomes comme ceux du clergé, de la noblesse, de la bourgeoisie ou des corps constitués; droit canonique, droit féodal, droit domanial, droit municipal, droit des corps de métiers jurés, contraintes collectives à la campagne subsistent, au moins en partie, et coexistent. Dans cette société, les individus ne naissent ni « libres », ni « égaux en droits ».

La structure traditionnelle de la société est fondée sur le *privilège* et sur la *coutume*. Privilèges des ordres ou états, franchises des provinces, privilèges corporatifs (certains titulaires d'offices de judicature ou de finances sont exemptés de la taille, les métiers jurés possèdent le monopole de tel commerce ou de telle production), franchises de la résidence (le droit de bourgeoisie entraîne exemption fiscale) instituent l'inégalité entre les groupes. La société est compartimentée, la nation demeure « sectionnée territorialement et socialement ».

1. STRUCTURE VERTICALE DE LA SOCIETE : LES ORDRES

A la fin du XVIIIᵉ siècle, la structure sociale de la France garde la trace de son origine, du temps que les propriétaires de la terre, qui fut longtemps la seule richesse, étaient les maîtres de ceux qui en avaient besoin pour travailler et pour vivre. Bien que dépouillés par le Roi de leurs pouvoirs politiques (encore qu'ils aient conservé une partie de leurs droits de justice), les seigneurs avaient gardé leurs privilèges. De même, les clercs avaient-ils été soumis à l'autorité royale, mais ils constituaient encore une catégorie à part régie par un droit particulier. La masse de ceux qui n'appartenaient à aucun de ces deux groupes sociaux formait une catégorie résiduelle, la troisième ou Tiers. La coutume consolida ces divisions et la distinction des trois ordres ou états devint une loi fondamentale du royaume.

Le clergé

Le premier des ordres en dignité est le clergé, qui possède en outre les privilèges les plus étendus.

— *Privilèges honorifiques,* car il a préséance sur les autres ordres : « Quant aux honneurs, le clergé a régulièrement le pas sur les laïques, les parlements ou autres cours séculières, dans les églises, les processions et dans toutes les cérémonies de la religion... Dans les assemblées politiques... le corps du clergé précède la noblesse et le tiers-état, et porte le premier la parole dans les députations au roi » (*Encyclopédie,* article « Clergé »).

— *Privilèges juridiques,* car il possède ses propres tribunaux, les officialités.

— *Privilèges fiscaux,* car il ne paie aucun impôt direct et fixe lui-même le « don gratuit » qu'il consent au Roi tous les cinq ans. Il est même le seul ordre à posséder une assemblée périodique, qui se réunit tous les cinq ans, et une administration propre, l'Agence générale. C'est donc le plus honoré, le moins accablé de charges, le mieux organisé des ordres; c'est aussi un ordre riche.

Sa richesse provient de plusieurs sources.

— *De la dîme,* d'abord, qu'il perçoit sur les produits de la terre, dans toutes les paroisses. La dîme est universelle, c'est-à-dire qu'elle pèse sur les propriétés de tous, du Roi, des nobles, des roturiers, des clercs eux-mêmes; elle est prélevée en nature sur les récoltes (grosse dîme sur les récoltes de grains, menue dîme sur les autres), si bien que sa valeur, étroitement liée à la production et aux prix agricoles, varie grandement d'une année à l'autre. Le taux de la dîme n'est pas exactement du dixième; généralement, le prélèvement est d'une gerbe sur douze, mais il s'abaisse souvent bien au-dessous. On estime qu'en moyenne, pour l'ensemble du pays, il s'établissait au treizième, et que le revenu procuré ainsi au clergé devait atteindre, bon an mal an, une centaine de millions de livres.

— *Les revenus de la propriété foncière,* seconde source de richesse pour le clergé, peuvent être évalués à peu près à la même somme. Cette propriété foncière est à la fois urbaine et rurale. *Dans les villes,* le clergé, surtout le clergé régulier, possède de nombreuses maisons de rapport, des clos et des jardins; mais on ne connaît pas l'étendue exacte de cette propriété. On connaît mieux, ou moins mal, l'étendue des *propriétés rurales,* dont les contemporains eux-mêmes exagéraient souvent l'importance. Elle est considérable dans certaines régions (40 % des terres dans le Cambrésis), faible dans l'Ouest et les régions montagneuses, presque négligeable dans le Midi. En moyenne, pour l'ensemble des provinces, elle n'excède pas 10 %. Ces propriétés semblent d'ailleurs avoir été mal entretenues, mal exploitées, mal surveillées et, par conséquent, de revenu médiocre. Leur sous-exploitation renforce d'ailleurs, et paraît justifier, au plan de l'intérêt général, les convoitises dont ces biens sont l'objet.

— *Le casuel*, c'est-à-dire le produit des services rendus, des quêtes, des fondations est une troisième source de richesse pour le clergé. Il est impossible d'en évaluer la valeur, sans doute beaucoup plus faible dans les campagnes que dans les villes.

En contrepartie de ces richesses, le clergé doit assumer certaines charges.

— *Des charges financières* dont la plus considérable est le *don gratuit*, qui atteint en moyenne, pour les dernières années du XVIIIᵉ siècle, près de six millions de livres par an, auxquelles il faut ajouter les intérêts des rentes de l'Hôtel de Ville de Paris, qu'il acquitte à la place de l'État, et dont le montant atteint près d'un demi-million de livres. Il assure l'entretien des lieux du culte, mais il est aidé le plus souvent dans cette tâche par les assemblées paroissiales. Au nom de la charité, il veille à l'Assistance publique, distribue les aumônes, administre les hôpitaux, mais aux temps les plus difficiles l'État vient lui-même en aide à la population en organisant des ateliers de charité, et tend, plus généralement, à contrôler les établissements d'assistance et à créer de nouveaux hospices.

— *La charge de certains services publics*, enfin, comme la tenue de l'état civil (à l'exception, depuis 1787, de celui des protestants) et le contrôle de l'enseignement également assuré par le clergé. Il a juridiction sur les écoles publiques entretenues par les paroisses, et sur les écoles privées entretenues par des particuliers; il aide largement, par ses subventions, les écoles des paroisses pauvres; il en fonde lui-même. Certains ecclésiastiques se sont voués à l'enseignement primaire : les Frères des Écoles Chrétiennes (les « Ignorantins » parce qu'ils n'enseignent pas le latin) dans les villes, les Lazaristes, et, pour les filles, les Ursulines. Les collèges ont été pour la plupart créés et entretenus par des congrégations, les Jésuites d'abord, puis les Oratoriens et les Bénédictins. L'enseignement y repose essentiellement sur les humanités classiques et les mathématiques, et permet de former des esprits clairs et rompus à l'art de la parole. Les orateurs révolutionnaires en sont issus.

Si le Roi impose certaines charges au clergé il lui doit en revanche aide et protection. La religion catholique est en effet seule reconnue par l'État et, depuis la révocation de l'édit de Nantes, la seule qui puisse prétendre au culte public. Le Roi doit pourchasser l'hérésie, il en fait le serment le jour du sacre. Il doit veiller à ce que l'enseignement religieux ne soit pas déformé, et utilise à cette fin la censure : censure royale confiée à la Direction de la Librairie, censure de la Sorbonne (qui est alors faculté de théologie), censure du Parlement. Il doit réprimer les crimes contre la religion, blasphème et sacrilège. Il assure l'observance du culte en faisant respecter les fêtes religieuses, en imposant le repos dominical, en déléguant des représentants aux processions, en interdisant la vente de la viande pendant le Carême. Il fait respecter enfin la hiérarchie ecclésiastique en mettant son pouvoir de contrainte à la disposition des évêques : ceux-ci peuvent envoyer dans un couvent, pour trois mois, les clercs récalcitrants, sans leur en donner la raison et obtenir pour ce faire le concours de la force publique.

Cet ordre privilégié n'est pas homogène : « C'est le corps des personnes consacrées à Dieu par la cléricature ou par la profession religieuse, d'où le clergé se divise en séculier et en régulier... En Angleterre, on distingue le haut et le bas clergé. Nous avons en France la même distinction mais sous des noms différents : on dit le premier et le second ordre » (*Encyclopédie* article « Clergé »).

Les effectifs du clergé régulier et du clergé séculier s'équilibraient à peu près : environ 70 000 prêtres séculiers, environ 60 000 réguliers, hommes et femmes. L'ensemble représentait une infime partie de la population française (0,5 %). La répartition entre haut et bas clergé était évidemment beaucoup plus inégale puisque, si nous retenons, pour le haut clergé, les abbés, les évêques et les chanoines de cathédrales, nous n'arrivons qu'à un total de moins de 4 000 personnes, ce qui en laisse plus de 125 000 pour le second ordre.

— *Le nombre des réguliers* avait été fortement réduit à la fin du XVIIIᵉ siècle; l'opinion publique leur était généralement hostile, et le recrutement, surtout chez les hommes, tarissait. La polémique voltairienne en particulier, qui reprenait des idées chères à Colbert et à Louis XIV, avait habitué beaucoup d'esprits à considérer l'état monastique comme inutile et stérile, les vœux perpétuels comme scandaleux pour la raison. Après la suppression des Jésuites, l'assemblée générale du Clergé de 1765, qui craignait quelque attaque contre les réguliers, avait entrepris de les réformer. Une Commission de Réforme fonctionna jusqu'en 1789 et, en supprimant certaines congrégations, en reculant à 21 ans pour les hommes et 18 ans pour les femmes l'âge des vœux perpétuels, réduisit de quelques milliers le nombre des religieux. En 1790, il aurait été, selon certaines sources, de moins de 18 000 et, selon d'autres, de 23 000, celui des religieuses de 37 000. L'état matériel et moral du clergé régulier laissait généralement, à la fin de l'Ancien Régime, beaucoup à désirer. *État matériel*, parce que la plus grande partie des abbayes étaient à la nomination du roi, qui le plus souvent ne les laissait pas à leurs légitimes destinataires, les moines; il les donnait « en commende », soit à des prélats pour augmenter leurs revenus, soit à de simples tonsurés qui étaient presque exclusivement des nobles. Les abbés commendataires prenaient la moitié ou les deux tiers des revenus, laissant le reste aux religieux pour leur entretien. *État moral*, parce que la discipline s'était relâchée, surtout dans les communautés d'hommes et dans les anciens ordres contemplatifs ou mendiants. Seules, les communautés nouvelles de femmes, particulièrement celles qui s'occupaient d'œuvres d'enseignement ou de charité, échappaient au discrédit que révèlent les Cahiers de doléances.

— *Dans le clergé séculier, le haut clergé* comptait les 138 archevêques et évêques (dont les trois évêques de Corse dépendant de l'archevêché de Pise) et 2 800 coadjuteurs, vicaires généraux et chanoines de cathédrales. Alors qu'au siècle précédent, on trouvait encore des roturiers dans les rangs du haut clergé, et parmi ses représentants les plus illustres, tel Bossuet, au XVIIIᵉ siècle le préjugé s'établit de ne jamais prendre des évêques dans la roture. Le haut clergé est même recruté dans la *haute noblesse* et certaines familles cumulent les dignités ecclésiastiques : à la veille de la Révolution, on rencontre, dans la liste des évêques, trois La Rochefoucauld, deux Rohan, deux Talleyrand, deux Cicé, quatre Castellane. Pour ces cadets de familles aristocratiques, la carrière est aisée : « Sous-diacre, une abbaye; prêtre deux ans, grand vicaire puis évêque. » Talleyrand qui se plaignait à trente-quatre ans de ne pas être évêque le fut à trente-cinq. La charge de grand vicaire servait de stage aux candidats à l'épiscopat, mais ils y apprenaient peu ; les évêques nommaient en effet jusqu'à quinze ou vingt grands vicaires dont la société leur rendait moins ennuyeux les séjours qu'ils devaient faire dans leurs diocèses ; gens du même monde qui se tenaient compagnie, mais laissaient généralement l'administration aux soins des plus zélés d'entre eux et, lorsqu'il s'en trouvait, à des roturiers, comme l'abbé Sieyès ou l'abbé Maury.

Le train de vie des évêques était à la mesure de leurs revenus. S'il y a quelque exagération à estimer, comme le faisait un contemporain, que « les évêques avaient 100 000 livres de rentes, quelques-uns 200, 300 et jusqu'à 800 000 », le faste déployé par un Brienne à Toulouse, un Dillon à Hautefontaine, et surtout un Rohan à Saverne tendrait à confirmer ce témoignage. Certes, tous les évêques ne menaient pas ce train, il en était de vertueux, et le plus grand nombre s'acquittaient très honnêtement des devoirs de leurs charges. L'archevêque d'Aix, Boisgelin, qui fut le chef moral de l'Église au début de la Révolution, le dut à la dignité de sa vie et à la sûreté de sa foi. Mais l'attention publique se portait surtout sur les personnages tapageurs, les prélats mondains, qui aimaient mieux vivre à la Cour que dans leurs diocèses dont ils laissaient l'administration à des auxiliaires que les populations qualifiaient de « garçons-évêques »; ils prêchaient rarement, n'administraient les sacrements que de loin en loin, et négligeaient de faire leurs visites pastorales auprès de curés qu'ils méprisaient : « Je visite à présent, écrivait l'un d'eux, ces frères, ces tuteurs, ces arbitres du peuple à qui j'ai fait tant de compliments. Il est bon de parler comme Fénelon, mais en vérité, ces gens à qui l'on peut dire de si belles choses ne peuvent guère les entendre. Ils sont grossiers, malpropres, ignorants, et il faut bien aimer l'odeur empestée de l'ail pour se plaire dans la société des médiateurs du ciel et de la terre. »

Il est vrai que la condition du bas clergé séculier, c'est-à-dire des 60 000 curés, vicaires et prêtres habitués, ne pouvait se comparer en rien à celle du haut clergé. Par *l'extraction* d'abord : l'immense majorité provient de la roture, moyenne bourgeoisie dans les paroisses urbaines ou proches des villes, paysannerie et petite bourgeoisie urbaine dans les paroisses rurales. Par leur *niveau d'instruction* ensuite : les études qu'ils ont faites au séminaire ont été généralement fort médiocres. Par leur *niveau de vie* enfin. On connaît en effet l'image traditionnelle qui oppose un haut clergé riche, renté, oisif, voire jouisseur, et des moines inutiles, à une plèbe cléricale dévouée à ses paroissiens, pieuse et misérable. Image fréquemment rencontrée dans les Cahiers de doléances. Les études récentes amènent à la nuancer fortement, qui soulignent la diversité de la condition cléricale. Certains curés jouissent d'une large aisance (dans le pays de Caux, il en est qui disposent d'un revenu de 20 000 livres; en Médoc, le curé de Saint-Estèphe dispose en 1772-1773 de 11 000 livres et celui de Cantenac de 13 380), soit parce que leur paroisse est riche et les biens attachés à la cure fort importants, soit parce qu'ils reçoivent intégralement le produit des dîmes, soit enfin parce que le casuel s'avère d'un bon rapport. Entre haut et bas clergé, il existe donc une classe moyenne, fort nombreuse comme en témoignent ces recherches récentes, et capable de jouer, en temps de troubles, un rôle majeur.

Ce qui n'implique pas, bien au contraire, l'absence d'une plèbe cléricale. Fréquemment, en effet, une partie des dîmes a été usurpée, et les « gros décimateurs » ne laissent plus alors au curé qu'une petite part, la *portion congrue*, longtemps fixée à 300 livres, puis portée à 500 en 1768 et finalement, en 1786 seulement, à 750. Ces deux derniers chiffres ne sont pas négligeables : des gains annuels de cet ordre assuraient, dans le milieu artisanal, un réel début d'aisance. Mais les curés ont un autre train de vie à soutenir (aumônes, nécessité d'une domestique), et c'est pourquoi ceux qui sont réduits à la portion congrue vivent difficilement. Le cas des vicaires, « véritable prolétariat ecclésiastique » (H. Sée) d'une grande instabilité (dans le diocèse de Bordeaux en 1772, près de 35 % sont dans la paroisse depuis moins d'un an, et les deux tiers depuis moins de trois ans), est souvent pitoyable. La plupart ne pouvaient espérer une cure, et ne recevaient qu'une congrue de 300 livres. Le sort des prêtres habitués, qui ne vivaient que de fondations et du produit de quelques messes, n'était pas meilleur.

Il reste que l'hostilité entre haut et bas clergé ne venait sans doute pas de la misère de ce dernier. Le ressentiment des curés, souvent très vif à la veille de la Révolution, avait d'autres causes, en partie sociales, en partie idéologiques. L'écart entre leur train de vie et l'éclat de celui de nombreux prélats les heurtait; l'absentéisme ou l'incapacité de leurs évêques les choquaient; le souci de mieux remplir leurs devoirs envers leurs fidèles grâce à une dîme consacrée à ses buts primitifs les animait souvent; enfin, et peut-être surtout, les relents d'un jansénisme et d'un richérisme très marqués, sinon avoués, étaient un moteur puissant : dans de nombreux diocèses les curés aspiraient à participer à l'administration, à jouer un rôle actif. On pourrait presque parler d'une volonté de démocratie ecclésiastique qui, dans certaines régions, les a amenés à s'assembler ouvertement, malgré l'interdiction qui leur fut signifiée par le roi en 1782, pour rédiger leurs réclamations. Et c'est ainsi que le plus souvent, lors des élections de 1789, les évêques ne réussirent pas à imposer leurs candidats.

Fils de la bourgeoisie, les curés sont pénétrés d'une bonne part de ses idées. L'union d'une partie de leurs députés aux États Généraux avec ceux du Tiers, en juin 1789, loin d'apparaître comme un accident, ou le résultat de l'action de quelques personnalités de premier plan, relève de la logique de la situation.

La noblesse

Si la noblesse n'est que le second ordre de l'État, elle est sans doute plus consciente de son originalité et surtout de ses prérogatives que le clergé. Sieyès a dit de celui-ci que c'était moins un ordre qu'une profession. On n'entre pas en effet dans le clergé par droit de naissance, mais volontairement, par vocation; on y reste pendant toute sa vie, mais on est astreint au célibat. Si bien que le clergé est entièrement renouvelé à chaque génération. Ce qui caractérise la noblesse, au contraire, c'est la *naissance*; c'est du sang que le noble estime tenir sa supériorité sur le roturier. La supériorité est une supériorité de race, comme veulent le faire croire les théoriciens de l'aristocratie qui prétendent que les nobles sont les descendants des Germains qui, par droit de conquête, ont établi leurs droits de seigneurs sur les personnes et les biens (les terres) des Gallo-Romains, et assuré leur prééminence légale dans l'État.

En réalité, la noblesse de race, pour laquelle quatre degrés de noblesse, c'est-à-dire quatre générations, étaient nécessaires, ne constituait qu'une minime fraction de l'ordre ; ses prétentions étaient immenses mais peu justifiées ; les Talleyrand, par exemple, se flattaient de descendre d'un contemporain de Hugues Capet, mais ne pouvaient faire la preuve que de l'existence d'un ancêtre anobli sous François Ier.

— *L'anoblissement* a constamment renouvelé la noblesse. Il s'acquiert soit par la faveur royale, soit par l'exercice de certaines charges. Le roi accorde des lettres d'anoblissement qui confèrent une noblesse transmissible, graduelle ou personnelle (c'est-à-dire viagère). C'était là un moyen de recruter une élite qui, après avoir très largement fonctionné, ne fut plus guère utilisé sous la pression nobiliaire, par la monarchie française dans la seconde moitié du XVIIIe siècle ; sous le règne de Louis XVI, moins de trois cents officiers, quelques ingénieurs et médecins, une poignée de négociants, quelques industriels comme Holker et Oberkampf, ou banquiers furent anoblis : « Les rois avaient manqué une occasion, l'une des dernières, d'adapter le régime aux temps nouveaux et d'assurer son avenir. » (M. Reinhard.)

— *Les charges qui anoblissaient* étaient plus nombreuses : charges de l'État qui confèrent la noblesse héréditaire, telles les charges de chancelier, de garde des sceaux, de secrétaire d'État, de gouverneur, de président de Cours souveraines ; offices de haute magistrature qui confèrent une noblesse viagère, mais ces offices, étant pratiquement devenus héréditaires, ont fini par conférer la noblesse transmissible à leurs titulaires ; charges de secrétaires du roi, qui ne demandent aucun travail, mais coûtent 80 000 livres et qui, devenues fort nombreuses (plus de 900 selon Necker), permettent aux roturiers enrichis de pénétrer dans la noblesse : ce sont « les savonnettes à vilain par excellence ». Il en est de même pour les 740 charges de bureaux des finances, et pour un grand nombre d'offices municipaux.

— *L'usurpation de noblesse* est, enfin, fréquente ; il suffit d'acquérir une terre noble, de prendre le nom du fief et de laisser le temps faire son œuvre.

Au sein de cette noblesse, de ce second ordre privilégié du royaume, une division avait été longtemps maintenue entre noblesse d'épée, qui se voulait noblesse de race, et noblesse de robe. Au cours du XVIIIe siècle, l'opposition s'est atténuée. La *noblesse de robe* a gardé sa richesse, ce que la noblesse d'épée n'a pas toujours su faire ; aussi des mariages fréquents entre jeunes nobles de haute extraction et jeunes filles richement dotées de la noblesse de robe ont-ils rapproché les deux noblesses. La vie mondaine, à Paris surtout, multiplie les occasions de rencontres. La noblesse de robe enfin, par la voix des parlementaires, défend les privilèges de la vieille société et la noblesse de race lui en sait gré. L'une et l'autre font cause commune contre les projets de réformes qui menaceraient leurs privilèges. S'il y a encore deux noblesses à la veille de la Révolution, l'opposition apparaît plutôt entre haute noblesse et noblesse rurale, bien qu'il existe de nombreuses catégories intermédiaires qui assurent des transitions presque insensibles.

Il est difficile de connaître avec exactitude le nombre des nobles à la fin de l'Ancien Régime ; les estimations des contemporains eux-mêmes divergent dans de considérables proportions, puisque Sieyès s'en tient au chiffre de 110 000 personnes, et que le marquis de Bouillé avance celui de 400 000. On admet généralement 3 à 400 000, soit 1,1 à 1,5 % de la population.

Quelle que soit leur origine, les nobles sont très attachés à leurs privilèges, ceux d'origine récente plus encore sans doute que ceux issus des plus vieilles familles. L'étendue de ces privilèges est considérable.

— *Privilèges honorifiques*, comme le port de l'épée, le droit de chasse et de pigeonnier, le banc seigneurial (lorsque la noblesse est associée à une terre) dans l'église paroissiale.

— *Privilèges utiles*, comme les exemptions fiscales, dispensant de la taille et de la corvée des routes (mais la noblesse paie la capitation et les vingtièmes), l'exemption du logement des gens de guerre.

— *Privilèges aussi qui relèvent du droit féodal*. La plupart des nobles sont seigneurs de fiefs et à ce titre jouissent de droits seigneuriaux. Ils prélèvent sur leurs tenanciers des redevances en argent ou en nature. Les premières ne sont pas les plus lourdes : le cens est devenu, par suite de la dévalorisation de la monnaie, très modique, parfois insignifiant; mais les droits de lods et ventes, perçus à l'occasion de mutation par vente d'une tenure, pèsent plus lourdement. Les redevances en nature, comme le champart, sont plus productives puisqu'elles échappent aux variations de valeur de la monnaie. Le seigneur impose aussi des corvées, services gratuits de travail ou de transport; il perçoit le produit des justices seigneuriales, et les profits des monopoles que sont les banalités.

Outre ses privilèges, la noblesse bénéficie *d'avantages de fait*. A la veille de la Révolution, tous les grands emplois de l'État lui sont pratiquement réservés. Les prélatures et les gros bénéfices ecclésiastiques sont entre ses mains. Enfin, outre la propriété éminente des terres paysannes qui leur revient en tant que possesseurs de fiefs, les nobles sont propriétaires directs de terres dont ils dirigent l'exploitation ou qu'ils donnent à bail. Ce problème de *la propriété des nobles* est encore assez mal connu. D'une région à l'autre de la France, le pourcentage de la propriété noble passe de 9 à 44. Dans l'Ouest, la noblesse est très bien pourvue, dans le Nord aussi; et très souvent encore autour de grandes villes, dans le Toulousain, le vignoble bordelais, la région lilloise, la Brie. Elle l'est moins dans le Centre et le Sud-Est. On admet généralement qu'elle détenait environ 20 % des terres du royaume.

La noblesse pouvait cultiver elle-même une partie de ses propriétés sans déroger. Elle pouvait également pratiquer certaines activités lucratives, comme le grand commerce maritime et colonial, l'exploitation des mines, des forges et des verreries; certaines familles de grande noblesse ont très bien su s'enrichir dans les affaires comme dans la grande industrie, si bien qu'on peut considérer qu'une partie de la noblesse « est déjà installée dans un « nouveau régime » économique » (Goubert).

Quoi qu'il en soit, la noblesse n'est pas le principal bénéficiaire des progrès de l'économie française pendant la seconde moitié du XVIIIᵉ siècle; sa condition matérielle est, au contraire, souvent affectée par la hausse du coût de la vie. Aussi réagit-elle non seulement en se cramponnant à ses privilèges, mais en essayant de les renforcer. Cette « *réaction aristocratique* » prend plusieurs formes.

— *Celle d'un renforcement des droits féodaux* d'abord. Les droits qui avaient été négligés jusqu'alors sont exigés immédiatement, avec les arrérages de vingt-neuf ans, c'est-à-dire jusqu'à la limite de la « prescription trentenaire ». Les anciens « livres terriers », sur lesquels sont inscrites les redevances, sont refaits par des « commissaires » spécialisés dans ce genre de travail, les feudistes, ce qui permet de mieux connaître les terres de la censive et de remettre en vigueur les droits tombés en désuétude. L'édit de 1786 met les frais de réfection des terriers à la charge des tenanciers : c'est donc que le roi prend le parti de sa noblesse contre les paysans. Il l'a déjà pris d'ailleurs en favorisant dans certaines provinces la *clôture des terres* par les grands propriétaires, et le *partage des communaux* dont les seigneurs reçurent le droit de s'attribuer le tiers (droit de triage).

— *La tentative de réserver légalement aux nobles le plus grand nombre possible de charges* marque encore la réaction aristocratique. Dans l'Église, le recrutement du haut clergé, nous l'avons vu, qui ne pouvait être légalement fermé aux roturiers, n'a plus lieu en fait que dans la noblesse. Dans l'armée, l'ordonnance de 1781 réserve désormais, sauf dans les armes « savantes », comme le génie, l'accès direct (sans passer par le rang) au grade d'officier aux jeunes gens qui peuvent justifier de quatre quartiers. Ainsi, les nobles récents sont eux-mêmes éliminés des hauts grades. Dans la haute administration, tous les intendants sont nobles, et la plupart de vieille noblesse. Au gouvernement enfin, tous les ministres de Louis XVI ont été, à l'exception de Necker, des nobles. Ici encore, le roi soutient la réaction aristocratique.

Les progrès de l'aristocratie, bien qu'ils aillent à contre-courant de l'évolution générale, ont donc été remarquables en cette fin du XVIIIe siècle. La noblesse s'efforçait ainsi de réaliser son ambition : devenir une *caste fermée* et empêcher l'ascension sociale qui tendait, depuis des siècles, à faire absorber par cet ordre les bourgeois enrichis.

Le tiers état

En évaluant à 96 % la part du tiers état dans la nation, Sieyès était encore au-dessous de la vérité. Le troisième ordre groupait plutôt 98 % de la population, la quasi-totalité de la nation. En lui coexistaient les catégories sociales les plus variées, se faisaient jour les oppositions les plus fortes entre les mieux pourvus et les plus misérables, tandis que le seul lien qui pût exister était le sentiment d'appartenir à la « vile roture ». A vrai dire, il y a même lieu de se demander si les couches les plus pauvres de la population pouvaient être considérées comme lui appartenant. En un sens, elles restaient en dehors de l'ordre social, et il leur arrivait d'être présentées comme le « quatrième état » de la société

Entre la bourgeoisie, cependant, et les masses populaires des campagnes et des villes, entre le « haut » tiers et le « gros » tiers, il s'en faut que les limites soient aisées à tracer.

Le terme de *bourgeoisie* a été primitivement réservé à des habitants de villes privilégiées, les bourgs, qui avaient acquis le « droit de bourgeoisie ». Au XVIIIe siècle, il désigne tout autant *la partie la plus riche du tiers quand elle a acquis la fortune dans des professions autres qu'agricoles;* le bourgeois est « celui qui se trouve détaché de la terre par le caractère suffisamment rémunérateur de sa profession principale » (G. Lefebvre). Pendant tout le siècle, le rôle commercial et industriel de la bourgeoisie n'a cessé de grandir.

— *La haute bourgeoisie* tire essentiellement ses ressources de ses activités industrielles, commerciales ou financières. Les grands établissements industriels ne sont pas encore très nombreux, mais, grâce à des sociétés anonymes ou en commandite, des entrepreneurs audacieux dirigent de vastes manufactures : Decretot à Louviers (« la première fabrique de laine dans le monde » selon A. Young), Van Robais à Abbeville, Oberkampf à Jouy, Réveillon à Paris, Dietrich à Strasbourg dominent la bourgeoisie manufacturière, dont le gros est encore constitué par les « négociants-fabricants » qui fournissent la matière première à des artisans travaillant à domicile et en reçoivent le produit fini qu'ils se chargent d'écouler. La fabrique lyonnaise est un exemple classique de cette structure. Les fortunes les plus considérables se font cependant surtout dans le commerce et la finance. Les *négociants* des grandes places, les armateurs de Bordeaux, de Marseille, de Nantes, du Havre qui font le fructueux « commerce des Isles », et même les « *marchands* », c'est-à-dire les grossistes des grandes villes, sont les grands bénéficiaires du remarquable essor des affaires qui se produit dans la seconde moitié du XVIIIᵉ siècle. Quant à la *bourgeoisie de finance*, elle réalise des bénéfices considérables au service et aux frais de l'État : fermiers généraux en tête, puis officiers de finance (receveurs généraux d'élection, trésoriers généraux des pays d'états, directeurs de la Trésorerie, etc.) et même les banquiers français ou étrangers qui s'occupent surtout du placement des emprunts d'État. C'est d'ailleurs la bourgeoisie qui demeure la grande créancière de la monarchie et du roi. Les intérêts annuels de la dette publique s'élèvent, en 1789, à plus de 200 millions de livres, sans compter ceux que paient pour leurs dettes les villes, les pays d'État et le clergé. Ils font vivre une autre catégorie de la bourgeoisie, les *rentiers*, dont on a estimé le nombre au dixième de celui de l'ensemble de la bourgeoisie, et dont la condition semble représenter une sorte d'idéal social, puisque vivre de ses rentes, sans rien faire, c'est « vivre bourgeoisement ».

— Le faste que déploie cette haute bourgeoisie dans ses hôtels, ses châteaux, ses « folies », sa culture, son souci de mécénat, la distinguent d'une *moyenne bourgeoisie* dans laquelle se côtoient officiers, hommes de loi et membres des professions libérales.

Car si certaines catégories bourgeoises dirigent l'économie, d'autres dirigent *l'administration du royaume :* détenteurs des offices de justice qui ne confèrent pas la noblesse, d'offices de finance, inspecteurs des métiers et des manufactures, du domaine royal et des forêts royales, maires, échevins et conseillers des villes et des bourgs, et le monde des « commis » grands et petits qui gravitent autour d'eux. Qu'ils soient officiers, c'est-à-dire propriétaires de la charge qu'ils ont achetée, ou fonctionnaires, c'est-à-dire nommés par commission et révocables, ils constituent le gros de la fonction publique de ce temps. Parmi les *carrières libérales*, la médecine est peu considérée, les offices de notaire peu prisés; le premier rang revient aux procureurs des Parlements et aux avocats. Ces derniers sont très nombreux, mais dans les grandes villes et surtout les villes à Parlement, ceux qui atteignent à la notoriété occupent, par leur fortune et la considération dont ils jouissent, une situation considérable. A Grenoble, Mounier est, à la veille de la Révolution, un grand personnage; à Paris, Target appartient à l'Académie française. Par leur culture générale, leurs connaissances techniques, leur habitude de la procédure, leur éloquence, ils vont devenir les premiers conseillers du tiers état.

Bien qu'elle soit une catégorie urbaine et qu'elle ait assis sa fortune par l'exercice de professions urbaines, la bourgeoisie a toujours acheté de la terre. *La propriété foncière* — surtout s'il s'agit de fiefs, et l'achat de fiefs n'était nullement interdit en France aux roturiers — assure la considération; on l'estime aussi plus stable que la propriété mobilière, et il n'est pas rare de rencontrer des chefs d'entreprises, des hommes d'affaires qui investissent en terres, pendant leur vie active, ou à la fin de celle-ci, une partie importante de leurs capitaux. Mais surtout, elle permet de « vivre noblement » et se révèle l'indispensable moyen pour passer à la noblesse. En outre, une « élite » progressivement issue de la société rurale (fermiers des dîmes et droits seigneuriaux, collecteurs de tailles, etc.) est venue grossir les rangs de la bourgeoisie propriétaire. Comment évaluer l'importance de la propriété foncière bourgeoise? Elle varie dans de très grandes proportions, presque inexistante dans les campagnes reculées, considérable dans les zones proches des grandes villes. En moyenne, elle atteint peut-être 25 à 30 % pour l'ensemble de la France. Cette propriété bourgeoise semble être constituée de terres de bonne qualité; elle est bien mise en valeur, parfois avec beaucoup d'âpreté, car le bourgeois, plus que le noble, s'entend à tirer le maximum de profit des terres qu'il donne à exploiter.

— *La frange inférieure de la bourgeoisie, ou petite bourgeoisie*, se distingue assez mal des classes populaires urbaines, en raison de l'existence du régime des *corporations*, « groupements de droit quasi public qui soumettent leurs membres à une discipline collective pour l'exercice de leurs professions ». En fait, tous les métiers ne sont pas réglementés, il existe encore des métiers libres à côté des « jurandes » ou métiers jurés; mais ces métiers libres le sont de moins en moins, ils ont des règlements (« métiers réglés »), moins stricts cependant que les statuts des métiers jurés. Ces statuts déterminent les règles de l'apprentissage, les contrats de louage liant le compagnon au maître, l'accès à la maîtrise, et les rapports entre les maîtres. Les communautés de métiers ont surtout pour but de maintenir le monopole collectif des maîtres du même métier, et de diminuer les effets de la concurrence entre eux. Ainsi, chaque métier forme un corps fermé en lutte avec les autres corporations, et les rivalités sont telles qu'elles engendrent d'interminables procès.

Aussi peut-on se demander s'il n'y a pas plus de solidarité, au sein du métier, entre le maître, artisan ou marchand, et ses compagnons, qu'il loge et nourrit le plus souvent et avec qui il partage un genre de vie fréquemment médiocre, qu'entre les maîtres qui constitueraient une petite bourgeoisie d'une part, et les ouvriers qui formeraient un prolétariat, de l'autre. Certes, il existe des artisans et des commerçants très aisés, dans le bâtiment par exemple, dans les commerces de l'alimentation ou les métiers d'art. Inversement, les compagnons sont souvent affiliés à des organes de défense et de résistance vis-à-vis des maîtres, les compagnonnages; ils savent utiliser les grèves pour défendre ou améliorer leurs conditions de travail. Dans ces luttes entre patrons et ouvriers, l'État, d'ailleurs, intervient, pour se placer résolument du côté des patrons; les lettres patentes de janvier 1749 défendent aux ouvriers, sous peine de 100 livres d'amende, de quitter leur maître sans un congé écrit, qui devra être porté, à partir de 1781, sur un livret. Toute coalition est interdite ainsi que l'adhésion aux compagnonnages. Mais les luttes ouvrières ne sont le plus souvent que des explosions de violence temporaire qui naissent de l'aggravation de la condition matérielle, et rarement le symptôme de l'existence d'une conscience de classe. A Lyon, cela tient en grande partie à la division des masses ouvrières en raison des structures artisanales : « les éléments d'une lutte des classes sont encore imparfaits et imprécis » (Garden). Il reste que les mouvements sont souvent violents et organisés, comme à Bordeaux, où ils prennent la forme du monopole de l'embauche et du boycottage des maîtres : « l'efficacité de leur action est montrée par des augmentations de salaires » (Poussou). S'il y a donc une dépendance idéologique nette du compagnon, qui travaille le plus souvent côte à côte avec son patron, subit son ascendant et modèle sa mentalité sur la sienne, cette dépendance est loin d'être toujours la règle. En outre, dans certaines industries, à une échelle et dans des formes de travail originales, « derrière les compagnons du passé commence à poindre le prolétariat moderne » (P. Léon). En témoignent, en 1778, l'agitation des fabriques de toiles peintes de Beauvais, conduite par des meneurs suisses, allemands et anglais, la révolte en 1788 des mineurs de Rive-de-Gier et de Montcenis, les difficultés ressenties à Anzin, au Creusot et dans les forges dauphinoises.

Les *artisans des campagnes* ne sont pas soumis au régime des corporations. Mais pour nombre d'entre eux, leur indépendance est menacée par les progrès du capitalisme commercial. Les artisans du textile, ceux de la petite métallurgie, reçoivent en effet, de plus en plus souvent, la matière première qu'ils travaillent de négociants et leur remettent le produit fini. Indépendants en principe, employeurs même quelquefois lorsqu'ils font travailler avec eux un ou deux compagnons, ils tombent en fait sous la coupe des négociants et deviennent des façonniers, des ouvriers d'industrie, mais d'une industrie qui présente une structure originale et qu'on appelle « la manufacture dispersée ». Leur isolement les affaiblit, et ils n'ont même pas la ressource, comme les ouvriers des villes, de se coaliser pour tenter d'imposer leurs revendications.

La partie la plus considérable du tiers état provient, évidemment, de la *paysannerie*. Comment chiffrer ses effectifs? En s'appuyant sur les travaux contemporains, on a pu fixer à 85 % environ la part de la population rurale dans la population totale à la fin de l'Ancien Régime. Mais la population rurale n'est pas formée que de paysans, bien que la partie non agricole de cette population exerce fréquemment à cette époque, et au moins à titre accessoire, une activité agricole. Il semble que la paysannerie proprement dite représente *plus des deux tiers de la population totale*, soit 18 millions de personnes.

La condition juridique de ces paysans ne pose pas de vrai problème : le servage n'existe plus, sauf dans quelques seigneuries de l'Est et du Centre de la France, et le roi l'a supprimé dans ses domaines par un édit (août 1779) en le condamnant au nom de la justice sociale. Les paysans français, dans leur quasi-totalité, sont donc libres.

Mais peuvent-ils être propriétaires? Les seigneurs exercent un droit de propriété éminent sur les terres qui dépendent de leurs fiefs et notamment sur les tenures paysannes, car parmi celles-ci il y en a fort peu qui soient en alleu, c'est-à-dire pleinement autonomes. Théoriquement, le paysan n'a donc sur cette tenure qu'un droit d'exploitation, ou de propriété incomplète, que les juristes d'Ancien Régime appellent le « domaine utile ». Pratiquement, les tenures paysannes sont de véritables propriétés héréditaires, puisqu'elles passent aux héritiers du tenancier ou peuvent être cédées par lui. Elles sont seulement grevées de redevances et de droits perçus par le seigneur.

De quelle superficie les paysans sont-ils *propriétaires ?* Si nous admettons que le clergé possède 10 % du sol, la noblesse 20 % (peut-être un peu plus), la bourgeoisie 25 à 30 %, il n'en reste plus aux paysans que 40 à 45 % au maximum. On en déduit parfois, en les comparant aux serfs corvéables de l'Europe centrale et orientale et aux journaliers anglais, libres, mais réduits à vivre de leur salaire, que les paysans français constituent un peuple de petits propriétaires indépendants. Pourtant, moins de la moitié du sol pour 18 millions de paysans ne représente que peu de chose pour chaque chef de famille. Encore moins si la propriété paysanne est inégalement répartie. Les études locales montrent que les propriétaires suffisamment pourvus pour être indépendants, pour n'avoir pas besoin de travailler pour autrui, sont peu nombreux : dans le Limousin, moins d'une famille sur cinq, dans le Gâtinais, une sur dix, en Flandre une sur vingt. « Le paysan indépendant, vendeur des produits de sa propriété et vivant de la vente des gros fruits au large marché, est l'exception » (E. Labrousse). La règle générale, c'est la *propriété parcellaire*, donc insuffisante et encore amoindrie par le « pilonnement successoral »; le propriétaire parcellaire doit chercher des ressources d'appoint, en se faisant fermier ou métayer des propriétaires privilégiés qui ne cultivent pas, ou en louant sa force de travail contre un salaire. Tel est aussi le cas du paysan entièrement dépourvu de terre. Il est difficile de préciser la proportion de la *paysannerie sans terre* dans l'ensemble de la paysannerie. Cette proportion varie beaucoup selon les régions : 5 % dans le Gâtinais, 15 à 20 % dans la plaine du Cambrésis, 40 % dans certaines régions de Basse-Normandie, 75 % dans la plaine maritime de Flandre. Mais « le salariat, sous ses diverses formes, permanent, saisonnier, d'occasion, semble bien avoir une large prédominance numérique dans la population des campagnes » (E. Labrousse). L'augmentation de la population, très sensible dans la seconde moitié du XVIIIe siècle, n'a pu qu'aggraver cette prédominance, et donc aggraver la crise agraire, la faim de terre qui caractérisait la société rurale française à la veille de la Révolution.

La société d'Ancien Régime semble consolidée pendant le « siècle de Louis XV » et sa conjoncture de prospérité : « L'Ancien Régime monarchique n'est pas un mode de gouvernement, mais un régime au sens complet du mot, c'est-à-dire un ordre de la société, économique et social aussi bien que politique, et dont toutes les pièces se tiennent : non seulement un système de répartition et d'attribution de fonctions de commandement, d'administration, de police et de justice et un système de répartition des charges publiques, mais aussi, mais surtout, un système de répartition et d'attribution de revenus; l'Ancien Régime a fini par n'être plus guère que cela » (H. Luthy). Les ordres privilégiés ne peuvent, en effet, à prendre leur statut au pied de la lettre, exercer d'activité économique lucrative; leur richesse « n'est pas et surtout ne veut pas être d'origine économique, mais représente la dotation d'un service du roi, d'un pouvoir de commandement, ou d'une fonction d'autorité seigneuriale ou spirituelle, conférée en principe par le roi à une époque quelconque du passé ». Leurs revenus proviennent finalement de la rente foncière et des droits perçus à titre de seigneurie temporelle et spirituelle. La richesse, comme le constatent les Physiocrates, est exclusivement foncière.

Le revenu des ordres privilégiés et du souverain est le produit net de l'agriculture prélevé sur la « classe des cultivateurs » et ce produit net est le facteur déterminant du mouvement économique, car il passe par leurs mains avant d'entrer dans la circulation : « La fonction sociale et économique de cette société royale est de dépenser le produit net social, et si possible de le bien dépenser. »

Mais ce régime est menacé et doublement menacé : dans son fonctionnement interne et dans son intégrité. Dans son fonctionnement interne car les ordres privilégiés non seulement confisquent le produit net et vivent en parasites sur le corps social, mais refusent de se dessaisir de leurs privilèges fiscaux et d'assumer leur part d'impôts; les producteurs (c'est-à-dire en premier lieu les paysans) risquent alors, si la conjoncture économique les place dans une situation intenable, telle que leurs propres besoins de subsistances et de reproduction ne soient plus assurés, de mettre en cause les fondements même du système, redevances seigneuriales, dîme et impôt royal. Dans son intégrité, par les progrès de cette forme nouvelle de richesse qu'est la richesse mobilière. Celle-ci favorise l'ascension de la bourgeoisie capitaliste en même temps qu'elle désagrège les anciens ordres. Il ne suffit plus en effet d'appartenir à la noblesse par la naissance ou au clergé par vocation pour profiter pleinement des privilèges établis; il faut en outre disposer d'une fortune mobilière solide qui donne les moyens de faire figure. Pas plus à l'armée qu'à la Cour, on ne peut faire carrière sans argent. A la fin du xviii° siècle, la structure de la société des ordres tend à s'effacer derrière une structure horizontale de type individualiste qui en est la négation.

2. STRUCTURE HORIZONTALE DE LA SOCIETE : DIVERSITE DES CONDITIONS SOCIALES

« Nos députés, écrivait dans son cahier de doléances la noblesse du Périgord, maintiendront avec toute la dignité de leur origine l'égalité essentielle de la noblesse, qui ne peut être distinguée en plusieurs classes. » Volonté évidente de nier les réalités sociales, de maintenir la fiction d'une structure fondée seulement sur la rigidité de la division en trois ordres, qui illustre la situation d'un groupe de privilégiés dont l'homogénéité paraît menacée. C'est qu'à la fin du xviii° siècle, la fortune, le prestige et la culture n'étaient plus distribués comme autrefois. Les fluctuations économiques, les progrès de la richesse mobilière, le mouvement des idées, avaient introduit dans la société française une diversité et une complexité croissantes. Les cadres juridiques étaient menacés de rupture sous la poussée de forces nouvelles.

Les campagnes

On rencontre d'abord cette diversité des conditions au sein même de l'immense population rurale qu'on a tendance, trop souvent, à croire homogène ou faiblement différenciée. Le tableau que P. Bois dresse de cette population dans le département de la Sarthe le montre bien.

Dans ce département, les représentants des ordres privilégiés n'occupent pas la place qu'on attendrait.

— *Le curé* voit bien affluer dans son église, chaque dimanche, ses paroissiens : « La foi pouvait n'être pas plus profonde que dans toute autre campagne française, mais tandis que, dans les villages agglomérées d'*open field*, les contacts sociaux s'établissaient quotidiennement sur un plan pour ainsi dire laïque, ici toute vie sociale se trouvait forcément marquée d'une teinte religieuse. La montée au bourg, le dimanche, était d'autant plus fidèlement pratiquée qu'elle était la seule occasion d'échapper à l'isolement relatif du hameau et d'avoir un embryon de vie spirituelle. » Mais tous les autres jours de la semaine, le curé reste seul, les fidèles isolés, le cultivateur surtout, qui ne « voit âme qui vive hormis les membres de sa famille et ses deux ou trois voisins du hameau ». Le bas clergé semble d'ailleurs aimé des paysans, tout au contraire des moines des nombreuses abbayes de la région, considérés comme « propriétaires incommodes » et pour lesquels curés et vicaires eux-mêmes n'ont qu'antipathie.

— *La noblesse* n'occupe pas non plus la place qu'on lui accorde généralement quand on évoque ces pays de l'Ouest. La haute noblesse est entièrement absente; la noblesse résidente se partage par moitié, une partie habite Le Mans, l'autre ses châteaux à la campagne : « En fin de compte, à la campagne, parmi les paysans, il ne reste qu'un cinquième des nobles ayant là leurs principales attaches foncières et seigneuriales, deux cinquièmes de ceux qui habitent encore la province; 47 nobles chefs de famille des deux sexes se dispersent sur le territoire de 261 paroisses. Des cantons entiers et même des groupes de cantons en sont complètement dépourvus. » La noblesse ne peut donc jouer un grand rôle dans la vie du monde rural; lors même qu'elle est présente, elle paraît peu gênante, si bien que les plaintes contre les personnes des nobles occupent, dans les cahiers de doléances de la Sarthe, une place « vraiment minime ».

— *La petite bourgeoisie rurale* est représentée dans presque toutes les paroisses : hommes de loi (notaires, huissiers, procureurs royaux ou seigneuriaux), dont certains sont fermiers généraux des propriétaires nobles ou ecclésiastiques, quelques médecins, et enfin des « propriétaires » et des « bourgeois », c'est-à-dire des rentiers. Cette petite bourgeoisie est peu nombreuse, deux ou trois personnes en moyenne par paroisse. On peut y joindre les marchands, un peu plus nombreux et plus riches, surtout ceux (et ils sont la majorité) qui font travailler pour eux les artisans; ce sont les marchands de toiles, des chefs d'entreprises.

— *Les artisans* comptent des effectifs plus importants. Les métiers liés à l'agriculture (maréchaux-ferrants, bourreliers, charrons) ou à la satisfaction des besoins sociaux élémentaires (maçons, charpentiers, cordonniers) sont représentés dans toutes les paroisses; ils occupent même parfois, dans certains bourgs, la majorité de la population. Dans les régions forestières, le travail du bois (sciage, boissellerie, tournerie et surtout saboterie) et les industries du feu (forges, verreries, poteries) font vivre de nombreux artisans et compagnons. Un peu partout, la fabrication des toiles occupe une forte population de *tisserands* travaillant à leur compte. Ils achètent la matière première, lin ou chanvre, lui font subir les premiers apprêts par un autre ouvrier, la travaillent et vendent la toile. Installé dans sa cave, le tisserand actionne son métier et dirige le travail d'un ou deux compagnons sur un second métier. Certains, plus favorisés, possèdent trois ou quatre métiers, parfois plus, s'acheminant vers la condition de fabricant « faisant travailler » ou même de marchand-fabricant. Mais d'autres n'en possèdent qu'un seul et travaillent avec l'aide de leur femme et de leurs enfants. La condition du tisserand est très dure, et s'aggrave dans la seconde moitié du siècle, car les prix des subsistances et de la matière première croissent plus vite que ceux du produit fabriqué. Pendant l'été, le tisserand cesse son activité pour s'embaucher chez les paysans; le salaire obtenu par ces travaux saisonniers lui est nécessaire. Malgré cela, la misère est son lot : « Il n'existe peut-être pas d'état plus pauvre que celui des tisserands, écrit en 1780 l'inspecteur des manufactures du Mans; on n'en compterait peut-être pas un quart qui puisse dire avoir en propre la pièce qui est sur le métier, quoique de peu de valeur; presque aucun, ou du moins très peu, savent lire et écrire. »

— *Les forestiers*, bûcherons, scieurs, charbonniers sont une autre catégorie de la population rurale dont l'indigence ne le cède pas à celle des tisserands. En perpétuels déplacements, fixés seulement quelques semaines pour l'exploitation d'une coupe de bois, logés dans des huttes, n'ayant d'autre ressource que leur salaire, à la merci de la moindre hausse du prix des grains, ce sont, comme dit un contemporain, les « misérables et mutins de tous les temps ». Ils sont redoutés non seulement des autorités locales, mais même de leurs voisins, les paysans.

— *Chez les paysans*, la diversité des conditions est aussi grande que parmi la population rurale. Diversité parfaitement ressentie par les intéressés : « C'est un fait caractéristique que, ni dans les listes électorales de 1790, ni dans les rôles de tailles, ni dans les registres d'état civil antérieurs à la Révolution, on ne trouve le terme de « cultivateur ». On trouve, par contre, toujours une division tripartite en : laboureurs (ou fermiers), bordagers (ou, dans le sud-ouest, closiers), journaliers. Éventuellement, il s'y ajoute : vignerons. C'est seulement après la Convention, dans les listes électorales de l'an III, de l'an IV, ainsi que dans l'état civil, que l'on trouvera la mention « cultivateurs », indice menu, mais caractéristique, d'un changement : la rédaction est le fait d'un citadin, dédaigneux des distinctions auxquelles tenaient les paysans » (P. Bois).

Les laboureurs sont les paysans qui « ont charrue » avec attelage et qui font valoir, en totalité ou en partie, la quantité de terres nécessaires pour occuper ces moyens de travail, soit une bonne vingtaine d'hectares. Ils sont propriétaires, ou fermiers, ou propriétaires et fermiers à la fois lorsqu'ils complètent une propriété insuffisante par l'affermage de parcelles. Si l'on admet que le minimum de superficie nécessaire à la subsistance d'une famille paysanne de cinq personnes (père, mère et trois enfants en bas âge) est de l'ordre de cinq hectares, ceux-là sont favorisés. Ils sont en effet vendeurs de produits, et tirent donc bénéfice du mouvement de hausse des prix de la seconde moitié du siècle. Ils constituent une sorte de bourgeoisie paysanne, et leur prestige s'appuie sur leur richesse, leur capital mobilier, leur compétence. Ce sont des patrons, des notables ruraux, des « coqs de paroisses ».

Bordagers et closiers sont de petits exploitants, tantôt propriétaires parcellaires, tantôt fermiers, tantôt métayers. Le métayage l'emporte en fréquence sur le fermage mais sans doute pas aussi largement qu'on l'affirme souvent (le terme, très utilisé, de métairie, ne désigne pas toujours une exploitation en métayage). Les exploitations en métayage ont généralement une faible superficie et sont peu productives; le métayer est le plus souvent acheteur, ou emprunteur, de grains, et ainsi exposé aux hausses cycliques de prix qui le placent dans une situation précaire. En outre, il semble bien que la condition des métayers se soit aggravée au XVIIIe siècle par alourdissement des charges et des impôts.

La condition du *propriétaire exploitant* dépend de l'étendue de son exploitation et de la conjoncture économique. S'il dispose d'une récolte lui permettant à la fois de vivre et de vendre, il tire un bon bénéfice de la hausse de longue durée des prix. Mais ce paysan vendeur est l'exception :

> Dans l'immense majorité des cas, la récolte ne suffit pas à assurer les besoins vitaux de la famille. Les rendements sont bas. Un tiers, ou plus, du sol reste en jachère. La semence représente une partie relativement considérable du produit brut moyen : le cinquième, le quart. Ajoutons 10 % pour les dîmes et droits seigneuriaux. Sur le reste, il faut nourrir la famille pléthorique, d'autant plus nombreuse que le travail se fait à bras. Toute cette famille, employée ou non sur le domaine, est, de plus, grosse mangeuse de pain. Combien de ces « propriétaires » mendient lors de la mauvaise année ? (E. Labrousse).

Comme, à la fin du siècle, les impôts royaux augmentent, les dîmes s'étendent, les taxes féodales s'accroissent, toutes ces charges sont, lors des mauvaises récoltes, d'autant plus difficilement supportées qu'elles tombent sur un profit en régression. Les plaintes des paysans touchant les impôts royaux, la dîme ecclésiastique et les droits seigneuriaux se font alors encore plus vives.

Les salariés se tiennent au degré le plus bas de l'échelle paysanne. Cette catégorie sociale est elle-même très diverse : salariés occasionnels des mauvaises années, lorsqu'il faut compenser par une vente de travail l'insuffisance de la production, salariés saisonniers lorsque les travaux de la moisson accroissent l'embauche, salariés permanents à temps partiel que doivent être les métayers, fermiers et même propriétaires insuffisamment pourvus de terres à exploiter.

> C'est le salariat ... qui donnera au propriétaire parcellaire l'essentiel ou l'appoint de sa subsistance. La propriété paysanne, si visible dans les terriers et les cadastres, n'est, dans la grande majorité des cas, que le déguisement d'un salariat invisible. Il en est de même pour la masse des fermiers parcellaires. La parcelle n'est ici qu'une apparence, qu'un appoint. Louée au prix fort, un prix qui double au cours du siècle, elle n'apporte au tenancier qu'une partie de la subsistance ... La présence dans un même terroir d'une propriété multiple, ou d'une exploitation multiple, établit une présomption de multiple salariat (E. Labrousse).

Salarié permanent encore que le *journalier*, mais il arrive souvent que le journalier joigne à son travail une autre occupation : il sera en même temps cabaretier, artisan, transporteur, « occupé d'industrie ». La pluralité des métiers est, aux bas échelons, une règle de la société professionnelle d'autrefois. Salarié permanent enfin que le *domestique de ferme* qui doit tout son temps, lui, à son employeur.

Au bout du compte, et c'est une grande différence avec notre société, « le travailleur à plein temps, vivant uniquement de la vente de sa main-d'œuvre, ne représente qu'une minorité au sein du salariat paysan si composite de l'époque » (E. Labrousse). Faut-il d'ailleurs parler du seul chef de famille? Le plus souvent, femme et enfants apportent leur appoint aux gains familiaux : filature de la laine et location des bras sont la règle dans des campagnes où le travail des enfants est général. Si cette activité de complémens est saisonnière (vendanges, moissons), elle peut être aussi permanente; l'enfant se loue pour garder les troupeaux, avec cet avantage qu'il ne pèse plus sur le foyer familial, l'épouse lave le linge ou fait des heures. « Au total, les combinaisons d'activité sont des plus variées », écrit P. de Saint-Jacob, qui souligne également « qu'il fait bon résider près d'un bourg dont les activités sont déjà urbaines ». Dans cet environnement, en effet, ces activités de complément sont bien plus nombreuses et bien plus lucratives.

Cette complexité et cette diversité du salariat, outre qu'elles interdisent à peu près une prise de conscience de classe, rendent difficile toute appréciation numérique précise de l'importance de cette catégorie sociale. A défaut de statistique, disons que sa prépondérance dans les campagnes est hors de doute; peut-être représente-t-elle les trois cinquièmes de la population paysanne, peut-être même s'est-elle accrue à la fin du XVIIIᵉ siècle, en raison de la « crue démographique » et de l'aggravation du sort des petits exploitants.

Tous ces salariés sont vendeurs de travail et acheteurs de nourriture, c'est-à-dire avant tout de grains; leur condition matérielle est fonction du mouvement des salaires et des prix. Le *taux moyen du salaire* a, sans aucun doute, augmenté au cours du XVIIIᵉ siècle, au moins à partir des années 1730. On calcule que cette hausse est de l'ordre de 20 % environ. Mais, pendant la même période, la hausse du coût de la vie a été beaucoup plus forte (50 % environ pour les produits alimentaires). Nul doute que la baisse du pouvoir d'achat des salariés ait été très sensible; tout au plus a-t-elle été atténuée pour ceux d'entre eux qui recevaient partie de leur salaire en nature ou se trouvaient nourris par leur employeur. Mais leur famille n'était pas nourrie, et ils ne l'étaient pas eux-mêmes lorsqu'ils ne travaillaient pas. Ici se pose le problème de la *durée moyenne de l'emploi;* les contemporains l'estimaient à environ 200 jours par an pour le salarié agricole; à très peu près, celui-ci chômait donc la moitié de l'année.

Aussi est-il, plus que tout autre, attaché aux « *droits collectifs* » qui lui fournissent des ressources d'appoint : vaine pâture et usage du bien communal lui permettent d'élever quelque bétail, et de se procurer gratuitement le lait et les produits laitiers dont sa famille a besoin. Mais le grand propriétaire désire protéger ses biens par des clôtures, et le seigneur guette le communal. Une bataille des droits collectifs se livre à la fin du XVIIIᵉ siècle, dont l'issue ne pouvait qu'être favorable, avec l'appui de l'État, aux riches et aux privilégiés.

La *misère des salariés* agricoles, spécialement des journaliers, est un fait qui ne peut être mis en doute : « Entre eux et les mendiants, nécessairement vagabonds, la frontière était indécise. Il semble même que la mendicité ait constitué une fraction normale, régulière, de leurs ressources, sauf peut être dans les très bonnes années » (P. Bois). Viennent les mauvaises récoltes, les voilà condamnés au chômage, précisément au moment où les vivres renchérissent dans d'énormes proportions. Alors se constituent les bandes de mendiants qui parcourent les campagnes, frappent aux portes des « aisés », obtenant par la menace ce que la charité privée ou l'assistance publique sont absolument impuissantes à leur procurer. Dans un récent travail, J. P. Gutton a analysé ces phénomènes de pauvreté, errance et vagabondage. Ses exemples sont d'abord lyonnais, mais leur portée est générale. En effet, en ville comme à la campagne, « le trait fondamental chez les pauvres, c'est l'absence de réserve. On a un mobilier et un trousseau qui permettent tout juste de répondre aux exigences de la vie quotidienne, et c'est tout... Le menu peuple, même en année normale, apparaît fréquemment engagé dans un réseau de dettes », à la merci de la moindre aggravation de ses conditions d'existence. Alors tous vont grossir le flot des mendiants, vagabonds et autres gens sans aveu. La très grande majorité des vagabonds sont d'ailleurs des « ruraux déracinés » (Gutton), mais ce « monde des errants oscille de la campagne à la ville » (Goubert). Source de peurs et d'effrois, armée de réserve des « émotions » populaires, soldats toujours disponibles de l'agitation, ils terrorisent les campagnes et jouent un rôle très important dans le remuement pré-révolutionnaire. Car dans les années 1780, leur masse, toujours très importante en époque normale par suite de la rigidité des structures socio-économiques de l'Ancien Régime, s'est encore gonflée en raison de la croissance démographique et surtout de la crise économique. On connaissait déjà leur pression dans les campagnes de la région parisienne où la troupe s'épuisa à les contenir et à protéger les convois en 1788-1789; en Languedoc, l'image est la même : « dans les campagnes, brigandage et banditisme sévissent avec une ampleur accrue. Le phénomène n'est pas nouveau, mais il s'accélère à partir de 1780... Partout le banditisme s'organise, de la sénéchaussée de Figeac à celle du Puy ».

Forme la plus visible de l'agitation populaire, les errants contribuent d'une manière décisive à l'aggraver. C'est pourquoi, à la suite d'une décennie extrêmement troublée, elle atteindra son paroxysme pendant l'été de 1789 et, compliquée d'une « grande peur », fera toucher du doigt aux députés de l'Assemblée l'existence d'une question paysanne, qu'ils tenteront de résoudre par les décisions de la nuit du 4 août.

Les villes

La diversité des conditions sociales y est plus grande encore, à la fois parce que ce sont les professions urbaines qui permettent les grands enrichissements, et parce que les riches aiment mieux vivre à la ville, au moins une partie de l'année, qu'à la campagne.

Mais diversité aussi des villes elles-mêmes, selon leurs fonctions, que quelques exemples, choisis dans des villes moyennes, de moins de cinquante mille habitants, suffiront à illustrer.

— *Montauban* compte vingt-cinq à vingt-huit mille habitants. Mais cette petite ville est active, tout animée d'industrie : une centaine de fabriques de laine, aux mains de 250 à 300 familles, en grande majorité d'origine protestante. Exclus des fonctions publiques, les hommes d'affaires réformés ont développé au maximum l'activité de leurs entreprises et n'ont pas, redoutant un retour de persécution toujours possible, succombé à la tentation d'acheter de la terre. Certains ont investi jusqu'à 600 000 livres dans leurs affaires. Ces « négociants-fabricants » tiennent, à Montauban, le haut du pavé. Somptueusement logés dans leurs hôtels, ils animent par leurs salons, les concerts, le théâtre, les parties de campagne ou de chasse, la vie de société; amateurs de bonne peinture, ils font vivre de leurs commandes les « petits maîtres montalbanais ». La haute bourgeoisie protestante n'a au-dessus d'elle que le représentant du roi, l'intendant, qui appartient à la haute noblesse, et l'évêque, qui dispose d'un revenu de 70 000 livres. Ces deux hauts personnages mis à part, la fonction publique et le clergé ne peuvent rivaliser de richesse avec la bourgeoisie d'affaires. Quant aux classes populaires, elles sont soit occupées d'industrie, et dans la dépendance des négociants-fabricants, soit liées au commerce local ou étroitement régional, soit, comme les jardiniers et les brassiers, mal dégagées des activités rurales. Si certains maîtres sont relativement aisés (un millier d'entre eux sont inscrits à la capitation, mais pour de faibles cotes), les compagnons des métiers jurés, les « garçons » du textile sont misérables. Encore ne connaît-on pas le nombre de pauvres, qui échappent à l'impôt, mais on les présume nombreux.

— *Rennes*, au contraire, est une ville sans grande industrie ni commerce important. Elle compte cependant plus d'habitants (trente-deux mille environ) que Montauban. Si le clergé y est assez nombreux — six cents personnes — et riche puisqu'il possède plus de la moitié des immeubles urbains, la noblesse de sang ne compte guère. C'est que Rennes est surtout une ville administrative, une ville de Parlement, et que la noblesse de robe et la fonction publique supérieure y tiennent le premier rang. Premier rang de la richesse pour les gens de finance (le receveur des domaines paie 600 livres de capitation, somme considérable) et les conseillers au Parlement. Premier rang de la considération pour les nobles de robe et les hommes de loi, les procureurs au Parlement surtout. Au-dessous de ces catégories prépondérantes, les fonctionnaires de l'administration royale et des États de Bretagne, les membres des professions libérales et les rentiers forment une moyenne bourgeoisie au sein de laquelle les conditions apparaissent très variées. La bourgeoisie commerçante compte peu, non seulement parce qu'elle n'est pas très fortunée, mais parce qu'elle dépend presque entièrement, pour ses affaires, de la haute bourgeoisie, du clergé et de la noblesse. Au-dessous, les métiers et les corporations d'artisans n'assurent, sauf exceptions, qu'une condition médiocre. Tout au bas de l'échelle, les petits métiers, qui ne connaissent aucune forme corporative, et sont surtout tenus par les femmes (blanchisseuses, brodeuses, tricoteuses, « faiseuses de bas au métier », ravaudeuses, marchandes de légumes, laitières) groupent une population assez misérable qui, avec les compagnons et les manœuvres, s'entasse dans les vieux quartiers et les faubourgs. Quant à la partie de la population qui est trop pauvre pour figurer sur les rôles de la capitation, on ne peut en évaluer exactement l'importance, mais « il n'est pas téméraire de penser que la ville contient peut-être quelques milliers de personnes réduites à la mendicité » (H. Sée).

— *Toulouse*, ville d'une cinquantaine de milliers d'habitants, « tire sa fortune, au XVIIIᵉ siècle, beaucoup plus de ses fonctions administratives, commerciales et résidentielles que de son activité industrielle ». La structure sociale y paraît fort contrastée, avec une riche aristocratie au sommet et une foule misérable en bas. L'analyse d'une liste de citoyens actifs, c'est-à-dire de contribuables payant au moins une contribution équivalente à la valeur de trois journées de travail (soit trois livres), établie en 1790 pour l'un des six Capitoulats, montre en effet que deux chefs de famille seulement sur cinq remplissent cette condition. Une autre étude, portant sur le tiers état seul, chiffre à 54 % la part du prolétariat. Il ne serait donc nullement exagéré de considérer que la moitié environ de la population toulousaine ne dispose pas d'un revenu annuel de trois cents livres et côtoie la misère. La masse en est formée de compagnons, apprentis, commis, employés et domestiques, et de tous ceux qui vivent de petits métiers.

La catégorie des maîtres des « Arts et Métiers », artisans propriétaires de leurs moyens de production, représente un peu moins du cinquième de la population. Leur revenu varie de trois cents à quatre mille livres, mais la grande majorité d'entre eux ne dispose pas de mille livres. Les commerçants, presque aussi nombreux, dont les revenus varient dans la même proportion (de trois cents à quatre mille livres) se distribuent de façon inverse : les deux tiers disposent de plus de mille livres. Ce sont les négociants et les marchands, mais aussi les aubergistes, qui sont les plus riches. Les commerçants de l'alimentation sont bien moins favorisés ; cabaretiers et limonadiers, charcutiers et rôtisseurs ont un revenu moyen inférieur à 500 livres.

La bourgeoisie des professions libérales est plus aisée, bien que les apothicaires, les médecins, les huissiers et greffiers, et même la plupart des avocats ne se situent guère au-dessus du gros des commerçants. La moyenne des revenus de la bourgeoisie des professions libérales atteint trois mille livres, mais les titulaires de certains gros offices dépassent cinq mille livres. Ils se trouvent aux confins de la haute société toulousaine.

Cette haute société est aristocratique : noblesse de sang et noblesse de robe, gentilshommes et parlementaires, en nombre presque égal (112 officiers du Parlement sur 204 nobles capités en 1789). A cette date, tous les parlementaires toulousains sont nobles de naissance. Les alliances matrimoniales sont fréquentes entre les deux noblesses ; le premier président Cambon, par exemple, a épousé une fille du marquis Riquet de Bonrepos, dont la fortune, plus de deux millions de livres en 1760, est sans égale à Toulouse. Les gages des parlementaires sont de trois à six mille livres par an, de vingt mille pour le premier président ; le revenu moyen des nobles est de huit mille livres. Les conditions ne sont donc pas éloignées. Si le noble toulousain est un gentilhomme campagnard, vivant huit mois de l'année dans son château, sur son domaine, dont les récoltes lui procurent en moyenne les trois cinquièmes de son revenu, le riche parlementaire abrège volontiers les devoirs de sa charge pour passer l'été à la campagne. Comme le parlementaire, le gentilhomme investit une partie de son capital en rentes sur la ville ou sur les États provinciaux, et en rentes constituées ; le marché de l'argent à Toulouse est aux mains de l'aristocratie. Enfin, tous animent la vie mondaine de la saison d'hiver, de la Saint-Martin à mars. Vie mondaine très provinciale, coupée de la vie parisienne, que l'on méprise et que l'on redoute (Paris est la ville de perdition des jeunes gens), mais où ne manquent ni théâtre, ni salons, ni banquets et bals, ni même le jeu. Vie mondaine teintée aussi de morale bourgeoise ; point de dettes, et pas trop de dépenses. On administre sa fortune en bon père de famille, on limite le train de vie ; peu d'équipages et peu de domestiques, qu'on paie d'ailleurs au plus juste prix, en versant les gages avec un retard de six mois.

Dans cette ville aristocratique, les écarts sociaux sont considérables. Le revenu moyen d'un noble représente deux à trois fois celui d'un marchand aisé, d'un rentier ou d'un avocat, seize fois celui d'un artisan, soixante fois le montant des gages du maître-valet qu'il emploie sur ses terres.

Cette puissance économique de l'aristocratie est bien le fait majeur. Dans sa thèse, J. Sentou souligne qu'au décès elle contrôle 53 % de la valeur des effets mobiliers, 68 à 85 % de la valeur des rentes, 71 % de celle des biens ruraux, 92 % de celle des actions. Le corollaire de la richesse nobiliaire est la médiocrité de la fortune bourgeoise : « Il n'y aura pas ici, comme à Bordeaux, comme à Lyon ou comme à Nîmes, une grande bourgeoisie girondine et fédéraliste, capable de tenir tête toute seule, financièrement et politiquement parlant, contre la coalition des royalistes et des montagnards... On savait la noblesse riche ; mais on n'aurait jamais osé croire qu'elle l'était à ce point. »

Il n'est que plus intéressant de considérer brièvement *Bordeaux*. Le contraste avec Toulouse est à bien des égards frappant. Ici, aucune stagnation ou semi-stagnation démographique en ce siècle de forte croissance urbaine ; au contraire, emportée par un rythme très soutenu (+ 4 % par an), la population bordelaise passe d'environ 55 000 habitants en 1715 à 110 000 en 1790. Ce doublement, dans lequel l'immigration joue un rôle essentiel (et une immigration socialement très diverse) correspond à une structure sociale plus nuancée. Certes, ici comme ailleurs, le fossé entre le patriciat et le menu peuple est considérable. Cependant, à bien des égards, l'image de la société bordelaise est plus complexe que celle d'autres villes. L'importance du négoce en est une des causes.

Comme à Toulouse, la noblesse, d'abord parlementaire et solidement appuyée sur les « châteaux », est la plus riche : « De 1782 à 1784, sur 35 contrats (de mariage) nobles, tous dépassent 12 800 livres ; les trois quarts 51 200 livres, contre seulement 21 % pour les négociants » (J.-P. Poussou, *Histoire de Bordeaux*, tome V). Mais le fait majeur reste néanmoins la poussée du négoce : « En face des 17 négociants apportant (au mariage) plus de 25 600 livres au milieu du siècle, il y avait 4 avocats, 5 conseillers, 13 nobles ; de 1782 à 1784, le nombre des négociants est monté à 43, contre 5 avocats, 11 conseillers et 21 nobles. » Au total, la richesse de Bordeaux l'emporte sur celle des autres villes ; elle soutient presque la comparaison avec Paris.

L'importance et la croissance de cette richesse expliquent peut-être que l'on soit davantage frappé par la gradation nuancée des écarts sociaux que par les oppositions. C'est, d'une part, l'importance des couches intermédiaires, marchands, professions libérales, bourgeois, une partie des maîtres-artisans ; c'est, d'autre part, la difficulté de trancher entre divers groupes sociaux dont le monde artisanal, si important (sans doute 45 % de la population) apparaît comme le point de rencontre. Ce monde artisanal « vacille sans cesse entre l'aisance, parfois même la richesse, et la pauvreté » (Poussou). Les artisans propriétaires ne manquent pas ; on les voit, même simples compagnons, acheter à la fin du siècle des lots de terrain, puis faire bâtir. Mais, par ailleurs, l'insécurité, l'absence de réserves, sont leur lot, et l'on passe sans distinctions bien tranchées de maîtres-artisans, dont certains (cordonniers et tailleurs notamment) étaient loin de connaître l'aisance, au prolétariat des petits métiers, enfin de ces derniers aux milieux troubles des bas-fonds et de la mendicité. D'un autre point de vue, on remarquera l'aspect traditionnel de ce monde du labeur bordelais : parmi la foule des artisans, rien de moderne, au contraire, puisque métiers du bois et de la tonnellerie dominent encore. Une structure sociale déjà évoluée ne correspond donc pas à une modification des structures économiques.

— *Lyon*, qui comptait déjà, avec ses faubourgs, près de 110 000 habitants au début du XVIIIe siècle, et approchait les 150 000 à la veille de la Révolution, n'était pas seulement la seconde ville du royaume, c'en était la plus grande ville industrielle. La prépondérance du travail et du commerce de la soie lui donnaient un caractère tout à fait particulier. Dans sa thèse, M. Garden montre que l'accroissement du nombre des ouvriers en soie a été très rapide, de l'ordre du doublement en cinquante ans. La condition de ces ouvriers en soie était fort difficile, moins en raison de la misère que de l'insécurité, de « l'insuffisance du quotidien » que de sa précarité. Ces gens, en temps normal, mangent de la viande chaque jour, achètent du tabac, vont chez leur perruquier; « il y a bien réalité de la misère, mais à quelques époques de conjoncture difficile seulement... Le manque de réserves est le trait le plus caractéristique du budget des ouvriers en soie et suffit à expliquer l'aspect dramatique de leur situation lors de la moindre crise ». Cependant, « il existe une partie de la communauté des ouvriers en soie pour laquelle on peut parler au moins d'aisance : de 1750 à 1789, il y a quand même 11 % des contrats de mariage dans lesquels la dot est supérieure à 2 000 livres ».

Si la soierie domine, au point de grouper en 1789 près de 40 % de la main-d'œuvre lyonnaise, d'autres secteurs d'activité sont importants : les autres textiles et l'habillement groupent 16 % de la main-d'œuvre, la chapellerie 9 %, le bâtiment 9 % également, la cordonnerie et l'alimentation 7 %. Dans ce milieu artisanal comme dans la soierie dominent les ateliers de faible dimension, au personnel réduit, formé par un long apprentissage et soumis à des règlements minutieux. Ce n'est que dans la soierie, que la prépondérance numérique appartient aux maîtres; car « le compagnon ouvrier en soie n'a pas une existence réellement propre et autonome. Ce n'est que l'état transitoire entre l'apprentissage et la maîtrise... Le compagnon ouvrier en soie est un futur maître ». Pour fixer les idées, on notera au contraire que, dans l'ensemble des métiers du bâtiment, le nombre des maîtres par rapport à l'ensemble des membres de la profession n'atteint pas le cinquième. Cette caractéristique de la fabrique de soie est l'une des originalités majeures de Lyon.

L'écart entre les fortunes des maîtres et celles des compagnons se retrouve, au contraire, ailleurs. Il en est de même de l'accentuation de cet écart au cours du siècle. On ne trouvera pas non plus d'originalité dans la situation difficile du menu peuple, composé essentiellement de « nouveaux Lyonnais » : les trois quarts des journaliers sont nés hors de Lyon, les neuf dixièmes apportent moins de 1 000 livres à leur contrat de mariage. Enfin, à Lyon comme ailleurs, négociants et marchands, qui groupent plus de la moitié des contrats de mariage supérieurs à 10 000 livres, ne représentent plus que 28 % des contrats supérieurs à 100 000 livres. Comme à Bordeaux ou à Toulouse, « au niveau des grandes fortunes, le négoce cède le pas au monde des officiers et à la noblesse ». C'est « l'apparent paradoxe de la richesse lyonnaise : une grande fortune nobiliaire dans la capitale des négociants. »

Paris

Mais les écarts sociaux ne sont nulle part aussi grands que dans la capitale. Du quartier populaire au Marais aristocratique, du faubourg Saint-Antoine au faubourg Saint-Germain et, bien entendu, à Versailles, la hiérarchie des niveaux de vie s'étale à l'infini.

L'on connaît « la Cour grouillante de Versailles avec ses 15 000 titulaires de charges de cour et autant de mendiants de grâces royales ». Elle est devenue le symbole, aux yeux du public, de l'accaparement des richesses du royaume par une classe stérile. En 1785, 137 millions d'acquits de comptant ont été puisés dans le Trésor royal, auxquels il faudrait ajouter les gratifications et « croupes » versées par des particuliers, du chef d'entreprise au fermier général, aux courtisans qui s'entremettent pour obtenir les faveurs du roi ou des bureaux.Il est vrai que les revenus de la noblesse de cour, pour énormes qu'ils soient, ne suffisent pas à soutenir le train de vie fastueux auquel elle est accoutumée ; elle se ruine avec insouciance, et il est de bon ton de se couvrir de dettes.

L'on sait aussi qu'à Paris nobles de robe et financiers peuvent rivaliser de richesse avec la noblesse de cour. Moins frivoles et beaucoup plus cultivés, protecteurs des artistes et des hommes de lettres, ils ne font pas du gaspillage une règle de conduite.

Mais si l'on veut pousser l'analyse au-delà de ces catégories bien connues et tenter d'apprécier la hiérarchie des fortunes à Paris, il faut entreprendre une recherche statistique étendue. C'est ce qu'A. Daumard et F. Furet ont fait en 1961, pour présenter un tableau des *Structures et relations sociales à Paris au XVIIIe siècle*, fondé sur le dépouillement de plus de 2 500 contrats de mariage établis par les notaires parisiens pendant l'année 1749. Par l'étude des apports matrimoniaux mentionnés au contrat, ils ont obtenu une « image de la société parisienne par une coupe sur une génération, au début de sa carrière, celle qui démarre en 1749 ».

En réalité, les plus bas niveaux de fortune sont mal représentés. Si, pour des raisons évidentes, les bas-fonds de la société parisienne et tout ce qu'elle comportait de populations mal fixées échappent, il est possible de délimiter les seuils qui séparent les différentes catégories socio-professionnelles.

A la base, les salariés de l'industrie et du commerce. Pour la grande majorité d'entre eux (74 %), les apports matrimoniaux se situent entre 500 et 5 000 livres, et pour le reste, au-dessous de 500 livres, ce qui ne représente plus que la valeur d'un trousseau et de quelques meubles. Les plus pauvres sont les journaliers et les « gagne-deniers » qui pratiquent les multiples petits métiers parisiens ; puis viennent les « garçons », qui constituent un salariat de boutique, puis les commis marchands et la masse des compagnons des corps de métier, moins défavorisés.

Les artisans au niveau le plus bas (façonniers et artisans en chambre), ainsi que les domestiques, se distinguent mal des compagnons : leurs apports se situent aussi entre 500 et 5 000 livres. Ce seuil des 5 000 livres est, au contraire, beaucoup plus facilement franchi par les maîtres et les marchands, dont une forte proportion apportent au mariage de grosses sommes, parfois jusqu'à 50 000 livres. Ainsi apparaissent les milieux aisés de l'artisanat et du commerce parisiens. C'est avec la possession d'une maîtrise ou d'une boutique que l'aisance commence.

Au-delà de 50 000 livres, l'on rencontre des « bourgeois de Paris », qui vivent du revenu de leurs rentes sur l'État ou sur des particuliers, des membres des professions libérales, médecins, avocats, employés au service de l'administration royale, et surtout des officiers propriétaires de leur charge. Ceux-ci possèdent parfois des fortunes considérables, de plusieurs centaines de milliers de livres, et jusqu'à un million. Nous saisissons là la vraie richesse roturière : « D'une façon générale, les officiers et leurs épouses apportent dans la corbeille de noces des fortunes qui révèlent, aux plus hauts niveaux, la partie la plus riche du tiers état parisien. »

La noblesse, enfin, occupe le sommet de la hiérarchie : pour plus des trois quarts des cas, les apports sont supérieurs à 50 000 livres. On ne trouve, au-dessous de cette limite, que quelques nobles « vivant noblement » du revenu de leur capital; mais les nobles de robe et ceux qui exercent des fonctions militaires disposent tous de fortunes qui vont de 50 000 livres à un million et plus. L'étude statistique confirme ce que l'on savait déjà de la richesse aristocratique et de sa place dans les structures sociales de Paris et des grandes villes du royaume, comme Bordeaux, Lyon ou Toulouse.

3. CONCLUSION

Aussi variés que soient les niveaux de fortune et les conditions d'existence, certains traits généraux de la société française à la fin de l'Ancien Régime se dégagent pourtant à l'analyse.

— *Les masses populaires*, celles des villes et surtout celles des campagnes, qui l'emportent immensément en nombre, connaissent une vie incertaine et côtoient sans cesse l'indigence. Leur existence s'écoule sous le signe de la *précarité*. Précarité des récoltes et de la subsistance, en un temps où la technique agricole n'est pas encore capable de limiter les effets des fantaisies du climat, précarité de l'emploi lorsque les crises agricoles, gagnant les secteurs artisanal et industriel, provoquent une généralisation du chômage, au moment surtout où une démographie en expansion multiplie les demandes de travail sur un marché sans élasticité. Précarité du niveau de vie, en un mot, qui, aux temps difficiles, suscite l'effervescence et ravive les mécontentements. Les masses populaires s'en prennent alors à tout ce qui réduit leurs moyens d'existence, dîmes, droits seigneuriaux, impôts. Au-delà de ces revendications immédiates, elles ne mettent pas en cause, cependant, l'ordre social. Et même si elles dépendent, idéologiquement, de la bourgeoisie, elles ne partagent pas forcément toutes ses aspirations. Elles redoutent les atteintes qui pourraient être portées aux droits collectifs à la campagne, à l'organisation corporative dans les villes, qui constituent souvent, pour elles, une protection contre le dénuement.

— *La bourgeoisie*, pour hétérogène qu'elle soit, constitue cependant l'*élément moteur de l'économie*. Aussi se dresse-t-elle contre la réglementation et les entraves qui s'opposent à l'épanouissement des forces productives; elle se prononce en faveur de la liberté et de l'individualisme. Elle se dresse surtout contre les obstacles à l'ascension sociale, contre les privilèges. Car ce n'est pas la précarité du niveau de vie qui crée l'insatisfaction bourgeoise, mais bien la *compression des aspirations*. La bourgeoisie, face à une aristocratie qui se ferme, aux prises avec une « exaspération du snobisme nobiliaire » (Furet), se prononce pour l'égalité des droits. Elle est d'ailleurs idéologiquement bien armée, capable de recevoir, grâce aux progrès de l'instruction, les enseignements des « intellectuels » qui lui proposent une philosophie. Philosophie bourgeoise mais, ce qui emporte l'adhésion des plus réticents et permet le ralliement de la partie « éclairée » de l'aristocratie, philosophie qui se veut universaliste, valable pour tous les hommes.

— *L'aristocratie* n'est pas en reste. Classe privilégiée et classe riche, elle possède sa propre idéologie et les moyens de l'imposer. Idéologie de revanche contre une monarchie « despotique », celle de Louis XIV, qui a confisqué la liberté de la noblesse, s'est affranchie de sa tutelle et a constitué contre elle une nouvelle classe dirigeante d'anoblis récents; moyens d'action mis au point par les robins du Parlement, experts en procédure. En neutralisant le pouvoir royal et en imposant au roi la convocation des États généraux, l'aristocratie parvient, pendant l'été de 1788, à détruire l'absolutisme monarchique. Mais la crise du pouvoir déchaîne des forces qu'elle ne peut contrôler, et qui substitueront à la « *révolution aristocratique* » une révolution bourgeoise et populaire.

LECTURES COMPLEMENTAIRES

Etudes générales

O BRAUDEL (F.), LABROUSSE (E.) (sous la direction de), *Histoire économique et sociale de la France*, T. II. *Des derniers temps de l'âge seigneurial aux préludes de l'âge industriel, 1660-1789*. Paris, P.U.F., 1970.

O GOUBERT (P.), *L'Ancien Régime*, T. I, *La société*. Paris, A. Colin, 1969 (collection U).

O CHAUNU (P.), *La Civilisation de l'Europe des Lumières*. Paris, Arthaud, 1971.

O SOBOUL (A.), *La Civilisation de la Révolution française* T.I. *La crise de l'Ancien Régime*. Paris, Arthaud, 1971.

O MOUSNIER (R.), *Société française de 1770 à 1789*. Paris, C.D.U., 1970, 2 vol.

O FURET (F.), RICHET (D.), *La Révolution*, T. I. *Des États-Généraux au 9 Thermidor*. Paris, Hachette, 1965.

O FURET (F.), « Le catéchisme de la Révolution française », *Annales E.S.C.*, 1971.

O RICHET (D.), « Autour de la Révolution française : élites et despotisme », *ibidem*, 1969.

O DUPRONT (A.), *Livre et société dans la France du XVIII*e *siècle*. Paris, Mouton, 1965, 1969, 2 vol.

O MANDROU (R.), *De la culture populaire en France aux 17*e *et 18*e *siècles*. Paris, Stock, 1964.

Un excellent recueil de textes :

O *1789. Les Français ont la parole*. Cahiers des États généraux présentés par GOUBERT (Pierre) et DENIS (Michel). Julliard, collection Archives, 1964.

Etudes particulières

Pour certaines catégories sociales :

O MEYER (J.), *La Noblesse bretonne au XVIII*e *siècle*, Paris, S.E.V.P.E.N., 1966, 2 vol.

O FORSTER (R.), *The Nobility of Toulouse in the eighteenth century. A social and economic study*, Baltimore, The John Hopkins Press, 1960.

O LÉON (P.), « Recherches sur la bourgeoisie française de province au XVIII*e* siècle », *L'Information historique*, 1958, n° 3.

Pour la société rurale, voir :

O BOIS (P.), *Paysans de l'Ouest. Des structures économiques et sociales aux options politiques depuis l'époque révolutionnaire dans la Sarthe*, Paris, Mouton et Co, 1960.

O SAINT-JACOB (P. DE), *Les Paysans de la Bourgogne du Nord au dernier siècle de l'Ancien Régime*. Paris, les Belles-Lettres, 1960.

O LÉON (P.) (sous la direction de), *Structures économiques et problèmes sociaux du monde rural dans la France du Sud-Est*. Paris, les Belles-Lettres, 1966.

O POITRINEAU (A.), *La Vie rurale en Basse-Auvergne au XVIII*e *siècle*. Paris, P.U.F., 1965, 2 vol.

O GUTTON (J.-P.) *La Société et les pauvres. L'exemple de la généralité de Lyon, 1534-1789*. Paris, les Belles-Lettres, 1970.

O TILLY (C.), *La Vendée, révolution et contre-révolution*. Paris, Fayard, 1970.

On trouvera des études récentes dans les volumes de la collection « Univers de la France; collection d'histoire régionale », en cours de publication à Toulouse (Privat, éditeur).

Pour les villes :

O LIGOU (D.), *Montauban à la fin de l'Ancien Régime et aux débuts de la Révolution, 1787-1794*. Paris, M. Rivière et C*ie*, 1958.

O LEFEBVRE (G.), *Études orléanaises*, tome I, *Contribution à l'étude des structures sociales* *à la fin du XVIIIe siècle*. Paris, Imprimerie nationale, 1962.

○ PARISET (F.-G.) (sous la direction de), *Bordeaux au XVIIIe siècle*, tome V de l'*Histoire de Bordeaux*. Bordeaux, Fédération historique du Sud-Ouest, 1968.

○ SENTOU (J.), *Fortunes et groupes sociaux à Toulouse sous la Révolution, essai d'histoire statistique*. Toulouse, Privat, 1969.

○ GARDEN (M.), *Lyon et les Lyonnais au XVIIIe siècle*. Paris, les Belles-Lettres, 1970.

Pour Paris :

○ DAUMARD (A.), FURET (F.), *Structures et relations sociales à Paris au XVIIIe siècle*, A. Colin, 1961, Cahier des Annales, n° 18.

Pour le mouvement des idées, on se reportera à :

○ TOUCHARD (J.), *Histoire des idées politiques*, tome II, *Du XVIIIe siècle à nos jours*, chapitre IX, Le Siècle des lumières qui donne d'excellentes mises au point et des bibliographies commentées.

On complétera, pour l'étude des idées de l'aristocratie par le cours de :

○ LEFEBVRE (G.), *La Révolution aristocratique*. Paris, C.D.U. [s. d.].

DOCUMENTS

10. Problèmes de classement et de nomenclature : comment travaille un historien

Si j'ai distingué un prolétariat manuel à Orléans, c'est le fait des documents : ils désignent des compagnons de métier, des journaliers, des domestiques.

Si j'ai suggéré l'existence d'une catégorie populaire, c'est l'effet de la comparaison entre les deux classements principaux : 1° d'après la fortune ou plutôt le revenu, et 2° d'après la propriété des moyens de production. Dans l'un et l'autre l'éventail est très ouvert. Aux couches les plus modestes du revenu on voit affecter de petits rentiers, retraités, retirés; des ecclésiastiques; des « sans état ». Ces gens-là sont ce que nous appelons des bourgeois : ils ne travaillent pas et vivent sans doute de location ou sous-location, de rentes foncières, de prêts à intérêt. Mais ils sont pauvres et ne peuvent pas être joints à ce que j'ai appelé la classe moyenne. Je les ai refoulés dans la catégorie populaire.

Disproportion dans le classement n° 2. En haut le raffineur, le négociant, le grand propriétaire foncier; en bas l'artisan, le boutiquier, le vigneron qui travaillent de leurs mains et sans salarié; plus bas encore, le détaillant des marchés et des rues, la marchande des quatre-saisons. Tous ont un trait commun : ils cherchent non un employeur mais des clients; non un salaire mais un bénéfice; si modeste que soit leur outillage, ils sont indépendants.

Mais les uns sont riches et le plus grand nombre pauvres. Il suffit de comparer le classement 2 au classement 1 pour le constater. Et en outre faut-il distinguer le propriétaire de moyens de production qui les utilise en employant des salariés et celui qui travaille seul et de ses mains. Il faut donc trier. J'ai refoulé dans la catégorie populaire ceux que je ne pouvais pas annexer à la classe moyenne.

Les salariés ne sont pas moins récalcitrants. Quelques-uns sont propriétaires de leur maison ou d'un lopin. Impossible de confondre les manuels avec les commis, employés, courtauds de boutique, clercs de la basoche. Ceux-ci gardent les mains blanches, tâchent de vivre bourgeoisement et s'indigneraient si on les appelait ouvriers ou prolétaires; pourtant ils sont pauvres; plus pauvres parfois qu'un manuel qualifié; je les ai haussés à la catégorie populaire. (Je laisse de côté le sous-prolétariat : exempts, clochards et mendiants; ils ne sont pas en question pour le moment.)

On dira que, si j'avais parlé de la fin du XIXe siècle ou encore du XXe, j'aurais appelé ma « catégorie populaire » petite ou très petite bourgeoisie. C'est probable, mais j'hésite pour 1791 parce que l'appellation est anachronique, attendu que la petite bourgeoisie d'aujourd'hui est plus aisée, un peu moins ignorante, surtout infiniment plus « embourgeoisée », et moins hostile aux riches que le populaire de 1791.

Ma catégorie populaire, d'autre part, fait partie de ce que les contemporains et, spécialement, Robespierre, appelaient le « Peuple », qu'ils distinguaient de la « Populace », de la « Canaille ». Mais dans le Peuple, Robespierre inscrivait l'entrepreneur Duplay, l'imprimeur Nicolas, le cafetier Chrétien qui, à nos yeux, comptent dans la classe moyenne; et il ajoutait les compagnons de métier.

Conclusion : j'ai été conduit à former une catégorie populaire plus restreinte que le Peuple de Robespierre, mais hétérogène aussi, parce que mes documents, minutieusement dépouillés, m'ont mis en présence d'une complexité sociale qu'à vrai dire, je connaissais déjà en principe parce qu'on la retrouve à toutes les époques, et qui se complique encore quand on en vient à la mentalité et aux idées.

Cette conclusion vaudrait aussi pour le monde rural.

Je m'attends bien qu'elle suscitera des discussions à perte de vue; elles n'auront d'ailleurs rien de neuf. Je suis tout disposé à tenir compte des réflexions, ma rédaction finale n'étant pas arrêtée.

Georges Lefebvre
(lettre écrite en avril 1957).

11. L'histoire statistique

Au terme de cette étude d'histoire sociale fondée sur l'utilisation de la statistique, il nous paraît très important de faire le point en essayant d'établir et les avantages de ce type de travail et ses insuffisances, avant de déterminer, sur un plan général, comment une telle enquête, menée dans un cadre local, peut nous aider à mieux comprendre les contradictions de la société française de la fin du XVIIIe siècle et leur rôle dans le déclenchement de la Révolution.

Et d'abord une constatation : l'histoire sociale repose sur l'examen d'une masse énorme de documents. Ici, il s'agit de documents fiscaux très bien tenus et convenablement conservés. Si on y ajoute l'ensemble des actes notariés, on obtient un volume tel qu'il dépasse les possibilités humaines du chercheur et qu'il ne peut être utilisé qu'avec l'aide d'un ordinateur et l'emploi de la méthode statistique. Ce n'est pas au seul fait du hasard qu'est dû actuellement le développement de ce genre d'histoire; il est le fruit des nouvelles techniques de l'information. Tant que celles-ci n'avaient pas vu le jour, l'histoire sociale appartenait au domaine de l'utopie. Nous pensons donc que notre étude rendra de grands services, parce qu'elle est la première de ce genre à présenter une information chiffrée très précise sur l'inégale répartition des richesses dans une grande ville de France, sous la Révolution.

Nous ne faisons pas, néanmoins, trop d'illusions sur la valeur de notre apport. Nous savons, en effet, comme l'a écrit J.-Y. Tirat, que l'histoire sociale nombrée ou l'histoire statistique ne peut, à elle seule, rendre compte de la complexité d'une structure sociale et qu'il faut lui adjoindre des études sur la psychologie, le comportement religieux, les mœurs, en un mot, les mentalités; là-dessus nous sommes pleinement d'accord. Mais, pour compléter une telle histoire statistique, faut-il au moins qu'elle ait déjà été faite! Or, ce n'est pas le cas, puisque, en dehors de quelques articles publiés ces dernières années, aucun chercheur n'a encore réalisé une œuvre comparable à la nôtre.

Certes, nous connaissons les limites de notre travail. Nous savons qu'on nous reprochera d'avoir par trop cédé à la magie du nombre, d'avoir plus compté que décrit, mais, comme nous l'avons déjà dit dans notre avant-propos, c'est volontairement et pleinement conscient de ce genre de critiques, qu'on risque de nous adresser, que nous avons adopté une telle attitude...

Pour la grande majorité des historiens d'aujourd'hui, l'histoire doit figurer parmi les sciences humaines. Si l'homme, en tant qu'individu, conserve sa personnalité et sa liberté et échappe à une étude objective, les hommes, à l'inverse, en tant que membres de groupes et vivant en société, subissent les lois de ces groupes et seule la statistique, avec ses séries, ses grands nombres, sa courbe de Gauss, permet d'étudier ceux-ci d'une manière scientifique. Il en est maintenant ainsi de la sociologie, de la psychologie, de la démographie et de l'économie politique, en un mot de toutes les sciences humaines. L'histoire, qui étudie le passé des hommes, ne peut pas faire exception : sans quoi elle se condamnerait à être ce qu'elle a longtemps été, c'est-à-dire un recueil d'exemples pieux et de soi-disant leçons, qui selon Paul Valéry, lui enlevaient tout caractère scientifique. Et même, nous l'accordons facilement, si cette histoire statistique est insuffisante et doit être complétée par des biographies et des descriptions de type littéraire, il n'en reste pas moins qu'elle nous paraît nécessaire et fondamentale. Sans elle, rien de solide ne pourra être bâti. Et, à une époque, où une nouvelle philosophie, le structuralisme, en vient à proclamer la mort de l'homme et la fin de l'histoire, il n'est pas mauvais pour l'historien de repenser sa méthode et d'essayer d'aller au fond des choses pour découvrir les structures cachées : ici, par exemple, celles de la société mi-féodale, mi-capitaliste d'une ville, à la fin de l'Ancien Régime et au début de la Révolution.

J. SENTOU, *Structures et groupes sociaux à Toulouse sous la Révolution. Essai d'histoire statistique*, Toulouse, Privat, 1969.

12. Les deux peuples du bocage

A l'ouest du Haut-Maine et dans une bonne partie du Bas-Maine, c'est le peuple des paysans, authentiques, attachés à la terre, tournant le dos au reste du monde. Sur une terre suffisamment fertile, et que, sauf en un point, n'accable pas un surpeuplement massif, l'homme peut vivre de sa culture. La conjoncture économique du XVIIIe siècle lui a été, dans l'ensemble, favorable. Ce pays exporte du blé, du bétail, du chanvre, de la graine de trèfle. Les prix montent. Certes, les fermages montent aussi et l'homme s'irrite de ce lourd prélèvement, mais qui n'est pourtant pas écrasant au point de ne rien lui laisser. Il lui reste sûrement quelques économies et il les consacre à la terre. Il achète. Sa propriété, si minime, progresse. Le mouvement est lent, mais il existe, et avec lui l'espoir d'une condition meilleure et, peut-être plus encore, l'attrait d'une indépendance que le régime du fermage ne lui assure que partiellement. Tout ce petit monde n'est que paysan, aucune influence n'y pénètre, ne vient altérer sa routine. Le seigneur est respecté, évidemment, il jouit du prestige de son origine, mais il est haut et surtout il est loin, on ne le voit pas souvent. Quant au clergé, le paysan fait fort bien la distinction entre son curé qui lui assure le dimanche le rudiment de vie sociale et intellectuelle indispensable à ces hommes isolés six jours sur sept, et l'autre clergé, le monastère et l'épiscopal, gros décimateur et propriétaire sans vrai titre. Contre ce dernier, le paysan attaché à ses intérêts sent monter sa colère. Mais il se méfie du bourgeois, l'homme des villes, si différent de lui, qui n'apparaît dans les campagnes que pour lui disputer la terre, et ensuite percevoir les fermages.

A l'occasion, tout ce monde fermé peut faire bloc contre l'étranger, sans qu'aucune fissure ne vienne altérer son homogénéité. Le premier corps étranger à expulser, c'est le gros clergé décimateur et propriétaire : les cahiers de doléances le montrent clairement. Ensuite, c'est le bourgeois, avide de terres, prêt à remplacer le clergé. Et les premières élections, celles de 1790-1791, révèlent ce désir d'être « seuls » entre paysans.

Bien sûr, les choses auraient pu en rester là, mais d'autres faits surgiront.

A l'Est, le fond de la mentalité paysanne est sans doute identique, mais la terre s'est montrée plus ingrate pour un peuple devenu, par endroits, trop nombreux. La conjoncture s'est montrée moins favorable, la hausse des prix ne lui a point été bénéficiaire, car le cultivateur, ici, n'a rien à vendre. Il n'a point d'épargne. Il ne peut acheter de terres, il les abandonne à d'autres, sans espoir d'arriver à l'aisance et à l'indépendance. A certains égards, c'est un résigné, il n'a pas, comme son congénère de l'Ouest, engagé la lutte contre les détenteurs de la terre et de la richesse. Le noble, là, n'est ni plus ni moins gênant qu'ailleurs, le clergé l'est plutôt moins, les ordres monastiques et les chapitres se sont moins largement installés qu'en d'autres lieux.

C'est une paysannerie moins vigoureuse, par cela même moins intransigeante, plus docile peut-être. C'est surtout une paysannerie moins homogène, car pour vivre, tous les petits ont dû se tourner vers une autre ressource, le tissage. Dans l'ombre des caves, invisible au premier regard, une autre humanité se développe, dont le genre de vie n'est plus le même. Et bien loin d'être un facteur d'isolement, l'homme des caves est aussi l'homme des marchés, des relations lointaines. Par son intermédiaire, une influence nouvelle pénètre les campagnes, l'influence des villes. Et l'homme des villes n'apparaît pas ici, comme à l'Ouest, en concurrent dans la lutte pour la terre, mais en associé pour l'écoulement de la production artisanale. Mais plus encore, ce genre de vie met le campagnard-tisserand aux prises avec un adversaire nouveau, que l'Ouest ignore ou presque, l'administration royale, son inquisition, ses sanctions suspendues sur le malheureux comme une épée de Damoclès. A tout ce qui pouvait opposer l'Ouest à l'Ancien Régime, et qui était peu de chose, vient s'ajouter ici une lutte permanente, lutte stimulée par les encouragements et la direction de cette petite bourgeoisie de marchands.

Par là, ce bocage de l'Est se rapproche des autres campagnes françaises. Ailleurs en effet, l'esprit villageois des pays d'habitat concentré était plus prêt que celui de l'Ouest à accueillir l'influence des villes. Et plus encore quand ces villages résonnaient eux aussi du bruit des métiers.

Quand viendra l'heure de la Révolution, l'Est aura le sentiment, dans une certaine mesure, que son destin est entre les mains du peuple des villes et il acceptera de se laisser guider par lui.

P. Bois, *Paysans de l'Ouest.*
Paris, Mouton et Cie, pp. 572-574.

13. Un type original de paysan : le vigneron

Au reste, entre la ville et le vignoble, l'accord est pour ainsi dire de droit : accord spirituel et accord matériel. Le vigneron n'est pas un isolé et son action se fait aisément collective. Physiquement, socialement, il occupe une position intermédiaire entre la ville et la campagne. Si l'on osait reprendre ici à son égard, et pour le xviiie siècle, la célèbre distinction de Vidal de La Blache, on dirait qu'il est peut-être plus un villageois qu'un paysan. Il n'a sur sa parcelle ni maison ni bâtiments d'exploitation : un simple édicule, une cabane à outils, un « bastidon » fait l'affaire. A la différence du métayer des terres labourables isolé dans le domaine, il a tendance à vivre une vie de groupe. « Villageois »? Ce n'est pas assez dire. C'est parfois un semi-urbain. La « longue rue » de la Côte bourguignonne, les rassemblements viticoles serrés du Bas-Languedoc et de la plaine du Roussillon, ne sont pas des improvisations démographiques de notre époque. On sait déjà d'autre part que la vie professionnelle impose au vigneron des contacts humains répétés : ceux du commerce. Il est à la fois, bien que dans des proportions extrêmement variables, producteur et marchand. Il est parfois convoyeur : le propriétaire du Beaujolais va livrer jusqu'à Paris. Semi-urbain ou non, cet artisan de la terre qui a conscience de sa supériorité professionnelle sur le manœuvre de la charrue, sur les « borbesses » et autres « mijeurs de gaudes » du plat pays — ça n'empêche pas de trinquer, de parler — est au fond un émissaire de la ville.

Matériellement d'ailleurs, ses intérêts sont urbains. C'est la ville qui achète le vin et l'eau-de-vie. Qu'on n'aille pas comparer la consommation moyenne du paysan et du citadin : le premier mange, l'autre boit. Mais entre la vigne et le buveur, le gouvernement et la municipalité tendent le cordon des octrois, et font pleuvoir sur le produit durant tout le voyage la grêle des droits de gros et de détail. Contre les barrières et contre les aides, contre l'impôt de consommation qui atteint au total plus durement la population urbaine que la population rurale dans son ensemble, l'alliance du vigneron et du consommateur populaire des villes est spontanée, permanente, générale. De même contre « l'accapareur de grains » : la ville achète comme le vignoble. Consommateur populaire et vigneron ont dans la question capitale des subsistances une commune réaction « prolétarienne ». Le Paris révolutionnaire ne s'arrête pas aux faubourgs : une interminable banlieue viticole le prolonge, des confins de la Normandie au cœur de la Champagne, dont on imagine la résonance lors de la terrible crise « continentale » de 1789-1790. Le vignoble constitue ainsi dans les campagnes une sorte de quartier ouvrier, de dense « faubourg » rural, où règne une mentalité économique urbaine, d'où partent des réflexes urbains : zone sonore qui accueille et répercute la propagande et les bruits de la ville sur toutes les terres d'alentour.

E. LABROUSSE, *La Crise de l'économie française à la fin de l'Ancien Régime et au début de la Révolution*. Paris, P.U.F., pp. 598-600.

14. La fabrique lyonnaise

« Personne n'ignore que c'est principalement à la fabrique que la ville de Lyon doit son agrandissement, sa splendeur, ses richesses et l'opulence qui la mettent au rang des premières villes commerçantes d'Europe »; mais cette « grande marchande de modes, dont le cœur semble battre dans un coffre-fort », frémit au moindre mouvement[1].

Sous Louis XV, elle sembla retrouver l'activité qu'elle avait connue sous Henri II. Le nombre des métiers s'accrût : plus de 11 000 métiers battaient en 1777, 12 000 en moyenne jusqu'en 1784 et un état consulaire indique l'existence en 1788 de 15 000 métiers. Les quantités de soies travaillées progressèrent : en 1776, 1 146 000 livres de fibres étrangères et 800 000 livres de soies nationales entrèrent à Lyon qui en garda les deux tiers pour ses propres ateliers. La valeur de la production passa de 46 millions de livres en 1752 à 60 millions en moyenne par an de 1770 à 1784. Les recensements du personnel dessinent la même courbe : en 1777, la visite générale dénombra plus de 25 000 marchands, ouvriers, compagnons; en 1786, le tableau dressé par Roland de la Platière s'élève à 26 500 personnes; l'inspection ordonnée par le Consulat en 1788 aboutit au chiffre de 28 600, auquel s'ajoutent près de 10 000 ourdisseuses, dévideuses, tordeuses.

... Par son importance numérique, la Fabrique régissait les rapports sociaux : elle englobait 400 maîtres-marchands, détenteurs des capitaux, 6 000 maîtres-ouvriers qui employaient dans leurs modestes ateliers les compagnons, les apprentis et d'innombrables aides. Une réglementation conditionnait la carrière de tout ce personnel : les employés subalternes, tireurs de lacs, dévideuses, lisseuses ne pouvaient accéder à la maîtrise; pour les canuts, l'apprentissage, commencé à l'âge de 14 ans, durait en moyenne cinq ans chez le même maître; l'apprenti devenait compagnon après un examen, l'exécution d'une étoffe de sa spécialité, le paiement d'un droit. Le compagnonnage s'accomplissait en deux ans dans différents lieux. Après une nouvelle épreuve, le compagnon recevait ses lettres de maîtrise et pouvait monter un atelier. Seuls, les Lyonnais d'origine entraient dans la communauté...

... L'afflux de la population dévalorisait la main-d'œuvre; malgré la hausse du coût de la vie, les marchands n'accordaient aucune augmentation, en raison des répercussions sur les ventes. « Personne n'ignore que c'est le prix des vivres qui fixe celui de la main-d'œuvre. L'on ignore encore moins que c'est principalement au bas prix de cette main-d'œuvre que nos étoffes doivent le débit dans le reste de l'Europe. » La faiblesse des salaires garantissait aussi la docilité des compagnons : « Pour assurer et maintenir la prospérité de nos manufactures, il est nécessaire que l'ouvrier ne s'enrichisse jamais, qu'il n'ait précisément que ce qu'il lui faut pour se bien nourrir et pour se bien vêtir. Dans certaines classes du peuple, trop d'aisance assouplit l'industrie, engendre l'oisiveté et tous les vices qui en dépendent[2]. »

L. TRENARD, *Lyon, de l'Encyclopédie au Préromantisme*, Paris, P.U.F., 1958, tome I, pp. 22 et suiv.

---

1. *Mémoires du comédien Bénard, dit Fleury*, 1750-1822 (R.D.L. 1836, III, p. 91).
2. E. MAYET, *Mémoire sur les fabriques de Lyon*, 1786, pp. 37, 60-61.

15. Composition des revenus fonciers moyens de vingt familles nobles du diocèse de Toulouse au milieu du XVIIIe siècle

Origine des revenus	Montant en livres	Pourcentage du revenu brut
Terres à céréales	3 577	62 %
Bois, prés, vignes	1 434	25 %
Moulins, forges, fours	285	5 %
Cens, droits seigneuriaux	452	8 %
Revenu brut	5 748	100 %
Dépenses :		
Salaires	262	5 %
Impôts	836	15 %
Revenu net	4 650	80 %

16. La rente foncière

Produit des fermages perçus par deux familles nobles
du diocèse de Toulouse

Marquis de Gardouch (781 arpents)			Comte de Caraman (170 arpents)		
Durée des baux	Années	Fermage annuel	Durée des baux	Années	Fermage annuel
1747/1756	9	11 000 livres	1722/1724	3	2 450 livres
1756/1765	9	16 000 —	1725/1731	6	2 450 —
1773/1779	6	26 298 —	1742/1748	6	3 500 —
1780/1786	6	26 169 —	1748/1754	6	3 800 —
1786/1792	6	28 300 —	1755/1761	6	3 800 —
1792/1793	1	26 844 —	1761/1767	6	4 000 —
			1777/1783	6	6 680 —

Source : R. FORSTER, *The Nobility of Toulouse*, Battimore, The John Hopkins Press.

17. Les revenus d'une famille noble du diocèse de Toulouse à la fin de l'Ancien Régime

(Madame Adélaïde Lévis, marquise de Mirepoix)

IMMEUBLES (Revenu des)

1. Une maison à Toulouse, rue du Temple	1 200 livres
2. Terres dans l'Agenais et la sénéchaussée de Carcassonne	23 535
Total	24 735

RENTES PERPETUELLES

1. Capital de 114 000 livres sur les Etats de Languedoc	5 700
2. Capital de 30 000 livres sur la Sénéchaussée de Toulouse	1 500
3. Capital de 12 000 livres sur l'Archevêché d'Auch	600
4. Capital sur les Aides et Gabelles, à Paris	1 045
5. Rente sur la Compagnie des Indes	80
Total	8 925

RENTES CONSTITUEES

1. 50 000 livres sur Baynagnet (Carcassonne) à 4 %	2 000
2. 33 000 livres sur O'Kelley (Toulouse) a 4 %	1 320
3. 7 000 livres sur de Riquet (Toulouse) à 5 %	350
4. 7 000 livres sur d'Ormesson (Paris) à 5 %	350
5. 20 000 livres sur Gignoux cadet (Valence) à 5 %	1 000
6. 25 000 livres en billets à Mme Vieuville (Paris) à 5 %	1 250
Total	6 270
REVENU BRUT	39 930

INTERETS DE DETTES ET ARRERAGES DE RENTES

1. Un tiers de pension à la veuve Gerly	666
2. 12 000 livres dues à Guillaume à 5 %	600
3. 6 000 livres dues à Lasalle à 5 %	300
4. Pension viagère à Madeleine Bribal, légataire de mon mari par testament du 21 juin 1779	50
Total	1 616
REVENU NET	38 314 livres

Source : R. FORSTER, *The Nobility of Toulouse.*

---

18. Les artisans lyonnais au XVIIIᵉ siècle : le creusement des écarts de fortune entre les maîtres et les ouvriers au cours du siècle

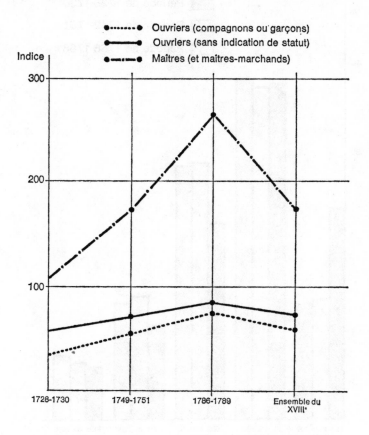

●·······● Ouvriers (compagnons ou garçons)
●————● Ouvriers (sans indication de statut)
●—·—·—● Maîtres (et maîtres-marchands)

Source : M. GARDEN, *Lyon et les Lyonnais au XVIIIᵉ siècle*, Paris Les Belles Lettres, 1970.

19. La hiérarchie des fortunes des ouvriers en soie au XVIIIe siècle (d'après les contrats de mariage)

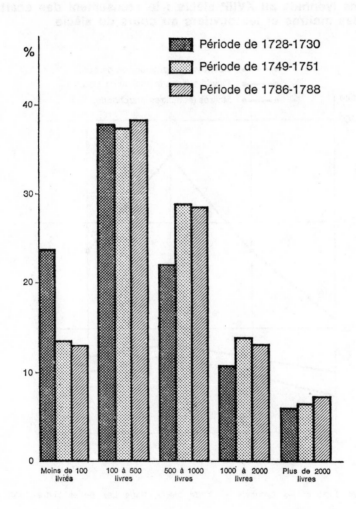

Source : M. GARDEN, *Lyon et les Lyonnais au XVIIIe siècle*, éd. cit.

20. La supériorité de la richesse nobiliaire sur les fortunes marchandes (contrats de mariage — 1780-1789) à Lyon

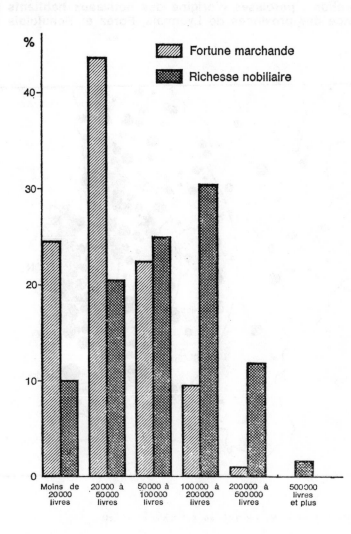

Source : M. GARDEN, *Lyon et les Lyonnais au XVIIIe siècle*, éd. cit

21. L'immigration : paroisses d'origine des nouveaux habitants de Lyon en provenance des provinces de Lyonnais, Forez et Beaujolais : 1786-1788

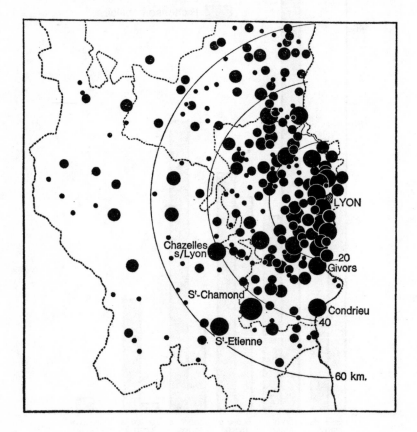

Source : M. GARDEN, *Lyon et les Lyonnais au XVIIIᵉ siècle,* éd. cit.

22. Toulouse : l'inégalité sociale au moment du décès

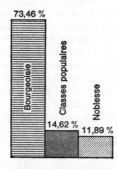

Répartition numérique des
groupes sociaux déclarant
une succession positive.

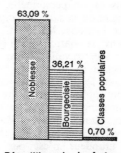

Répartition de la fortune
globale entre ces groupes
sociaux.

Source : J. SENTOU, *Fortunes et groupes sociaux à Toulouse*, éd. cit.

23. Traits de l'esprit bourgeois

L'éloge des vertus bourgeoises est lié au thème de la médiocrité heureuse. Le bourgeois est préservé par sa situation « mitoyenne » contre l'avilissement de la misère et la corruption de la grandeur. Son âme demeure intacte. La bourgeoisie est la seule classe de la société à ne pas être aliénée par le fait même de sa condition. Un bourgeois peut être plus parfaitement *homme* qu'un homme du peuple ou un courtisan. Le visage du premier est défiguré par la pauvreté, la maladie, l'ignorance, l'aigreur. Le cœur du second se durcit ou se dissout dans l'égoïsme ou la futilité. Seul, le bourgeois, installé à mi-chemin, est à l'abri de ces deux tares.

Sans doute n'est-il pas fait pour tous les bonheurs : lui qui ne connaît de l'amour que la dévotion conjugale, il serait ébahi si on le lâchait dans le pays du Tendre. Il est le contraire du personnage marivaudien, qui n'existe que par le cœur. Le bourgeois ne semble pas avoir de « cœur », car on ne peut donner ce nom à l'application pompeuse et rigide qu'il met à remplir ses obligations.

Mais cette limite est aussi une force. L'absence d'irrationalité dans le caractère et la conduite du bourgeois est le secret de tant de plénitude. A la différence des héros de Marivaux, qui, une fois tirés du néant par l'amour, doivent travailler au déchiffrement de leur propre cœur, il n'a jamais à se connaître. Ce n'est pas du néant qu'il émerge, et il se connaît avant même d'exister. Ainsi n'a-t-il jamais affronté l'angoisse, ni succombé à la fantaisie. Il peut juger avec la sûreté d'une conscience où ne demeure plus une parcelle de vide. Tel est bien son triomphe : avoir comblé ce *vide*, qui est au centre de l'homme et qui cause son malheur. La condition bourgeoise remplit parfaitement la condition humaine : elle s'y ajuste bord à bord. Toute marge est ainsi supprimée entre le réel et le possible, entre la vie et le rêve, entre l'instinct et la conscience...

Le bourgeois secrète le bonheur. Il s'identifie à lui comme à sa propre essence. Rendu par on ne sait quelle grâce invulnérable au destin, il n'a qu'à demeurer en lui-même, qu'à savourer son existence. La condition du bourgeois est le contraire d'une fatalité. Si elle est fermée à l'héroïsme, elle dissout, en contrepartie, le germe de toute tragédie.

Le bourgeois, toutefois, ne manque pas de grandeur. Il est vrai qu'il ne faut pas la chercher dans sa vie personnelle. Considéré dans son cabinet ou sa salle à manger, il n'est qu'un homme heureux. Mais si l'on songe à son rôle dans la nation, si l'on mesure l'efficacité de son travail, si l'on contemple d'un seul regard ce réseau de relations et d'échanges dont le commerçant enveloppe le monde, si l'on oublie la médiocrité de l'homme privé pour songer à cette merveille qu'est le commerce, visage moderne de la civilisation, on verra le bourgeois changer de stature. Sa grandeur n'est pas seulement de parade, comme celle des nobles inutiles. Elle est active et bienfaisante. Non content de travailler à son bonheur, il est le plus sûr agent du bonheur des autres : il œuvre pour l'humanité.

C'est le thème que développe l'abbé Coyer dans sa *Noblesse commerçante* (1756), en s'efforçant de persuader les Grands que la fonction du commerce n'est pas indigne d'eux. Ils ont autrefois défendu leur souverain par l'épée. Il leur appartient maintenant d'enrichir la nation, en prenant leur part d'une tâche glorieuse.

Voilà donc le bourgeois rehaussé d'un immense prestige. En faisant ses affaires, c'est à la grandeur de l'État et au bonheur de ses concitoyens qu'il contribue. Il devient le chevalier des temps modernes. Sa puissance est incalculable et s'étend sur toute la terre. C'est par lui que le monde s'agrandit ou se rapetisse, selon que l'on considère l'ampleur de son champ d'action ou son ardeur à rendre voisins des pays jadis étrangers. Des préjugés n'ont pas encore permis de le reconnaître. Mais il suffit d'éclairer les hommes pour que le bourgeois apparaisse à tous sous les traits de cet homme rayonnant et modeste, tranquille et omnipotent, qui « d'un trait de plume se fait obéir d'un bout de l'univers à l'autre ». Alors que le magistrat et le guerrier défendent seulement les lois d'un royaume et la sécurité d'un monarque, l'action du commerçant est à l'échelle de l'humanité. Tandis que le gentilhomme trouve son emploi dans les rivalités qui opposent les nations, le bourgeois a pour mission de rapprocher tous les peuples. Par la voie privilégiée des échanges commerciaux, il s'élève à l'idéal de l'amitié universelle.

Grâce à sa moralité profonde, il a changé en outre le sens du mot *honneur*, qui ne désigne plus un asservissement à de vains prestiges, mais le respect des vrais principes. Il a retrouvé l'authenticité du sens moral, que l'orgueil et la futilité aristocratiques avaient dénaturé. C'est lui qui a restauré ces biens absolus que sont la vie humaine, l'obéissance, le travail, le bien-être, la bonne entente des nations. Tout le prestige de la noblesse, tout son « honneur » prétendu, se fondaient sur le mépris de la vie, la révolte contre la loi de Dieu et la loi du Prince, l'oisiveté, le délabrement des fortunes, la misère de l'État, la guerre à l'état chronique. Le bourgeois peut se vanter d'avoir fondé un ordre conforme à la grandeur des rois et au bonheur des hommes. Dans ce siècle éclairé, c'est de lui que vient la lumière. Ce monde, dont il se sent souverain, est bien l'œuvre de ses mains...

A la gloire du bourgeois commerçant répondent tout le sérieux et toute l'austérité du bourgeois « père de famille ». Le bourgeois est un modèle d'humanité, qui joint au rayonnement de sa vie professionnelle la droiture et la piété profonde de sa vie privée. On en trouve une image dans le traité de Lordelot, *Les Devoirs de la vie domestique par un père de famille* (1706).

Les leçons de l'ouvrage sont destinées au bourgeois chrétien, qui veut être heureux dans sa maison et qui confond le bien avec les vertus domestiques. Tout commence par la crainte de Dieu : non pas l'effroi devant un maître tyrannique et sombre, mais « cette crainte filiale et heureuse qui trouve sa source dans le cœur d'un véritable enfant qui aime tendrement son père ». C'est ce sentiment religieux, paisible et confiant, qui doit servir de « fondement inébranlable à la maison », en révélant à chacun ses devoirs : la douceur à l'époux, la soumission à l'épouse, l'obéissance aux enfants, la fidélité aux domestiques. Par là s'établit « une paix solide et permanente dans les familles ».

L'essentiel de la félicité domestique tient à l'harmonie du bonheur conjugal. L'intimité entre le mari et la femme sert de refuge au bourgeois, las de ses entreprises et de ses combats. Sa vie oscille entre deux pôles : ses affaires, qui favorisent son expansion et manifestent ses vertus créatrices; sa famille, où il vient savourer le repos. En se soumettant à l'idéal chrétien, il l'accorde avec sa vocation qui exclut le renoncement et la contemplation. En revanche, il n'a que du mépris pour la vie mondaine, aussi incompatible avec ses ambitions qu'avec son rêve d'ordre et d'intimité.

Tout en proclamant l'égalité naturelle, le bourgeois Lordelot n'en est pas moins résigné à l'inégalité sociale, à laquelle il découvre un fondement surnaturel. Il s'interdit par là d'y rien changer et accepte que « l'espérance » soit la seule ressource du « misérable »...

Le bourgeois remplira tous ses devoirs religieux. Il n'a rien à se faire pardonner, mais il fera pieusement l'aumône, par précaution. L'aumône est le meilleur critère pour séparer les justes des méchants. Cette vertu commode devient la pierre d'achoppement de l'éternité. Elle vaut au bourgeois d'autant plus de *mérite* qu'il la pratique par charité pure. Dans l'aumône, il donne gratuitement, alors que le grand *répare*. Le salut du bourgeois repose aussi sûrement entre ses mains que son bonheur temporel...

Tout au long du siècle le bourgeois évolue.

Il est de moins en moins chrétien et se croit de plus en plus le maître du monde. Son ambition ne se limite plus à être heureux au milieu des siens. Il exige qu'on le reconnaisse comme la clé de voûte de l'État. De bourgeois dévot, il devient bourgeois « patriote »... Le bourgeois de la fin du siècle rêve de se placer à la tête de l'ordre social, qui repose sur son travail et sur ses vertus.

D'un bout à l'autre du siècle, en tout cas, le bourgeois ne cesse d'affirmer et de décrire la réalité de son bonheur, qu'il oppose à la condition frivole des gens du monde, comme à la situation misérable de la « populace ». Ce bonheur, il l'éprouve comme un bonheur mérité, justifié à la fois par la rectitude de sa vie personnelle et par l'utilité de son rôle dans l'État. Le bourgeois demeure à cet égard le champion de la bonne conscience. Il réalise, mieux que quiconque, le grand rêve de l'époque, qui tend à concilier la jouissance et la vertu. On peut fort bien en ce sens qualifier le xviiie siècle de « bourgeois ». Bien mieux que l'épicurien cynique ou le futile mondain, c'est le bourgeois qui incarne son idéal.

R. Mauzi, *L'Idée du bonheur dans la littérature et la pensée françaises au XVIIIe siècle*, A. Colin, 1960 (chapitre vii : Le bonheur bourgeois).

24. La fin de l'Ancien Régime

L'abolition du régime féodal

Décret du 11 août 1789 (promulgué par le roi le 3 novembre)

Art. 1er. — L'Assemblée nationale détruit entièrement le régime féodal et décrète que, dans les droits et devoirs tant féodaux que censuels, ceux qui tiennent à la main-morte réelle ou personnelle, et à la servitude personnelle et ceux qui les représentent sont abolis sans indemnité, et tous les autres déclarés rachetables, et que le prix et le mode du rachat seront fixés par l'Assemblée nationale. Ceux desdits droits qui ne sont point supprimés par ce décret, continueront néanmoins à être perçus jusqu'au remboursement.

Art. 2. — Le droit exclusif des fuies et colombiers est aboli; les pigeons seront enfermés aux époques fixées par les communautés; et durant ce temps, ils seront regardés comme gibier, et chacun aura le droit de les tuer sur son terrain.

Art. 3. — Le droit exclusif de la chasse et des garennes ouvertes est pareillement aboli; et tout propriétaire a le droit de détruire et faire détruire, seulement sur ses possessions, toute espèce de gibier, sauf à se conformer aux lois de police qui pourront être faites relativement à la sûreté publique...

ART. 4. — Toutes les justices seigneuriales sont supprimées sans aucune indemnité; et néanmoins les officiers de ces justices continueront leurs fonctions, jusqu'à ce qu'il ait été pourvu par l'Assemblée nationale à l'établissement d'un nouvel ordre judiciaire.

ART. 5. — Les dîmes de toutes natures, et les redevances qui en tiennent lieu, sous quelque dénomination qu'elles soient connues et perçues, même par abonnement, possédées par les corps séculiers et réguliers, par les bénéficiers, les fabriques et tous gens de main-morte, même par l'Ordre de Malte et autres ordres religieux et militaires, même celles qui auraient été abandonnées à des laïques en remplacement et pour option de portion congrue, sont abolies, sauf à aviser aux moyens de subvenir d'une autre manière à la dépense du culte divin, à l'entretien des ministres des autels, au soulagement des pauvres, aux réparations et reconstructions des églises et presbytères et à tous les établissements, séminaires, écoles, collèges, hôpitaux, communautés et autres, à l'entretien desquels elles sont actuellement affectées...

ART. 6. — Toutes les rentes foncières perpétuelles, soit en nature, soit en argent, de quelque espèce qu'elles soient, quelle que soit leur origine, à quelques personnes qu'elles soient dues, gens de main-morte, domaines apanagistes, Ordre de Malte, seront rachetables, les champarts de toute espèce, et sous toute dénomination, le seront pareillement au taux qui sera fixé par l'Assemblée. Défenses sont faites de plus à l'avenir de créer aucune redevance non remboursable.

ART. 7. — La vénalité des offices de judicature et de municipalité est supprimée dès cet instant. La justice sera rendue gratuitement.

ART. 8. — Les droits casuels des curés de campagne sont supprimés...

ART. 9. — Les privilèges pécuniaires personnels ou réels, en matière de subsides, sont abolis à jamais. La perception se fera sur tous les citoyens et sur tous les biens, de la même manière et dans la même forme...

ART. 10. — Une constitution nationale et la liberté publique étant plus avantageuses aux provinces que les privilèges dont quelques-unes jouissaient, et dont le sacrifice est nécessaire à l'union intime de toutes les parties de l'empire, il est déclaré que tous les privilèges particuliers des provinces, principautés, pays, cantons, villes et communautés d'habitants, soit pécuniaires, soit de toute nature, sont abolis sans retour, et demeureront confondus dans le droit commun de tous les Français.

ART. 11. — Tous les citoyens sans distinction de naissance, pourront être admis à tous les emplois et dignités ecclésiastiques, civils et militaires, et nulle profession n'emportera la dérogeance...

ART. 14. — La pluralité des bénéfices n'aura plus lieu à l'avenir, lorsque les revenus du bénéfice ou des bénéfices dont on sera titulaire excéderont la somme de trois mille livres...

ART. 17. — L'Assemblée nationale proclame solennellement le roi Louis XVI restaurateur de la liberté française...

La suppression complète des droits féodaux

Décret du 27 juillet 1793

ART. 1er. — Toutes redevances ci-devant seigneuriales, droits féodaux, censuels, fixes et casuels, même ceux conservés par le décret du 25 août dernier, sont supprimés sans indemnité.

ART. 2. — Sont exceptées des dispositions de l'article précédent les rentes ou prestations purement foncières et non féodales...

ART. 6. — Les ci-devant seigneurs, les feudistes, commissaires à terrier, notaires ou tous autres dépositaires de titres, constitutifs ou recognitifs de droits supprimés par le présent décret... seront tenus de les déposer, dans les trois mois de la publication du présent décret, au greffe des municipalités des lieux. Ceux qui seront déposés avant le 10 août prochain seront brûlés ledit jour en présence du conseil général de la commune et des citoyens; le surplus sera brûlé à l'expiration des trois mois.

La suppression des maîtrises et jurandes

Décret du 2-17 mars 1791 (dit « Décret d'Allarde »)

ART. 1er. — A compter du 1er avril prochain, les droits connus sous le nom de droits d'aides, perçus par inventaire ou à l'enlèvement, vente ou revente en gros, à la circulation, à la vente en détail sur les boissons..., le droit maintenant perçu sur les cartes à jouer, et autres dépendant de la régie générale, même les droits perçus pour les marques et plombs que les manufacturiers et fabricants étaient tenus de faire apposer aux étoffes et autres objets provenant de leurs fabriques et manufactures, sont abolis.

ART. 2. — A compter de la même époque, les offices de perruquiers-barbiers-baigneurs-étuvistes, ceux des agents de change, et tous autre offices pour l'inspection et les travaux des arts et du commerce, les brevets et lettres de maîtrise, les droits perçus pour la réception des maîtrises et jurandes, ceux du collège de pharmacie, et tous privilèges de profession, sous quelque dénomination que ce soit, sont également supprimés...

ART. 7. — A compter du 1er avril prochain, il sera libre à toute personne de faire tel négoce, ou d'exercer telle profession, art, ou métier qu'elle trouvera bon ; mais elle sera tenue de se pourvoir auparavant d'une patente, d'en acquitter le prix suivant les taux ci-après déterminés et de se conformer aux règlements de police qui sont ou pourraient être faits.

Sont exceptés de se pourvoir d'une patente : 1° les fonctionnaires publics ; 2° les cultivateurs... ; 4° les apprentis, compagnons et ouvriers à gages... ; 6° les vendeurs, vendant dans les rues, halles et marchés publics...

La suppression des contrôles de fabrication

Décret du 27 septembre 1791

ART. 2. — Les bureaux établis pour la visite et marque des étoffes, toiles et toileries, sont supprimés, ainsi que lesdites visites et marques...

La liberté des cultures

Décret du 28 septembre-6 octobre 1791

Titre premier

DES BIENS ET USAGES RURAUX

Section I. — Des principes généraux sur la propriété nationale

ART. 1er. — Le territoire de France, dans toute son étendue, est libre comme les personnes qui l'habitent : ainsi, toute propriété territoriale ne peut être sujette envers les particuliers qu'aux redevances et aux charges dont la convention n'est pas défendue par la loi ; et, envers la nation, qu'aux contributions publiques établies par le Corps législatif et aux sacrifices que peut exiger le bien général, sous la condition d'une juste et préalable indemnité.

ART. 2. — Les propriétaires sont libres de varier à leur gré la culture et l'exploitation de leurs terres, de conserver à leur gré leurs récoltes, et de disposer de toutes les productions de leur propriété dans l'intérieur du royaume et au dehors, sans préjudicier au droit d'autrui et en se conformant aux lois...

Section II. — Des baux des biens de campagne

ART. 1er — La durée et les clauses des baux des biens de campagne seront purement conventionnelles...

Section IV. — Des troupeaux, des clôtures, du parcours et de la vaine pâture

ART. 1er. — Tout propriétaire est libre d'avoir chez lui telle quantité et telle espèce de troupeaux qu'il croit utiles à la culture et à l'exploitation de ses terres, et de les y faire pâturer exclusivement, sauf ce qui sera réglé ci-après relativement au parcours et la vaine pâture...

ART. 4. — Le droit de clore et de déclore ses héritages résulte essentiellement de celui de propriété, et ne peut être contesté à aucun propriétaire. L'Assemblée nationale abroge toutes les lois et coutumes qui peuvent contrarier ce droit.

ART. 5. — Le droit de parcours et le droit simple de vaine pâture ne pourront en aucun cas, empêcher les propriétaires de clore leurs héritages; et tout le temps qu'un héritage sera clos..., il ne pourra être assujetti ni à l'un, ni à l'autre ci-dessus.

Section V. — Des récoltes

ART. 1er. — ... Chaque propriétaire sera libre de faire sa récolte, de quelque nature qu'elle soit, avec tout intrument et au moment qui lui conviendra, pourvu qu'il ne cause aucun dommage aux propriétaires voisins.

Cependant, dans les pays où le ban de vendanges est en usage, il pourra être fait à cet égard un règlement chaque année, par le conseil général de la commune. mais seulement pour les vignes non closes...

L'interdiction des coalitions

Décret du 14-17 juin 1791 (dit « Loi Le Chapelier »)

ART. 1er. — L'anéantissement de toutes espèces de corporations des citoyens du même état ou profession étant une des bases fondamentales de la constitution française, il est défendu de les rétablir de fait, sous quelque prétexte et quelque forme que ce soit.

ART. 2. — Les citoyens d'un même état ou profession, les entrepreneurs, ceux qui ont boutique ouverte, les ouvriers et compagnons d'un art quelconque, ne pourront, lorsqu'ils se trouveront ensemble, se nommer ni président, ni secrétaires, ni syndics, tenir des registres, prendre des arrêtés ou délibérations, former des règlements sur leurs prétendus intérêts communs...

ART. 4. — Si, contre les principes de la liberté et de la constitution, des citoyens attachés aux mêmes professions, arts et métiers prenaient des délibérations, ou faisaient entre eux des conventions tendant à n'accorder qu'à un prix déterminé le secours de leur industrie ou de leurs travaux, lesdites délibérations et conventions, accompagnées ou non du serment, sont déclarées inconstitutionnelles, attentatoires à la liberté et à la Déclaration des droits de l'homme,

et de nul effet; les corps administratifs et municipaux seront tenus de les déclarer telles. Les auteurs, chefs, et instigateurs, qui les auront provoquées, rédigées ou présidées, seront cités devant le tribunal de police, à la requête du procureur de la commune, condamnés chacun à cinq cents livres d'amende, et suspendus pendant un an de l'exercice de tous droits de citoyen actif, et de l'entrée dans toutes les assemblées primaires...

ART. 6. — Si lesdites délibérations ou convocations... contenaient quelques menaces contre les entrepreneurs, artisans, ouvriers ou journaliers étrangers qui viendraient travailler dans le lieu, ou contre ceux qui se contenteraient d'un salaire inférieur, tous auteurs, instigateurs et signataires des actes ou écrits, seront punis d'une amende de mille livres chacun et de trois mois de prison.

ART. 7. — Ceux qui useraient de menaces ou de violences contre les ouvriers usant de la liberté accordée par les lois constitutionnelles au travail et à l'industrie, seront poursuivis par la voie criminelle et punis suivant la rigueur des lois, comme perturbateurs du repos public.

ART. 8. — Tous attroupements composés d'artisans, ouvriers, compagnons, journaliers, ou excités par eux contre le libre exercice de l'industrie et du travail appartenant à toutes sortes de personnes, et sous toute espèce de conditions convenues de gré à gré, ou contre l'action de la police et l'exécution des jugements rendus en cette matière, ainsi que contre les enchères et adjudications publiques de diverses entreprises, seront tenus pour attroupements séditieux, et, comme tels, ils seront dissipés par les dépositaires de la force publique, sur les réquisitions légales qui leur en seront faites, et punis selon toute la rigueur des lois sur les auteurs, instigateurs et chefs desdits attroupements, et sur tous ceux qui auront commis des voies de fait et des actes de violence.

La liberté du travail

Loi du 22 germinal an XI (12 avril 1803)

...ART. 6. — Toute coalition entre ceux qui font travailler des ouvriers, tendant à forcer injustement ou abusivement l'abaissement des salaires, et suivie d'une tentative ou d'un commencement d'exécution, sera punie d'une amende de trois cent francs au moins, de trois mille francs au plus; et s'il y a lieu, d'un emprisonnement qui ne pourra excéder un mois.

ART. 7. — Toute coalition de la part des ouvriers pour cesser en même temps de travailler, interdire le travail dans certains ateliers, empêcher de s'y rendre et d'y rester avant ou après certaines heures, et en général pour suspendre, empêcher, enchérir les travaux, sera punie, s'il y a eu tentative ou commencement d'exécution, d'un emprisonnement qui ne pourra excéder trois mois.

ART. 8. — Si les actes prévus dans l'article précédent ont été accompagnés de violences, voies de fait, attroupements, les auteurs et complices seront punis des peines portées au Code de police correctionnelle, ou au Code pénal, suivant la nature des délits...

ART. 11. — Nul individu employant des ouvriers ne pourra recevoir un apprenti sans congé d'acquit, sous peine de dommages et intérêts envers son maître.

ART. 12. — Nul ne pourra, sous les mêmes peines, recevoir un ouvrier, s'il n'est porteur d'un livret, portant le certificat d'acquit de ses engagements, délivré par celui de chez qui il sort...

Chapitre 2

VERS LA SOCIÉTÉ INDUSTRIELLE

Les grands événements politiques de la Révolution illustrent un conflit profond, une lutte sociale dans laquelle ont été engagées les différentes catégories de la société d'Ancien Régime. L'aristocratie, par sa tentative de briser le « despotisme » monarchique, a donné l'impulsion première, et c'est pourquoi l'on a pu dire que la Révolution commence en 1787 et comporte une première phase, la Révolution aristocratique. Mais, très rapidement, l'aristocratie a été débordée, dépassée, puis vaincue et finalement mise hors la loi. C'est la bourgeoisie qui est devenue l'élément moteur, d'abord la bourgeoisie des professions libérales et des intellectuels, qui a réalisé la brève « révolution des juristes », puis la grande et moyenne bourgeoisie avec les Girondins, enfin la petite bourgeoisie parisienne, jacobine et montagnarde. Les catégories populaires n'ont pas exercé d'action autonome (à l'exception du bref épisode de la Grande Peur dans les campagnes, et de l'éphémère mouvement sans-culotte dans les villes); elles ont été le plus souvent l'instrument de la violence révolutionnaire, instrument qu'ont manié les différentes factions bourgeoises.

Avec l'Empire, les bourgeois ont trouvé en Napoléon un protecteur et un maître. Celui-ci a voulu s'élever au-dessus des « factions », c'est-à-dire s'appuyer sur toutes les catégories sociales ou plutôt sur tous ceux, quelle qu'ait été leur origine, qui consentaient à se mettre à son service; c'est ce qu'il entendait quand il déclarait ne vouloir connaître que des « honnêtes gens ».

L'effondrement du grand Empire, la victoire des souverains de la vieille Europe, champions de la société traditionnelle, sur la France révolutionnaire, ouvrent brutalement les voies d'une Restauration, susceptible de prendre les traits d'une contre-révolution sociale. En 1815, l'occasion paraît belle, pour les vaincus de la Révolution, de prendre leur revanche. Mais si les conditions diplomatiques, militaires et politiques leur sont favorables, il n'en est déjà plus de même de la situation économique et de l'état des esprits. A une bourgeoisie favorisée depuis longtemps par la prospérité du XVIIIe siècle, le libéralisme d'une part, les débuts de la révolution industrielle de l'autre, offrent des chances nouvelles, tandis que s'amenuisent celles d'un retour à une société terrienne.

1. LES VAINCUS DE LA REVOLUTION : NOBLESSE ET CLERGE

De la lutte qui a opposé le tiers état aux ordres privilégiés, ceux-ci sont sortis vaincus : l'abolition des privilèges a placé les individus sur un pied d'égalité, et la loi ne connaît plus, désormais, que des Français. La Révolution a été avant tout celle de l'égalité civile, et le retour en arrière du temps de l'Empire, avec la création d'une nouvelle noblesse de courtisans et de fonctionnaires et l'application d'un Concordat qui ne faisait d'ailleurs du catholicisme que la religion de « la majorité des Français », n'a pas remis en question cette conquête. La hiérarchie sociale ne pouvait plus reposer que sur la richesse.

— *En perdant leurs privilèges*, la noblesse et le clergé perdaient en même temps une partie de leurs *ressources*, les droits féodaux pour la première, la dîme pour le second. Avec la mise à la disposition de l'État de tous ses biens (2 novembre 1789), le clergé en vint même à perdre toute sa *fortune*, tandis qu'une partie de la noblesse, celle qui avait émigré, se vit infliger le même sort. Il est vrai que tous les nobles ne partirent pas à l'étranger, et que bon nombre d'émigrés laissèrent en France quelques parents qui réussirent souvent à soustraire leurs biens à la confiscation; qu'une partie du clergé, enfin, trouva dans les traitements, qu'en vertu des Articles organiques l'État lui servit, une compensation substantielle. Il n'en reste pas moins que les anciens ordres, anéantis en droit, furent durement frappés dans leurs biens.

— *Ils perdirent aussi une partie de leur prestige*. Le clergé, par les divisions dont il donna le spectacle après le vote de la Constitution civile (12 juillet 1790) et par ses incursions dans le domaine de la politique. Que des prêtres jureurs puissent s'opposer à des insermentés devait déjà être une occasion de scandale pour les fidèles; mais que les réfractaires prêtent la main aux menées contre-révolutionnaires, voilà qui ne pouvait qu'exaspérer les « patriotes », tandis que, pour les adversaires de la Révolution, l'attitude des assermentés révélait une intolérable compromission. Le recrutement sacerdotal avait tari pendant la Révolution, et l'on ne saurait s'en étonner; mais dans les années qui ont suivi le Concordat, alors que les obstacles matériels étaient écartés, il est resté très difficile parce que, sans nul doute, le prestige de la fonction se trouvait au plus bas.

Mais, plus encore que celui du clergé, le prestige de la noblesse sortait très amoindri des événements révolutionnaires. D'abord parce que les émigrés s'étaient exclus d'euxmêmes de la nation : en franchissant les frontières, en offrant leurs services aux souverains étrangers, ils s'étaient rendus coupables, aux yeux des patriotes, de trahison. L'amnistie accordée par Napoléon avait peut-être atténué la sévérité des jugements, et le temps fait son œuvre. Mais le prestige de la noblesse avait encore été atteint d'une autre façon. Autrefois, la noblesse symbolisait les vertus guerrières. Pendant la Révolution, elle avait été supplantée dans la carrière des armes, et avec quel éclat, par d'autres catégories sociales, bourgeoises et même populaires. Une noblesse qui se voulait d'épée n'avait plus, une fois dépouillée de son prestige militaire, de raison d'être.

La défaite de Napoléon vint offrir aux anciens privilégiés l'occasion d'une *revanche* qu'ils s'empressèrent de saisir. Le rétablissement de la monarchie, l'élection d'une Chambre introuvable dominée par les représentants de la noblesse de province, créaient les conditions d'un renouveau.

Ce retour au pouvoir ne prend pas l'aristocratie au dépourvu. Mûrie par les épreuves, elle a attendu longtemps une restauration qu'elle veut plus profonde qu'un simple retour à l'Ancien Régime : elle rêve d'une monarchie semblable à celle des anciens temps, d'une monarchie médiévale que lui a révélée une histoire romancée, ou romantique. Une monarchie sans despotisme, paternelle comme celle du bon roi Henri, s'appuyant sur une hiérarchie de corps privilégiés, et d'abord sur une noblesse restaurée dans ses privilèges et ses fonctions et sur une Église rétablie dans ses droits et ses biens. A leurs yeux, la restauration ne doit pas être seulement politique, mais sociale. La société doit être fondée sur l'inégalité naturelle, car Dieu l'a créée ainsi, sur l'autorité et sur l'hérédité; elle n'est pas contractuelle, car les hommes n'ont pas des droits, mais des devoirs.

Pour réaliser cet idéal, il convenait d'écarter du pouvoir tous ceux qui ne le partageaient pas, et d'*assurer la domination de l'aristocratie*. C'est ce qui fut obtenu, ou tenté, pendant les quinze années de la Restauration, par l'utilisation de différents moyens.

Il fallait tout d'abord reconnaître l'existence d'une noblesse; l'article 71 de la Charte y pourvut : « La noblesse ancienne reprend ses titres, la nouvelle conserve les siens, le roi fait des nobles à volonté, mais il ne leur accorde que des rangs et des honneurs sans aucune exemption des charges et des devoirs de la société. » Noblesse sans privilèges, donc, et même sans moyen de faire respecter sa propre hiérarchie. L'ancienne aristocratie ne possédait que fort peu de titres régulièrement concédés par brevet royal ou lettres patentes, et la plupart des nobles arrivés à l'âge d'homme en 1815 n'en portaient pas, car ils n'étaient encore en 1789 que des enfants. Ils prirent donc des titres choisis à leur gré, à l'exception de celui de duc réservé à une nomination formelle du roi. Certains nobles firent régulariser ces nouveaux titres par des lettres patentes nouvelles, mais beaucoup négligèrent de recourir à ces moyens légaux, et se contentèrent de ce qu'on appela les « titres de courtoisie », sans base juridique. C'est à ce moment que l'usage de la particule acquit une signification qu'elle n'avait jamais eue sous l'Ancien Régime.

La noblesse avait toujours tiré de la terre l'essentiel de sa richesse. Privée des revenus des droits féodaux, elle devait mettre désormais un soin particulier à conserver ses propriétés foncières, ou à reconstituer celles qu'elle avait perdues. C'était poser la question des *biens nationaux* : les biens d'émigrés qui avaient été vendus seraient-ils restitués à leurs anciens propriétaires? Les émigrés spoliés, et qui l'avaient été en raison de leur fidélité au roi, l'entendaient ainsi; mais Louis XVIII avait compris qu'en leur donnant satisfaction il dresserait contre lui la foule des acquéreurs et en ferait des ennemis irréductibles de la monarchie. Aussi avait-il proclamé, dès son retour, le caractère irré-vocable de ces transferts de propriétés. Mais il n'était pas impossible de rechercher quelque moyen d'indemniser les victimes. A défaut d'un remboursement immédiat dont l'État ne pouvait supporter la charge (on estimait à un milliard la valeur totale des propriétés dont on se proposait de compenser la perte), le ministre Villèle imagina d'attribuer aux anciens possesseurs une *indemnité*, sous forme de trente millions de francs de rentes 3 %, représentant un capital nominal d'un milliard (février 1825). En fait, une baisse s'étant produite à la Bourse, le capital correspondant à ces rentes se trouva ramené à 620 millions. Somme encore considérable, qui aurait pu permettre, à longue échéance, une reconstitution de la grande propriété noble, si les bénéficiaires l'avaient utilisée à cette fin. Autant qu'il soit possible de le savoir, il ne semble pas qu'ils l'aient souvent voulu. Après 1815, la propriété foncière de la noblesse n'est plus aussi étendue qu'avant la Révolution; cependant, elle reste encore considérable, particu-lièrement dans certaines régions, comme le département de l'Eure, où « la plupart des familles nobles avaient conservé toute leur richesse et leur influence... Dans chaque village, le château était le centre politique et social. Autour de lui s'ordonnaient les diverses activités de la commune. Les secours distribués par la châtelaine et ses filles représentaient en fait la seule forme d'assistance connue dans les campagnes. Des tra-ditions locales ont gardé le souvenir de ces grandes maisons seigneuriales où une domes-ticité abondante, groupant des familles entières, se grossissait encore des indigents les plus valides payant par de menus travaux le gîte et le couvert assurés par la charité du seigneur. Souvent maire de la commune, le noble continuait ainsi les vieilles habi-tudes de direction politique un peu distante qui avaient été celles de ses ancêtres » (J. Vidalenc).

Forte de ses titres et de sa richesse foncière, l'aristocratie exerçait donc son pouvoir dans le domaine social. Elle l'exerçait plus nettement encore dans le *domaine politique* où elle s'était assuré un quasi-monopole. Le régime électoral censitaire lui était d'autant plus favorable que la contribution foncière constituait l'essentiel du cens. Quatre-vingt-dix mille Français seulement étaient électeurs, seize mille éligibles. Aussi les élections n'intéressaient-elles qu'un nombre très faible de citoyens, exposés aux pressions de l'administration, pressions d'autant plus efficaces que les opérations électorales pou-vaient se prolonger plusieurs jours. L'aristocratie foncière y jouait un rôle dominant, et sa représentation à la Chambre des députés était très large. Sur 381 députés qui composent la Chambre au début de 1816, 176 étaient nobles, dont 73 anciens émigrés; dans celle de 1821, la proportion des nobles s'élève même à 58 %.

Avec ses alliés et clients, politiciens de l'Empire ayant trahi en 1814 et 1815, bour-geois et avocats que leurs intérêts et leurs convictions attachent à la monarchie, l'aris-tocratie n'a pratiquement pas cessé de contrôler le pouvoir politique pendant la Res-tauration.

L'administration ne lui a pas non plus échappé. Au niveau de la haute administration d'abord, car il est bien évident que les gouvernements ne pouvaient confier ce redoutable pouvoir qu'à des mains sûres. Mais aussi aux niveaux inférieurs, pour des raisons bien éloignées de la politique : « Les familles nobles, qui n'avaient plus comme jadis les libéralités du roi pour soutenir leur rang, donnèrent l'assaut au budget de l'État, cherchant à obtenir priorité pour toutes les places rétribuées, même celles que l'ancienne aristocratie n'aurait pas cru pouvoir accepter sans déchoir. On vit ainsi de nombreux gentilshommes officiers de gendarmerie, juges de paix, percepteurs, receveurs, contrôleurs, employés de ministère, agents voyers, maîtres de postes même. Pour la première et la dernière fois dans l'histoire moderne de la France, le prestige venant de la naissance et du nom se trouva joint au pouvoir politique et administratif » (Bertier de Sauvigny). Ces fonctionnaires se sont montrés des serviteurs intègres de la chose publique, et on a remarqué « qu'il n'y eut jamais moins de scandales politico-financiers qu'à cette époque ». Mais on imagine la puissance dont a été investie, sur le plan local, une catégorie sociale qui détenait à la fois la richesse, la considération et le droit de parler au nom de l'État. Très souvent aussi, le droit de juger. Car la magistrature est dominée par les légitimistes (qui, d'ailleurs, n'appartenaient pas tous à la noblesse; on pouvait être légitimiste sans être noble), comme le montre l'épuration qui suivit la révolution de 1830 : le nouveau gouvernement destitua 74 procureurs généraux et substituts, 254 procureurs du roi et substituts; il ne toucha pas à l'inamovibilité des juges, mais une centaine refusèrent le serment et partirent. Nombre d'autres ne cessèrent de manifester, après 1830, leurs opinions légitimistes.

L'aristocratie foncière a donc assuré son emprise sur tous les pouvoirs, politique, administratif, judiciaire. Elle a voulu aussi se donner les moyens de créer et maintenir une opinion favorable à sa suprématie *en utilisant le pouvoir spirituel* que détenait, en un temps où le catholicisme était religion d'État, le clergé. Celui-ci était d'ailleurs tout disposé à sceller une alliance, car il attendait de l'État les moyens d'action matériels dont il avait besoin. Certains ecclésiastiques exigeaient même beaucoup plus, tel cet archevêque de Toulouse qui, dans une lettre pastorale, énumérait ainsi ce qu'il estimait être les revendications légitimes de l'Église : l'adaptation du code civil au droit canonique, la restitution au clergé des registres de l'état civil, le rétablissement des synodes et des conciles provinciaux, des fêtes religieuses chômées supprimées par le Concordat, des tribunaux ecclésiastiques, des ordres religieux, une dotation du clergé qui assurerait son indépendance financière, la suppression des Articles organiques. C'était vouloir revenir au clergé d'Ancien Régime.

Le clergé de la Restauration ne fut pas celui de l'Ancien Régime. Comme lui, cependant, il fut étroitement lié à l'aristocratie au niveau des hautes charges. Sur 90 évêques nommés de 1815 à 1830, 70 étaient des nobles : on avait « décrassé » l'épiscopat. Mais on ne l'avait pas constitué, comme à la veille de la Révolution, exclusivement de nobles de haute noblesse; la petite noblesse provinciale s'y était frayé une voie d'accès, ainsi que quelques roturiers. Il différait encore du haut clergé de l'Ancien Régime par la dignité de ses mœurs, l'assiduité aux devoirs de sa charge, sa volonté de ramener à la pratique religieuse une population qui s'en était en grande partie détournée.

Pour ramener au christianisme les masses populaires, le haut clergé comptait utiliser plusieurs moyens : l'action des curés et desservants, l'enseignement, la propagande.

Le bas clergé se trouvait encore en 1815 dans une situation fort difficile. Le recrutement sacerdotal ayant été pratiquement interrompu pendant la Révolution et n'ayant repris que fort lentement après le Concordat (500 ordinations par an, en moyenne, sous l'Empire), la majorité des 36 000 prêtres que compte alors le clergé est constituée d'hommes âgés (plus des deux cinquièmes sont des sexagénaires), formés sous l'Ancien Régime, malmenés par la Révolution, découragés par la désaffection des populations à l'égard des offices religieux. Mais un vigoureux effort de redressement est entrepris que l'État encourage : ordonnance du 10 juin 1814 facilitant les dons aux établissements ecclésiastiques, ordonnance du 5 octobre permettant aux évêques d'ouvrir une école ecclésiastique exempte du contrôle de l'Université dans chaque département, loi de 1817 autorisant la propriété de biens immobiliers par les établissements ecclésiastiques, et surtout augmentation du budget des cultes, qui passe de 15 millions au début de la Restauration à 33 à la fin, permettant un relèvement appréciable des traitements des curés, desservants et vicaires. Le recrutement sacerdotal fait des progrès remarquables, le nombre annuel des ordinations passe de 1 000 en 1815 à 1 500 en 1820, 2 000 en 1828 et 2 357 en 1830, chiffre record qui ne sera jamais plus atteint. Sous l'effet de cet afflux de nouveaux prêtres, et de la surmortalité des vieillards, le clergé de la Restauration subit un rajeunissement remarquable, qui se poursuit jusqu'au milieu du siècle. Quelle a été l'efficacité de ce nouveau clergé ? Issu le plus souvent de milieux ruraux, formé dans des séminaires où le niveau d'enseignement est demeuré médiocre, convenablement accueilli par ses paroissiens mais peu considéré, le prêtre de la première moitié du siècle semble porté à gémir sur un déclin de la religion qu'il attribue au « malheur des temps », c'est-à-dire à l'idéologie révolutionnaire, à n'imaginer de remède que par un retour au passé, un renouveau de l'alliance du trône et de l'autel, et à se poser finalement en zélateur de la contre-révolution. Désemparé par la révolution de 1830 et l'explosion d'anticléricalisme qui suivit, il se réfugie dans le silence et n'attend plus que du Ciel la restauration de la dynastie légitime.

L'action entreprise par l'*enseignement* supposait, pour être efficace, que l'État fût privé du monopole qu'il exerçait par le moyen de l'Université. C'est ce que certains catholiques comprirent. Mais l'idée de substituer au monopole universitaire la liberté d'enseignement effrayait les évêques qui, formés aux doctrines d'Ancien Régime, ne concevaient cette liberté que comme un nouveau danger. Ils s'efforcèrent plutôt de placer l'Université sous la tutelle de l'Église. Ils obtinrent en 1822 la nomination, comme grand maître de l'Université, de l'évêque Frayssinous et, en 1824, la création d'un « ministère des Affaires ecclésiastiques et de l'Instruction publique » qui lui fut confié. Frayssinous plaça, à la tête des anciens lycées devenus « collèges royaux », des ecclésiastiques, et y nomma des aumôniers ; il peupla de prêtres le personnel enseignant et administratif des collèges communaux, et transforma des pensionnats privés en « collèges de plein exercice ». Mais ce fut surtout par les *petits séminaires* que le clergé put développer son influence sur la jeunesse : le succès de ces petits séminaires, et surtout de ceux tenus par les Jésuites, dont on appréciait les qualités de pédagogues, en fit de simples établissements d'enseignement du second degré, où fils de nobles et de bourgeois catholiques vinrent non pas préparer leur entrée au grand séminaire, mais recevoir une culture de qualité et une éducation religieuse. Ainsi était préparé un retour des classes dirigeantes à la religion.

L'effort de *propagande* fut entrepris dans plusieurs directions. Les sociétés religieuses fondées par des membres de la fameuse Congrégation, association de piété créée en 1801, mais dissoute sous l'Empire, apparue de nouveau au grand jour avec la Restauration, s'efforcèrent d'atteindre soit les catégories les plus misérables de la population (Société des Bonnes Œuvres), soit la jeunesse (Société des Bonnes Études), soit le public instruit (Société Catholique des Bons Livres, capable de distribuer 800 000 exemplaires d'ouvrages annuellement), soit même le grand public (Association de la Défense de la Religion Catholique), comme s'efforçait au même moment de le faire une société indépendante, fondée à Lyon en 1822, la Société pour la Propagation de la Foi. Mais l'œuvre de propagande la plus connue, la plus spectaculaire, sinon la plus efficace, fut celle des *Missions*. La Société des Missionnaires de France, autorisée par l'ordonnance du 15 décembre 1816, entreprit de faire prêcher une première mission à Nantes le 5 mai 1816. Le succès obtenu donna l'idée d'entreprendre dans tout le pays une grande campagne de prédication, accompagnée de larges démonstrations publiques encouragées le plus souvent par les autorités civiles et militaires. Les missionnaires ne craignirent pas de déborder du domaine religieux sur le domaine politique, par exemple en organisant des cérémonies expiatoires pour les outrages et les crimes de la Révolution. Ils suscitèrent par leurs outrances de vives réactions, et contribuèrent à répandre l'idée que le clergé se prononçait en faveur des formes les plus extrêmes de la réaction royaliste.

Aussi la révolution de 1830 parut-elle un coup sévère porté autant qu'à la monarchie des Bourbons, au clergé catholique. Jamais en effet le clergé ne put retrouver la place qu'il avait occupée du temps de l'alliance du Trône et de l'Autel. Pendant les premières années de la Monarchie de Juillet, l'attitude des gouvernements à son égard fut généralement malveillante et si un rapprochement eut lieu à la fin du règne, c'est parce que Louis-Philippe, inquiet de l'agitation révolutionnaire, en vint à considérer le clergé comme un auxiliaire efficace du maintient de l'ordre social. C'est pour la même raison que les bourgeois conservateurs de la Seconde République recherchèrent son appui (loi Falloux, 15 mars 1850), et que Napoléon III, pendant l'Empire autoritaire, le combla de bienfaits. Mais le rôle du clergé n'est plus alors que celui d'un auxiliaire du gouvernement, d'un agent du pouvoir, en vue de maintenir les catholiques dans l'obéissance et dans l'acceptation de l'ordre établi.

L'influence du clergé semble d'ailleurs s'être constamment affaiblie après 1830. Le réveil religieux des années 1835-1840, qu'illustre le succès des conférences de Lacordaire à Notre-Dame de Paris, traduit moins sans doute un retour au catholicisme de la jeunesse instruite qu'une anxiété intellectuelle, un besoin de religiosité qui n'étaient pas la foi. Il ne correspond nullement, en tout cas, à une progression du *recrutement sacerdotal*, bien au contraire. Le nombre des ordinations ne cesse, après 1830, de diminuer régulièrement d'année en année, si bien qu'il est retombé dès 1841 au niveau de 1817-1818. Et rien ne prouve que le clergé retrouvait en qualité ce qu'il perdait en quantité. Il n'a pas su agir profondément sur les mentalités paysannes, tantôt hostiles à la religion, tantôt réduites à un conformisme beaucoup moins attaché aux sacrements qu'à certaines observances (abstinence, pèlerinages aux saints) étroitement mêlées de superstition : il ne saura pas toucher les nouvelles catégories ouvrières que la révolution industrielle déverse dans les villes, parce que les évêques n'ont vu dans la nouvelle question sociale qu'un problème moral, qu'ils ont déploré la misère mais non l'injustice sociale et que, hommes d'ordre avant tout, ils n'ont pu imaginer en matière de remède que l'exercice de la charité.

LE CLERGÉ SÉCULIER

Source : F. BOULARD, *Essor ou déclin du clergé français ?* Editions du Cerf.

Plus encore que celui du clergé, le *déclin de l'aristocratie* a été, après la révolution de 1830, éclatant. Au point « que l'on peut s'étonner que cette classe se soit laissé si facilement mettre à l'écart. On lui voit tenir à tel moment le premier rôle dans la société française. L'instant d'après, elle n'est plus rien. L'histoire offre peu d'exemples d'un effacement aussi rapide, aussi complet. Ailleurs, il y a des soubresauts, des résistances. Ici, l'acceptation, la résignation, sans plus » (J. Lhomme).

Cette résignation peut sembler moins étrange quand on observe que l'aristocratie, qui avait été trop durement touchée par la Révolution pour entreprendre une action autonome, n'avait repris le pouvoir en 1815 que par la force, et plus précisément par la force des armées étrangères. L'effet de surprise et aussi la lassitude générale de la population lui avaient permis d'asseoir sa suprématie pour quelques années, mais lorsqu'un autre coup de force, la révolution parisienne de Juillet, eut défait ce qu'avait fait le premier, elle put observer que nulle part la province n'avait pris les armes pour défendre la monarchie des Bourbons. Confirmation de sa faiblesse lui a été donnée deux ans plus tard, avec l'échec complet de la tentative de la duchesse de Berry. Désormais, l'aristocratie ne pourra plus ressaisir le pouvoir politique : ses tentatives de 1850 et de 1873 échoueront, au moment où les circonstances auraient pu, cependant, paraître favorables.

C'est qu'après 1830 l'aristocratie ne dispose plus que de *forces locales*, plus ou moins isolées. Son influence, en effet, ne dépasse guère le cadre du canton : dans ce cadre réduit, le grand propriétaire légitimiste dispose d'une clientèle qui lui permet, dans un régime de suffrage universel, d'emporter par exemple le siège de conseiller général. Mais le cadre de l'arrondissement est déjà trop grand pour lui, et le siège de député lui échappe. Seules certaines régions, dans l'Ouest ou le Midi, font exception à cette règle. Elles fournissent la plupart des députés « légitimistes » qui siègent dans les assemblées de la Seconde République, du second Empire et des débuts de la IIIe République. Dans les luttes politiques, l'aristocratie ne représente plus qu'une force d'appoint capable, le cas échéant, de grossir les oppositions au régime en place, mais non de le détruire.

On peut penser que cet affaiblissement politique de l'aristocratie est en grande partie la conséquence de son recul dans le domaine économique. *Le pouvoir économique de l'aristocratie* était fondé sur sa richesse immobilière; or, comme l'a bien montré J. Lhomme, « sa richesse est en train du subir une diminution à la fois absolue et relative ». Absolue, car les nobles, bien que vivant plus ou moins longuement sur leurs terres, ne font guère d'efforts pour les améliorer; relative, parce que « les revenus tirés de la terre ne sont plus, dès 1830, les plus importants; à côté d'eux, les revenus tirés de l'industrie, de la banque et, plus généralement, des affaires, viennent d'apparaître ».

Or l'aristocratie s'intéresse peu aux affaires. On a dit que cette répugnance était un héritage psychologique et idéologique : bien que le fait de dérogeance eût disparu de la législation, l'idée serait restée dans l'esprit du gentilhomme, pour qui le monde des affaires symboliserait la négation même de tous ses idéaux.

On remarque, en effet, que si certaines familles nobles figurent, au XIXe siècle, dans les conseils d'administration de grandes entreprises, elles appartiennent rarement au plus illustre rang, et qu'elles ne choisissent pas n'importe quelle branche d'activité. On ne les trouve guère, par exemple, dans les affaires les plus remuantes et les plus lucratives, les affaires financières. Aucun noble, à l'exception de Lecouteulx de Canteleu, n'a participé à la fondation de la Banque de France; dans la liste des gouverneurs, sous-gouverneurs et régents, on ne trouve au début que quelques nobles d'Empire, et les grands noms ne viennent que très tard. Ce n'est que vers la fin du siècle que seront fondées des banques aristocratiques, le Crédit de France en 1879, la Banque Romaine en 1881 et surtout l'Union Générale, dont le « krach » fit sensation. Cependant, l'aristocratie s'est intéressée très tôt aux affaires d'assurances et, dans l'industrie, aux affaires métallurgiques en Alsace et Lorraine, aux affaires minières dans le Centre et le Midi. L'aristocratie a pris pied dans les affaires, assez fréquemment, par des mariages; on sait qu'à la fin du siècle ces mariages, avec de riches héritières américaines, israélites, bourgeoises, deviendront fort à la mode.

On remarquera que l'intrusion de l'aristocratie dans les affaires, au demeurant très limitée, conserve des formes qui sont celles de l'Ancien Régime. La métallurgie, la mine, étaient des activités auxquelles des nobles pouvaient se livrer sans déroger; les compagnies d'assurances étaient déjà prospères avant 1789, et bien des nobles y investissaient discrètement des capitaux. Le mariage d'intérêt, enfin, n'était pas exceptionnel; on épousait volontiers de riches héritières, le plus souvent de la bourgeoisie de robe, parce que cette bourgeoisie détenait alors de grandes fortunes. Au XIXᵉ siècle, les grandes fortunes sont réalisées surtout dans les affaires; c'est dans les familles de la bourgeoisie d'affaires que l'aristocratie cherche alors les alliances matrimoniales. Mais, si elle épouse des héritières, elle n'épouse pas son temps. Depuis 1830, elle n'a pratiquement pas créé de dynasties de financiers ou d'industriels; il semble bien qu'à ses yeux l'intrusion dans le monde des affaires ne puisse être qu'un accident ou une nécessité temporaire.

Cette attitude de l'aristocratie n'a pas eu de conséquences que pour elle-même. Elle a été imitée, sinon par d'autres catégories sociales, du moins par certains milieux qui regardaient vers elle et la considéraient comme un modèle à imiter. Elle leur a alors légué ses préjugés : son dédain pour la politique (à partir du moment où elle a été frustrée du pouvoir), considérée comme une activité salissante ou dégradante, son mépris des affaires, son inadaptation au capitalisme des grandes entreprises.

2. LES BENEFICIAIRES DE LA REVOLUTION : PAYSANNERIE ET BOURGEOISIE

La paysannerie

Après comme avant la Révolution, la France demeure essentiellement un pays agricole, et elle le restera longtemps. La valeur du produit agricole brut est, à la fin de la Restauration, plus de trois fois supérieure à celle du produit industriel, plus de deux fois encore au début du second Empire, et l'équilibre ne s'établit entre les deux qu'à l'extrême fin du XIXᵉ siècle. Les statistiques de l'annuité successorale confirment ces données : en 1826, les immeubles représentent 66 % des valeurs de succession contre 33 % aux biens mobiliers, et la fortune mobilière n'équilibre la fortune foncière qu'en 1896. Nous savons, d'autre part, que la population agricole représente encore, au milieu du XIXᵉ siècle, un peu plus de la moitié de la population active.

Dans quelle mesure la Révolution a-t-elle modifié le sort de la paysannerie, de cette catégorie sociale qui l'emporte en nombre, et de très loin, sur toutes les autres ? Les réformes agraires de la Révolution sont bien connues : suppression du régime féodal, multiplication des propriétaires par la vente des biens nationaux et le partage des communaux, extension du droit de propriété par la restriction des droits collectifs et par la proclamation de la liberté de la culture et du commerce. Quels ont été leurs effets ?

— *L'affranchissement des droits féodaux*, et aussi de la dîme, avait constitué une revendication paysanne si pressante qu'on imagine aisément la satisfaction des bénéficiaires. Mais tous les paysans n'étaient pas bénéficiaires. Seuls les propriétaires ont profité pleinement de l'abolition des redevances foncières ; métayers et fermiers ont dû, par application des mesures prises par la Constituante et la Législative, en tenir compte aux propriétaires qui ont aggravé les baux ; quant aux salariés, ils n'en ont évidemment tiré aucun profit.

— *Mais la vente des biens nationaux* n'a-t-elle pas, précisément, permis à ceux qui étaient privés de biens fonciers d'en acquérir, et à ceux qui n'étaient pas suffisamment pourvus d'échapper à leur condition de parcellaires ? Question capitale, qui est celle, finalement, de la portée sociale de la Révolution dans les campagnes, et à laquelle il n'est pas possible encore d'apporter une réponse définitive parce que, malgré maints travaux de valeur, on ne connaît les résultats définitifs des opérations de vente que dans quelques districts, et qu'il n'est pas légitime, étant donné la grande diversité des situations locales, de généraliser. Quelques traits, cependant, apparaissent déja.

Il est certain, tout d'abord, que tous les biens nationaux n'ont pas été vendus. Les biens non aliénés ont été, sous l'Empire et la Restauration, remis aux anciens propriétaires qui les ont réclamés. Il est certain, aussi, que tous les biens vendus n'ont pas été achetés par des paysans. Des émigrés eux-mêmes en ont fait racheter par personnes interposées. Nombre de bourgeois se sont portés acquéreurs ; dans certains districts, ils en ont même acheté le plus grand nombre, si bien que l'on a parfois affirmé que les bourgeois avaient été les grands bénéficiaires de l'opération ; mais « s'il n'est pas défendu de penser que les bourgeois en ont acquis la plus grande partie, le doute demeure cependant permis et la diversité régionale est telle qu'il ne sera pas levé de sitôt » (G. Lefebvre). Il est établi que la vente des biens nationaux a fait disparaître totalement l'ancienne propriété ecclésiastique et a fortement entamé la propriété noble, au profit à la fois de la bourgeoisie et de la paysannerie. Mais de quelles fractions de la paysannerie ? Il est bien évident que, les ventes ayant eu lieu aux enchères, les riches se sont trouvés en excellente position pour écarter les pauvres. Ceux-ci ont su pourtant, en certains cas, se grouper pour acheter, voire écarter par la force les autres enchérisseurs ; ils ont pu, parfois, acheter en seconde main les biens que des spéculateurs avaient acquis en bloc aux enchères et revendus en détail. Il s'est donc trouvé des circonstances qui ont permis à des paysans parcellaires, et même à des salariés disposant de quelques économies, d'acquérir de la terre à bon compte, surtout lorsque la dépréciation de l'assignat s'est accélérée, et d'accéder à la catégorie supérieure. Est-ce à dire que le prolétariat rural a disparu ? Évidemment non. Pour supprimer le prolétariat, il eût fallu décréter non pas la vente mais le partage des biens nationaux. Les assemblées révolutionnaires n'ont jamais eu, aussi bien pour des raisons financières que politiques, cette intention.

Elles ont même aggravé la condition de ce prolétariat, involontairement sans doute, en donnant toute l'étendue possible au droit de propriété. Ce droit était en effet incompatible avec le maintien des servitudes collectives dont il était grevé. En proclamant la liberté de culture, en préparant la disparition des droits collectifs, les assemblées révolutionnaires ont *réduit le salarié à la seule ressource du salaire*, et rendu la vie difficile aux très petits propriétaires qui allaient se trouver rejetés dans le prolétariat : « La Révolution, ... en assombrissant l'avenir du paysan pauvre, préparait son exode; il restait plus qu'à édifier l'usine : les ouvriers accourraient » (G. Lefebvre).

C'est que les petits propriétaires étaient fort nombreux. On s'en persuade aisément en examinant les *statistiques des cotes foncières* publiées par le ministère des Finances, premières statistiques utilisables pour une étude de la répartition de la propriété foncière. Certes, elles ne nous fournissent pas tous les renseignements que nous pourrions désirer; la ventilation entre propriété bâtie et propriété non bâtie n'est pas encore faite (elle ne le sera qu'en 1884); les cotes sont divisées en catégories selon la quotité (valeur en francs) et non selon l'étendue de la propriété; le montant total des cotes par catégorie n'est pas donné (il ne le sera qu'en 1858), mais on peut, par comparaison avec 1858, l'estimer avec une bonne approximation. Malgré leurs imperfections, ces statistiques sont précieuses. La première en date, celle de 1826, donne les informations suivantes (que nous complétons par l'estimation des valeurs) :

TABLEAU 7

STATISTIQUE DES COTES FONCIERES EN 1826

Catégories de cotes	Nombre	%	Montant total (estimation)	%
De 20 francs et au-dessous	8 024 987	77,94	40 365 685	16,99
De 21 francs à 30 francs	663 237	6,44	16 050 335	6,75
De 31 francs à 50 francs	642 345	6,24	24 865 175	10,46
De 51 francs à 100 francs	527 991	5,13	36 589 776	15,41
De 101 francs à 300 francs	335 505	3,26	52 952 754	22,29
De 301 francs à 500 francs	56 602	0,55	21 680 830	9,14
De 501 francs à 1 000 francs	32 579	0,31	22 671 075	9,54
1 001 francs et au-dessus	13 447	0,13	22 362 630	9,42
TOTAL	10 296 693	100,00	237 538 260	100,00

Le nombre de cotes foncières ne correspond pas exactement au nombre de propriétaires; beaucoup d'entre eux, en effet, possédant des terres dans plusieurs communes, sont comptés plusieurs fois (cotes multiples). Les administrateurs admettaient que 100 cotes correspondaient à environ 60 propriétaires, ce qui donnerait à peu près 6 200 000 propriétaires. Comme il est peu probable que les cotes multiples aient été plus nombreuses dans une catégorie que dans une autre, la comparaison entre catégories reste valable.

LA GRANDE PROPRIÉTÉ EN 1826

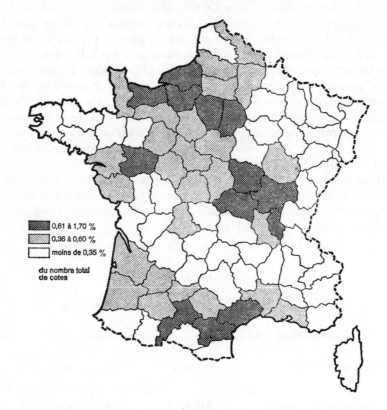

Proportion des cotes foncières de plus de 500 F par département.

On constate que les très petites cotes constituent l'immense majorité. Il y a lieu de penser que les cotes inférieures à vingt francs correspondaient à de très petites propriétés, peut-être inférieures à deux hectares, sûrement, en tout cas, inférieures à cinq. Ainsi, les *propriétés parcellaires* représentent plus des trois quarts, en nombre, des propriétés foncières. Mais elles n'en représentent, en valeur, que moins du cinquième. Au contraire, les fortes cotes (de plus de trois cents francs), en nombre infime (1 %), représentent 28 % de la valeur totale des cotes. Autrement dit, moins de soixante mille propriétaires détiennent plus du quart de la propriété foncière. Celle-ci est donc beaucoup plus inégalement répartie, dans la France de la Restauration, qu'on le croit généralement.

La *grande propriété* elle-même est, en outre, localisée dans certaines régions (*cf.* carte ci-dessus). On la trouve surtout dans le quart nord-ouest, Bretagne exceptée, c'est-à-dire en Normandie, en Picardie, en Ile-de-France et dans les pays de la Loire. On la trouve aussi dans la vallée de la Saône, en Nivernais et, dans la France méridionale, en Languedoc et dans tout le bassin de la Garonne. Inversement, elle tient très peu de place dans l'Est, en Bretagne, dans le Massif Central, les Pyrénées et les Alpes. Le domaine d'élection de la grande propriété est la plaine, particulièrement la plaine riche, la terre limoneuse du Bassin Parisien, et la vallée. C'est une propriété remarquable non seulement par son étendue, mais par sa qualité.

On est donc loin, en 1826, de cette démocratie de petits propriétaires indépendants que les Montagnards avaient souhaité établir. Cependant, l'égalité successorale établie par le Code civil, cette « machine à hacher le sol », n'allait-elle pas, en multipliant le nombre des propriétaires, modifier profondément la répartition de la propriété foncière ? Les statistiques montrent que le nombre de cotes foncières est passé de dix millions en 1826 à onze millions et demi en 1842 et treize millions en 1858, soit une progression de 27 % (tableau en annexe). L'émiettement successoral a joué ; mais il a joué inégalement selon les catégories, portant surtout sur les très petites et les petites cotes, mais aussi sur les plus grosses. Le nombre des cotes moyennes n'a que très faiblement progressé ; il semble que ces cotes moyennes correspondaient à de moyennes propriétés ou, mieux, à de moyennes exploitations que l'on s'efforçait de protéger du pilonnement des successions.

La statistique de 1884 permet de faire le point à cette date ; elle fournit en effet des données non plus seulement sur le montant des cotes mais sur leur étendue, non plus seulement sur le foncier en général, mais sur le foncier non bâti. On y voit (*cf.* graphiques

STATISTIQUES DES COTES FONCIÈRES EN 1884
(propriété non bâtie)

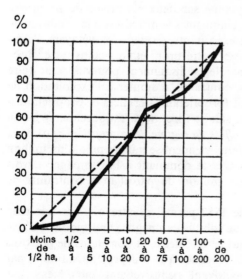

Contenance des diverses catégories de cotes (pourcentages cumulés).

Nombre des diverses catégories de cotes (pourcentages cumulés).

ci-dessus) que, classées selon les catégories d'étendue, les cotes s'échelonnent assez régulièrement, avec cependant prépondérance des cotes supérieures à vingt hectares. Mais si l'on considère le nombre des cotes, la prépondérance des petites cotes apparaît écrasante : celles de moins d'un hectare représentent les trois cinquièmes du total, celles de moins de cinq hectares les neuf dixièmes. A l'autre extrémité, au contraire, les grosses cotes sont peu nombreuses, mais représentent une part très importante du sol : 16 % pour les cotes de plus de 200 hectares, 25 % pour celles de plus de 100 hectares. En reprenant l'ensemble de ces données, on aperçoit une ligne de partage significative : les propriétés de moins de vingt hectares couvrent la moitié du sol français, les propriétés de plus de vingt hectares l'autre moitié. Mais d'un côté (cotes inférieures à vingt hectares) se trouvent 13 700 000 cotes, de l'autre moins de 400 000. Autrement dit, trois pour cent des propriétaires détiennent à eux seuls autant de terre que les quatre-vingt-dix-sept autres. La *concentration de la propriété* reste, en 1884, le trait dominant de la structure foncière.

Faut-il en déduire que la quasi-totalité de la paysannerie, refoulée sur des propriétés exiguës, se trouve condamnée à la misère ? Ce serait confondre propriété et *exploitation*, oublier que les grands propriétaires n'exploitent pas eux-mêmes, ou rarement, et qu'ils offrent à ceux qui n'ont rien ou pas assez la possibilité de cultiver. Les statistiques de la propriété doivent être complétées par celles de l'exploitation ; malheureusement, ces dernières sont moins dignes de confiance et surtout plus tardives. Il faut attendre les grandes enquêtes agricoles de la seconde moitié du siècle, celles de 1862 et de 1882, pour disposer de données utilisables. Elles fournissent, sur la population active agricole (hommes et femmes), les renseignements regroupés dans le tableau 8.

Sans accorder une trop grande importance aux chiffres bruts, dont la précision est sans doute très discutable, nous pouvons retenir des proportions et des variations. Et tout d'abord souligner qu'une famille paysanne sur deux est privée de propriété, et que, parmi ces non-propriétaires, les quatre cinquièmes sont réduits à la condition de salariés, les autres trouvant à s'occuper comme exploitants, fermiers ou métayers. Parmi les propriétaires, l'équilibre s'établit, en nombre, entre propriétaires cultivant exclusivement leurs biens, c'est-à-dire, en règle générale, suffisamment pourvus pour faire vivre leur famille, et propriétaires parcellaires, contraints d'ajouter à l'exploitation de leurs biens la culture de parcelles louées à bail (propriétaires-fermiers et propriétaires-métayers), ou, le plus souvent, la ressource du salaire (propriétaires-journaliers). Ainsi *le régime de l'exploitation corrige en partie les effets du régime de la propriété* : aux deux millions, ou presque, de propriétaires indépendants viennent se joindre près d'un million et demi d'exploitants. Et cependant, le salariat reste dominant à la campagne : trois millions de journaliers et de domestiques, un million de parcellaires contraints de recourir au travail à la journée.

La comparaison des données de 1862 et de 1882 permet d'entrevoir, sur une trop courte période il est vrai, les transformations que subit la campagne ; bref moment d'une évolution générale qui se poursuit à travers tout le XIXe siècle, et dont nous ne pouvons saisir ici que les tendances. La principale est la tendance à la « déprolétarisation », par augmentation du nombre des propriétaires cultivant exclusivement leurs biens, par diminution du nombre des domestiques et des journaliers. Peut-être pourrait-on pousser

TABLEAU 8

LA POPULATION ACTIVE AGRICOLE 1862-1882

	1862	1882
O Propriétaires exploitants		
— cultivant exclusivement leurs biens	1 812 573	2 150 696
— cultivant leurs biens mais travaillant en outre comme :		
fermiers	648 836	500 144
métayers	203 860	147 128
journaliers	1 134 490	727 374
O Exploitants non propriétaires :		
Fermiers	386 533	468 184
Métayers	201 527	194 448
O Salariés :		
Régisseurs	10 215	17 966
Journaliers	869 254	753 313
Domestiques	2 095 777	1 954 251
TOTAL	7 363 065	6 913 504

un peu plus loin l'analyse et noter que la diminution, considérable, du nombre des parcellaires est compensée, pour moitié, par l'augmentation du nombre des propriétaires exploitants ; que la diminution, encore forte, du nombre des journaliers et domestiques est compensée, pour un tiers, par l'augmentation du nombre des fermiers. On imagine alors, sans pouvoir le démontrer, que, parmi les parcellaires, un certain nombre ont pu accéder à la catégorie supérieure des propriétaires indépendants ; que d'autres, en nombre à peu près égal, ont quitté la campagne pour la ville ; que parmi les salariés des changements de même nature se sont produits, les uns, vraisemblablement des domestiques, accédant à la qualité d'exploitants (fermiers), d'autres, vraisemblablement des journaliers, quittant la terre. Ce double mouvement, d'*exode* pour les plus misérables, de *promotion* pour les plus habiles ou les plus heureux, parviendra, à longue échéance à modifier profondément la physionomie de nos campagnes.

La condition matérielle des paysans a été affectée non seulement par les modifications de leur statut juridique et l'évolution de la propriété foncière ou des modes d'exploitation, mais aussi par la conjoncture économique. Pendant la première moitié du XIXe siècle, *l'agriculture a fait certains progrès*, qu'il est d'ailleurs malaisé d'apprécier avec exactitude, et qui semblent avoir porté surtout sur l'accroissement des superficies cultivées. De grands défrichements ont été entrepris dans certaines régions (dans le département de l'Eure, par exemple, un cinquième des terres en friches ont été mises en culture de 1800 à 1837), tandis que le mouvement de recul des jachères s'accélère à partir des années trente (en une vingtaine d'années, de 1840 à 1862, la superficie occupée par les jachères tombe de 6 700 000 hectares à 5 150 000). Sur une partie de ces terres gagnées pour la production, on entreprend de cultiver les prairies artificielles qui non seulement enrichissent le sol, mais fournissent au bétail la nourriture qu'il trouvait difficilement autrefois. Ainsi s'amorce le cycle : accroissement du troupeau (de 20 % entre 1812 et 1852 pour les ovins, de 30 % entre 1830 et 1850 pour les bovins), augmentation du fumier de ferme, meilleur entretien des sols, récoltes plus abondantes.

Les progrès ont été plus lents dans le domaine de l'outillage. Les instruments agricoles sont restés, pendant la première moitié du siècle, primitifs. Dans le Midi et les régions montagneuses, on laboure encore avec l'araire; les charrues perfectionnées ne sont guère utilisées que dans l'Est, le Nord et le Bassin Parisien. La faucille est plus employée que la faux; faucheuses, semoirs, moissonneuses ne font leur apparition que sous le second Empire. Si le progrès technique a été aussi lent dans l'agriculture, c'est en partie parce que la « révolution de la vapeur » n'a pas touché ce secteur (la batteuse est la seule machine mue par la vapeur), c'est aussi parce que nombre de paysans n'ont pas eu les moyens, faute de capitaux, ou le désir, d'améliorer leur équipement.

Les contemporains sont en effet unanimes à signaler la *passion de la terre* qu'éprouve le paysan français, avide d'arrondir sa propriété. Les conséquences en sont que les parcelles, très convoitées, atteignent souvent des prix disproportionnés avec leur rendement, et que l'acheteur s'endette. Le volume de la dette paysanne est mal connu (le paysan n'empruntait pas toujours sur hypothèque, il souscrivait souvent de simples billets dont on ne connaît pas le montant), mais semble avoir été considérable. En donnant la préférence à l'achat de terre sur l'achat d'équipement, d'engrais ou de semence sélectionnées, le paysan sacrifiait la productivité à la propriété. Cette attitude n'est d'ailleurs pas inexplicable : à une époque où le progrès technique restait très lent, l'effort d'amélioration de la productivité n'était pas socialement payant. Il y avait peu de chances en effet pour qu'un cultivateur se distinguât par une réussite économique exceptionnelle (en obtenant, par exemple, des récoltes très supérieures à celles obtenues par ses voisins); il avait toutes chances d'obtenir la considération, au contraire en arrondissant son bien. Le prestige social à la campagne restait fondé, à cette époque, sur l'acquisition de la terre.

L'agriculture du XIXe siècle conserve bien des traits du XVIIIe. C'est, avant tout, une agriculture dominée par le souci des subsistances. D'où la place considérable des céréales. Mais il est maintenant possible de substituer la céréale noble aux autres : le seigle recule et, en Bretagne, la culture du sarrasin tend à disparaître. La pomme de terre tient maintenant une place importante dans l'alimentation. Les progrès de la production sont réels, mais insuffisants pour mettre les consommateurs à l'abri des effondrements cycliques du rendement; aussi les crises de hauts prix restent-elles périodiques pendant la première moitié du siècle (1816-1817, 1828-1829, 1837-1839, 1846-1847) et se prolongent-elles même au-delà, en 1853-1855 et jusqu'en 1867.

C'est aussi une agriculture productrice de matières premières pour l'industrie. Chanvre, lin, oléagineux, plantes tinctoriales occupent de larges superficies; dans la vallée du Rhône, on cultive, sur plus de 50 000 hectares, le mûrier pour le ver à soie, et vers le milieu du siècle la production de cocons atteint de vingt à vingt-cinq tonnes. Mais ces cultures, qui fournissent un appoint non négligeable au revenu paysan, sont vouées, par la concurrence des pays étrangers ou de produits nouveaux à une prompte disparition.

Cependant, l'amélioration des moyens de transport (routes royales et départementales, chemins vicinaux, chemins de fer bientôt) ouvre des brèches dans l'isolement paysan. A côté de l'agriculture de subsistance prend place une *agriculture commercialisée*. Le paysan va porter au marché des quantités croissantes de produits; dans certains cas, il pourra même spécialiser sa production et participer réellement à une véritable économie d'échanges.

A mesure que le paysan se fait vendeur de produits — et l'abolition des droits féodaux comme l'augmentation de la productivité concourent à lui laisser un surplus négociable accru —, il voit son sort dépendre plus étroitement du *mouvement des prix*. Or, la longue montée des prix du début du siècle s'interrompt en 1817. Pendant plus d'un tiers de siècle, jusqu'en 1851, le mouvement de longue durée des prix est fondamentalement orienté à la baisse. Cette faiblesse des prix constitue une menace contre le profit de l'exploitant et contre la rente du propriétaire qui donne ses terres à bail. Aussi voit-on les intéressés se tourner vers l'État et lui demander protection contre l'importation de céréales étrangères, rendue responsable de la baisse. La loi du 16 juillet 1819 leur donne satisfaction : pour la première fois dans son histoire, la France impose des restrictions à l'importation des grains. Comme les bas prix persistent, la loi du 4 juillet 1821 aggrave la précédente en établissant une échelle mobile des droits de douane et en prohibant même l'importation lorsque les grains atteignent un prix-plancher. Cette loi, qui demeura en vigueur jusqu'en 1861, fut parfaitement inefficace. Et si la valeur de la production agricole a crû de 1817 à 1851, malgré la baisse des prix, c'est en raison seulement de l'accroissement des quantités produites.

Le tournant de 1851 est capital. Car si la production agricole continue à augmenter, les prix amorcent une remarquable remontée, qui se poursuit jusqu'en 1873. Le revenu de l'exploitant vendeur, sous cette double impulsion, effectue alors un bond considérable : dans certaines régions favorisées, comme la Beauce, il *double* en trente ans pour le propriétaire-exploitant, il fait plus que doubler pour le fermier. Le propriétaire non exploitant, le rentier du sol, recueille aussi sa part, plus modique il est vrai : la rente foncière hausse des deux tiers.

Quelle a été, pendant ce temps, la condition de celui qui n'avait à vendre que sa force de travail, la *condition du salarié?* Il semble que dans la première moitié du XIXe siècle le salaire agricole ait peu varié. En progrès sous l'Empire, en raison peut-être d'une certaine pénurie de main-d'œuvre, il n'a pas baissé, et peut-être même légèrement augmenté (progression de l'ordre de 10 % environ) sous la Restauration et la Monarchie de Juillet. Comme le coût de la vie a, de son côté, plutôt diminué, on pourrait considérer que le sort du salarié de l'agriculture s'est amélioré. Mais il convient de tenir compte du fait qu'il a souvent perdu les ressources d'appoint qu'il obtenait avant la Révolution : le tissage à domicile est en décadence, les droits d'usage comme la vaine pâture en voie de disparition. Après 1851 le salaire suit le mouvement général : il hausse de plus de moitié en trente ans; bien que le pouvoir d'achat du salaire n'ait pas augmenté dans les mêmes proportions, en raison de la hausse du coût de la vie, on calcule que le salaire

NOMBRE DE RECRUES SACHANT LIRE ET ÉCRIRE 1830-1833

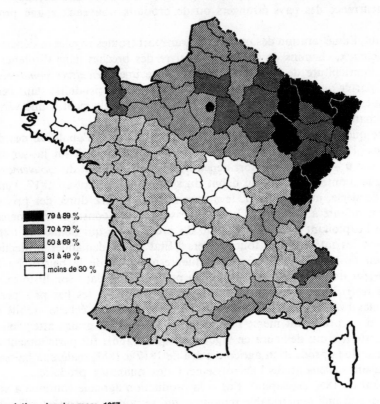

Source : *Population*, janvier-mars 1957.

réel a progressé, de 1851 à 1873, d'au moins un tiers. Nul doute que le salarié agricole ait été conscient de l'amélioration de son sort; mais s'il jetait un regard autour de lui, il pouvait aisément constater que, dans la course au bien-être, il était largement distancé par ses employeurs.

Dans quelle mesure l'amélioration de la condition matérielle des paysans a-t-elle modifié leur état intellectuel et leur mentalité ? On considère généralement qu'accablés par un travail pénible, isolés dans leurs campagnes, les paysans sont restés longtemps à l'écart de toute vie intellectuelle, et même de l'école. Une connaissance assez précise de leur *niveau d'instruction* est possible grâce aux relevés annuels que le ministère de la Guerre fit entreprendre, à partir de 1827, pour déterminer l'instruction des conscrits. On constate qu'en 1832 la moitié des conscrits est analphabète; 46 % savent lire et écrire, 4 % savent seulement lire. Mais la répartition géographique de l'analphabétisme (cf. carte ci-contre) est très inégale : une ligne allant de la baie du Mont-Saint-Michel au lac de Genève sépare une France instruite, et même très remarquablement instruite au Nord-Est, d'une France ignorante au Sud. Cette opposition, dont il est malaisé de connaître les causes, est fort ancienne, puisqu'on a pu relever son existence dès la fin du XVII⁰ siècle. On ne saurait dire si elle tient, par exemple, à des inégalités de développement économique, ou à l'existence de dialectes plus ou moins proches du français.

Quoi qu'il en soit, ces inégalités de niveau d'instruction ont tendu à se combler à mesure que les différentes lois scolaires ont été appliquées : loi de 1833 portant entretien obligatoire d'au moins une école primaire élémentaire de garçons dans toute commune (avec possibilité pour des communes voisines de se réunir en vue de n'entretenir qu'une seule école) et d'une École Normale d'instituteurs par département, loi de 1850 rendant obligatoire, sauf dispense du conseil académique, l'entretien d'une école de filles dans toute commune de plus de 800 habitants (minimum abaissé à 500 en 1867), loi de 1881 instituant la gratuité de l'enseignement primaire, loi de 1882 portant obligation scolaire pour les enfants de six à treize ans, des deux sexes. Le recul de l'analphabétisme apparaît dans les statistiques du ministère de la Guerre : la proportion des conscrits ne sachant ni lire ni écrire passe de 50 % en 1835 à 39 % en 1850 et 32 % en 1861 ; à partir de cette date, le recul est très rapide : 22 % en 1868, 18 % en 1876, 15 % en 1882. Les effets des lois de 1881 et 1882 ne se feront pleinement sentir qu'à la veille de la première guerre mondiale, au moment où le taux de l'analphabétisme tombe au-dessous de 3 %.

Les paysans restèrent longtemps *à l'écart de la vie politique* du pays, non seulement en raison de leur faible niveau d'instruction mais aussi parce que le régime électoral censitaire écartait des urnes l'immense majorité d'entre eux. Lorsque la seconde République leur donna le bulletin de vote, ils n'étaient pas préparés à s'en servir, et certains milieux politiques s'inquiétèrent. Bien à tort, car aux élections des 23 et 24 avril 1848, ils suivirent très docilement les conseils des notables et, bien encadrés par leurs mairse et leurs curés, apportèrent leurs suffrages aux candidats agréables au pouvoir, les républicains modérés. Mais lors de l'élection du président de la République, au moment où les notables se divisaient entre partisans de Cavaignac et partisans de Louis-Napoléon, les paysans votèrent en masse pour ce dernier, et ce vote traduisait l'emprise de la « légende napoléonienne » sur leurs esprits. Unanimité paysanne de brève durée. Quelques mois plus tard en effet, au moment de désigner les députés à l'Assemblée législative (13 mai 1849), les électeurs paysans se divisent en deux tendances : les uns, et ils sont les plus nombreux, effrayés par la menace des « partageux », vont vers le conservatisme, voire la réaction, incarnés par les candidats du parti de l'Ordre ; les autres vont vers les « rouges », les démocrates-socialistes. Ceux-ci l'emportent en effet dans seize départements, dont certains départements les plus ruraux de France : Saône-et-Loire, Allier, Corrèze, Haute-Loire, Dordogne, Basses-Alpes. Dans ces départements, les rapports des procureurs généraux signalent que c'est au vote massif des paysans en leur faveur que les candidats rouges sont redevables de leur succès. Cette double évolution vers les extrêmes traduisait sans doute un profond mécontentement des paysans, mécontentement provoqué par la succession de deux crises, une crise de subsistances en 1847, une crise persistante de bas prix ensuite. La paysannerie apparaissait alors comme l'élément perturbateur du corps électoral. Depuis longtemps, et particulièrement depuis les troubles agraires de 1789, la bourgeoisie redoutait les paysans, dont elle comprenait mal les réactions ; surestimant, dans son affolement, l'ampleur du vote démocrate-socialiste, elle les considère maintenant avec effroi.

L'établissement du second Empire allait changer tout cela. Tout d'abord, parce que les contraintes d'un régime autoritaire ont entravé et même paralysé, pour un temps, la propagande rouge ; ensuite, et surtout, parce que la prospérité économique a modifié profondément la mentalité paysanne. « La grande préoccupation des paysans, écrivait un préfet en 1860, est la connaissance des produits de leurs travaux. » Les yeux fixés sur les mercuriales, ils se désintéressent de la politique et soutiennent de leurs votes les candidats du gouvernement. Ils tendent alors à constituer cette *masse conservatrice*, cette force rassurante sur laquelle s'appuiera la bourgeoisie lorsque apparaîtra, avec le prolétariat organisé, une nouvelle menace révolutionnaire.

Mais la réalité est plus complexe. Nul doute que la grande majorité des paysans ait été fidèle à l'Empire. Mais non la totalité. Aux élections de 1869, les candidats démocrates, que le gouvernement faisait passer pour des « rouges », reçoivent un accueil favorable d'une partie non négligeable de l'électorat paysan. Dans des départements typiquement ruraux comme les Landes, la Côte-d'Or, le Jura, le Loiret, l'Yonne, sans compter la vallée du Rhône, le Languedoc et le Midi méditerranéen, ils obtiennent d'incontestables succès. Déjà, une *tradition de gauche* s'est constituée dans certaines zones rurales.

Ainsi, en trois quarts de siècle, la société paysanne a subi d'importantes modifications. Autrefois repliée sur elle-même et vivant, par autarcie économique et culturelle, d'une vie sociale confinée au « pays », elle s'est ouverte au monde extérieur grâce aux progrès des moyens de transport, grâce aussi à l'institution du suffrage universel. Mais l'évolution ne s'est pas faite partout au même rythme. Certaines régions ont à peine changé et continué à vivre au rythme du siècle précédent. D'autres ont vu leur économie traditionnelle menacée et leur prospérité disparaître, telle cette province d'Aquitaine, « terre bénie des dieux et des propriétaires », qui, après 1840, s'est « anémiée ». D'autres se sont orientées vers une agriculture spécialisée, de type capitaliste, voire vers la monoculture. Il s'ensuit que cette France paysanne de la seconde moitié du XIXᵉ siècle n'est pas une ; c'est une « mosaïque de zones agricoles qui se trouvent à des stades très divers du développement économique », mais aussi à des stades très divers d'évolution sociale et politique.

La bourgeoisie

En instituant la liberté économique, la révolution avait ouvert la voie au capitalisme et à la concentration des entreprises. En unifiant le marché national par la suppression des douanes intérieures et l'adoption d'un système unique de poids et mesures, puis en élargissant ce marché aux limites des pays réunis et bientôt de l'Europe napoléonienne, elle avait offert à la bourgeoisie un champ d'action d'une remarquable étendue.

Mais si la Révolution, faite par la bourgeoisie et pour la bourgeoisie, lui a ouvert d'immenses possibilités de développement, elle n'a pas été également favorable à tous les bourgeois. Les difficultés financières, et surtout les ravages de l'inflation, ont porté de rudes coups aux détenteurs de revenus fixes, ceux qui vivaient de rentes, rentes d'État, de collectivités locales ou sur des particuliers. Les industries de luxe, privées de leur clientèle de privilégiés, ont en grande partie disparu ; le blocus continental, en modifiant les courants du commerce extérieur, a durement frappé les négociants des ports de l'Atlantique et même de la Méditerranée ; l'irruption de la concurrence anglaise, au lendemain de la défaite de Napoléon, a ruiné de nombreux industriels qui n'avaient prospéré qu'à l'abri du protectionnisme impérial et grâce à la domination du marché continental. Il semble qu'une fraction importante de la bourgeoisie du XVIIIe siècle ait sombré dans les tourmentes de la Révolution et de l'Empire.

Mais une nouvelle bourgeoisie de « *nouveaux riches* » a rapidement pris sa place. Car les tourmentes, si elles ont emporté les uns, ont permis à d'autres, mieux armés, plus favorisés de la chance, ou peu embarrassés de scrupules, de gravir rapidement les marches de l'ascension sociale.

En jouant habilement sur le numéraire et les assignats, des manieurs d'argent ont amassé d'énormes fortunes, qu'ils ont protégées des aléas politiques par des prêts à des gouvernements aux abois, des cadeaux somptueux à des politiciens corrompus, voire, car il fallait prévoir le pire, des subventions aux agences de l'émigration.

La vente des biens nationaux, dont les modalités favorisaient les gros acheteurs, a permis à des groupements de spéculateurs, les « bandes noires », d'acheter de grands domaines pour les revendre en détail. Socialement, ce type d'opération spéculative a été bénéfique en ce qu'il a permis comme une démocratisation de la propriété foncière. Mais on imagine sans peine qu'il a été surtout bénéfique aux spéculateurs.

Les difficultés économiques ont été largement mises à profit par les habiles : « acca- pareurs » de céréales en période de disette, trafiquants de march... ir lorsque la taxation officielle, non assortie des réquisitions indispensables, faisait disparaître les marchandises ; et même contrebandiers des régions frontalières, au moment de l'application des mesures de blocus.

Mais il semble bien qu'une des principales, ou au moins des plus rapides, sources d'enrichissement ait été la guerre. Sans parler du pillage organisé qu'ont pratiqué certains généraux de Napoléon en pays conquis, principalement en Espagne, ce sont les fournitures à l'armée qui ont donné lieu aux opérations les plus scandaleuses. Le mal était ancien ; sous l'Ancien Régime déjà, les fournisseurs « grugeaient le roi », et « leurs agents volaient le soldat ». A l'époque de la Révolution, la pénurie financière, l'insuffisance des bureaux, la faiblesse de l'économie, qui ne pouvait nourrir rapidement la guerre moderne, laissèrent le champ libre aux initiatives des fournisseurs. Grâce à la Terreur, les Montagnards parvinrent à les surveiller étroitement ; les Thermidoriens et leurs successeurs se trouvèrent dépourvus de moyens efficaces de contrôle. Napoléon lui-même, bien qu'il les détestât, fut incapable de se passer des fournisseurs pour nourrir, vêtir et chausser ses armées ; au moins était-il sans illusions : « On me fait payer tous les soldats tués. »

Cette nouvelle bourgeoisie, vite enrichie et peu encombrée de principes, a été sans doute plus brutale que l'ancienne, et certainement plus cynique ; car elle a pu traverser, sans encombre, les différents régimes que la France a connus en une génération, et tirer de cet exploit des leçons de scepticisme politique auquel étaient étrangers les bour- geois du XVIIIe siècle.

Il est cependant une catégorie dont la situation n'a pas été profondément affectée par les bouleversements révolutionnaires, celle des *propriétaires fonciers*. Les anciens propriétaires, profitant à la fois des possibilités d'achat de biens nationaux et, pour la vente de leurs produits, des hausses de prix des premières années du siècle, ont même pu arrondir leurs patrimoines. Nombre de nouveaux riches, en outre, ont pris la précaution d'investir en terres une partie d'une fortune vite acquise, à la fois pour échapper aux incertitudes des affaires et obtenir une considération et un prestige social dont ils étaient avides. Aussi la catégorie des propriétaires fonciers est-elle la plus nombreuse des catégories bourgeoises, comme le prouve l'examen des listes électorales sur lesquelles figurent, depuis 1831, tous les citoyens payant plus de 200 francs de contribution directe. La prédominance des propriétaires fonciers au sein du corps électoral censitaire est particulièrement forte dans les régions, nombreuses alors, où l'industrie n'a pas encore largement pénétré. Dans le Sud-Ouest, par exemple, la proportion de propriétaires fonciers dans le corps électoral dépasse 50 % dans onze des treize arrondissements étudiés par A. Armengaud, et atteint 70 % dans quatre. Dans le département de Loir-et-Cher, cette proportion est voisine de 50 %. Dans le département de l'Eure, « les propriétaires vivant de leur revenu ou du moins tirant de leurs terres des ressources suffisantes pour payer le cens obligatoire, étaient de très loin les plus nombreux dans la bourgeoisie ». Cet intérêt constant porté à la terre a contribué à donner à la bourgeoisie française certains traits « archaïques », en même temps qu'il la renforçait dans sa conviction qu'elle devait être le tuteur, mais aussi le porte-parole, du monde paysan. Ajoutons que la rente foncière fournit à l'industrie naissante une partie des capitaux dont elle a besoin. Par son nombre, sa puissance, ses fonctions, ses prétentions, la bourgeoisie propriétaire constitue l'assise fondamentale de la société française dans la première moitié du XIXe siècle.

Mais elle n'en est pas la catégorie la plus dynamique, encore moins la catégorie politiquement dominante. Et ceci parce qu'en tant que « revenu dominant, la rente foncière fait place au profit industriel, financier, commercial. Elle n'est plus le revenu moteur en fonction duquel s'ordonnent et se hiérarchisent les autres ». (J. Lhomme). Le pouvoir économique parvient entre les mains d'une autre catégorie, bourgeoise aussi, bien entendu, la *grande bourgeoisie*, que J. Lhomme définit ainsi : « La grande bourgeoisie est formée de personnes : 1° qui travaillent; 2° qui se sont engagées dans des activités particulièrement rémunératrices; 3° qui disposent de gros revenus. » Les deux premiers critères la distinguent de l'aristocratie foncière, le troisième de la petite et de la moyenne bourgeoisie.

Cette grande bourgeoisie, qui constitue une classe parce qu'elle a pris conscience de sa force et de son ambition (celle d'exercer tous les pouvoirs et de maintenir sa suprématie), n'est pourtant pas, selon J. Lhomme, « d'une homogénéité parfaite ». Il y distingue les groupes suivants : au sommet, une double série d'industriels et de banquiers; à un rang encore éminent, mais un peu en retrait par rapport aux précédents, le grand commerce, les officiers ministériels et hommes de loi étroitement liés au monde des affaires; à un niveau encore inférieur, des fonctionnaires, à condition qu'ils figurent suffisamment haut dans la hiérarchie, des avocats, à condition qu'ils aient de la fortune. Peut-être conviendrait-il d'ajouter à cette liste les grands univer sitaires et des journalistes parisiens, à la condition expresse qu'ils acceptent de mettre leurs talents au service de la grande bourgeoisie pour en célébrer les mérites.

Cette classe a été heureusement servie par l'événement, la révolution de Juillet. Mais elle a su immédiatement en tirer parti, en saisissant avec la détermination la plus grande le pouvoir qui s'offrait. Son triomphe, pendant toute la durée du règne de Louis-Philippe, a été complet.

On ne saurait cependant négliger l'interprétation différente que Marx expose dans *Les Luttes de classes en France* :

> Ce n'est pas, écrit-il, la bourgeoisie française qui régnait sous Louis-Philippe, mais une fraction de celle-ci : banquiers, rois de la Bourse, rois des chemins de fer, propriétaires de mines de charbon et de fer, propriétaires de forêts et la partie de la propriété foncière ralliée à eux, ce que l'on appelle l'*aristocratie financière*... La bourgeoisie *industrielle* proprement dite formait une partie de l'opposition officielle... Son opposition se fit de plus en plus résolue au fur et à mesure que le développement de l'hégémonie de l'aristocratie financière devenait plus net.

Si l'opposition entre financiers et industriels ne semble pas avoir été aussi tranchée que l'affirme Marx, ne serait-ce qu'en raison de l'existence de liens étroits entre les deux catégories (les Delessert, les Seillière, les Périer sont à la fois des industriels et des banquiers ; les alliances matrimoniales sont fréquentes entre les familles de financiers et d'industriels), il paraît établi que la banque, « noblesse de la classe bourgeoise » selon Stendhal, l'emporte, pendant la Monarchie de Juillet, sur l'industrie.

C'est qu'en un temps d'argent rare comme le fut la première moitié du XIXᵉ siècle et, peut-on dire, d'argent économiquement mal employé (thésaurisation stérile dans la population, d'une part ; remboursement des dettes de guerre et dépenses d'armement et de prestige, de l'autre), la position de ceux qui étaient seuls capables de mobiliser de gros capitaux devenait prépondérante.

« La pénurie financière mit, dès le début, la Monarchie de Juillet sous la dépendance de la haute bourgeoisie » (Marx). C'est bien plutôt de la haute banque parisienne qu'il faudrait dire. Pour placer dans le public les emprunts d'État, le gouvernement doit passer par son intermédiaire. Comme ces emprunts sont massifs, les profits qu'en tire la haute banque parisienne ne le sont pas moins. Le baron de Rothschild, en excellents termes avec les Bourbons, a failli être emporté dans la débâcle de la révolution de Juillet ; mais ayant mis immédiatement son crédit à la disposition de Louis-Philippe, il a si bien réussi un rétablissement efficace qu'il a obtenu un quasi-monopole du placement des emprunts d'État, et que sa position à la tête de la *haute banque* est hors de pair. Mais la haute banque réunit aussi d'autres familles israélites (les d'Eichtal, les Fould), des familles protestantes, souvent d'origine suisse (les Delessert, Mallet, Hottinguer, Vernes, Pillet-Will), des familles de bourgeoisie provinciale, de fortune ancienne, comme les Périer et les Davillier, ou des *self made men* comme Laffitte.

Cette haute banque, qui vit de l'échange et du maniement de l'argent, se préoccupe encore peu d'industrie. Elle fait fructifier ses capitaux dans les compagnies d'assurances dont le développement a été rapide dans les premières années de la Restauration : assurances contre l'incendie, bien accueillies dans les villes et même dans les campagnes, contre la grêle, contre les accidents, et assurance sur la vie (la première compagnie, la

Compagnie d'assurances générales sur la vie, fut fondée en 1819 par les banques Neuflize et Mallet; l'Union-Vie fut fondée dix ans plus tard), dont les progrès, toutefois, furent plus lents. Elle les fait fructifier surtout dans le négoce, en finançant les importations de produits alimentaires et de matières premières textiles, thé (Rothschild), céréales, coton (Delessert, Hottinguer), laine (Seillière). Sous la Monarchie de Juillet, elle s'intéresse à la construction des lignes de chemin de fer, d'autant plus volontiers que l'État a pris à sa charge les dépenses d'expropriation et d'infrastructure; les Rothschild, les Fould, les Pillet-Will, les Hottinguer participent à la fondation de nombreuses compagnies. Pour la première fois, la banque intervient dans le financement de l'équipement national.

Il est vrai que si la banque se préoccupe peu, au temps de Louis-Philippe, d'engager ses capitaux vers l'industrie, c'est en partie parce que le *patronat industriel* n'est pas volontiers demandeur. L'entreprise industrielle reste fondamentalement de caractère familial, utilisant des capitaux amassés soit dans le négoce, soit dans l'exploitation de domaines fonciers, soit dans l'industrie elle-même lorsque l'entreprise est ancienne. Elle se développe par l'autofinancement, par le réinvestissement systématique des bénéfices, ce qui explique, d'une part, que l'industrie produise généralement cher et que, d'autre part, les entrepreneurs se soucient moins de production que de profit. D'où leur attachement au protectionnisme et leur comportement malthusien.

Les formes de l'entreprise industrielle restent, cependant, très variées. Les secteurs les plus anciens, comme celui du textile ou de la petite métallurgie, conservent souvent une structure dispersée, où le travail à domicile l'emporte largement sur le travail concentré. Tel est le cas, en particulier, du tissage du lin, du chanvre, de la soie. Au contraire, c'est la grande manufacture qui caractérise l'industrie cotonnière d'Alsace; les grands patrons alsaciens « toisent de haut leurs confrères normands qu'ils traitent de *marchands*, alors qu'ils se considèrent, eux, au sens le plus élevé du mot, des *industriels* » (G. Duveau). A un stade plus avancé encore, la concentration apparaît dans certains secteurs : dans la métallurgie (Société des forges de Châtillon et Commentry), la mine (Compagnie d'Anzin, Compagnie des mines de la Loire, fondée en 1845 mais qui dut, neuf ans plus tard, être fractionnée sous la pression du gouvernement), l'industrie chimique, la verrerie. Ce mouvement de concentration n'est d'ailleurs pas très avancé encore au milieu du siècle; des industries très importantes, comme le bâtiment et surtout l'industrie textile (la première industrie française par l'importance de sa production aussi bien que de sa main-d'œuvre) y échappent à peu près complètement. Selon le recensement de 1851, la main-d'œuvre occupée dans la grande industrie, définie très extensivement (établissements groupant plus de dix ouvriers), atteindrait le chiffre d'un million et demi environ; mais trois millions de personnes auraient encore été occupées dans de petits ateliers.

Les progrès de l'industrie et l'augmentation du nombre des entreprises ont rapidement fait sentir aux patrons les dangers de la concurrence. Partisans du libéralisme, ils l'étaient pour refuser à leurs ouvriers le droit de s'associer et de se coaliser pour défendre leurs rémunérations, et pour écarter toute intervention de l'État, toute réglementation des conditions du travail. Ils ne l'étaient plus lorsqu'il s'agissait de protéger leurs propres entreprises et de limiter les effets de la concurrence. Très rapidement, ils prirent conscience de la communauté de leurs intérêts et s'efforcèrent de s'organiser pour les défendre. Des *associations patronales* furent constituées dès la fin de la Restauration, et surtout sous la Monarchie de Juillet, avec l'assentiment tacite des autorités. Dans le textile, une « Réunion des fabricants » fut organisée à Lyon, vers 1825, par des fabricants d'étoffes de soie ; des « comités » furent fondés en 1837 dans l'industrie du lin, en 1839 dans celle du coton. Dans le secteur de l'alimentation, les producteurs de sucre de betterave formèrent à Lille en 1832 un « Comité de fabricants de sucre indigène » pour lutter contre la concurrence du sucre de canne. Dans la métallurgie, les maîtres de forges créèrent en 1840 un « Comité des intérêts métallurgiques », ancêtres du fameux Comité des forges fondé en 1864 et à qui la loi de 1884 sur les associations permit d'acquérir la personnalité morale. La même année 1840 vit la fondation du premier « Comité des houillères ». Constitués surtout pour maintenir un strict protectionnisme, ces comités permettaient toutes les ententes, toutes les coalitions en vue de défendre le niveau des prix et de partager les marchés. Parfois, de simples accords entre entreprises dominantes permettaient d'obtenir les mêmes résultats : dans l'industrie du cristal, un cartel constitué entre les deux plus gros fabricants, Baccarat et Saint-Louis, pour contrôler le marché, fonctionna pendant un bon quart de siècle (1830-1857).

Cette volonté de défendre ses intérêts par tous les moyens est sans doute le trait le plus frappant du *comportement de la grande bourgeoisie*, industrielle et d'affaires. Ce n'est pas qu'elle n'ait pas su contribuer au progrès économique ou au développement de la production, mais seulement quand son intérêt immédiat l'y portait. Sinon, elle n'a pas craint d'y faire obstacle :

> Il apparaît bien que nous abordons ... l'examen du passif, d'un passif qui va se révéler assez lourd : la lenteur, dans la substitution du charbon au bois pour la production du fer, a constitué un exemple du peu de perspicacité chez les entrepreneurs, du manque d'ampleur dans leurs vues... Que cette classe ait *parfois* contribué à des innovations, c'est certain. Seulement, il ne faut pas dire, ni laisser croire, que l'attitude a été constante (J. Lhomme).

Le même auteur ajoute encore, au passif de la grande bourgeoisie, « l'âpreté qu'elle a mise à défendre ses intérêts, cette dureté que notait déjà Tocqueville », et « son incapacité à voir au-delà de son avantage immédiat ». Et ce n'était certes pas du côté du pouvoir politique, qu'elle dominait entièrement, que pouvait provenir une incitation à prendre en considération l'intérêt général et le bien public.

Les choses allaient changer, au tournant du siècle, avec l'arrivée au pouvoir de Napoléon III. Non qu'un simple changement de régime et de souverain ait suffi pour modifier radicalement l'équilibre des forces sociales, mais cet événement s'est trouvé coïncider avec une nouvelle orientation de la conjoncture économique, que l'Empereur lui-même a voulu utiliser.

Il y a chez *Napoléon III*, en effet, sinon un plan mûri, au moins un « schéma d'intentions bien arrêtées » (M. Blanchard), parmi lesquelles, et avant tout, celle de procurer aux Français le bien-être matériel : « Ayant assisté au brusque enrichissement industriel de l'Angleterre et entrevu la série trépidante d'initiatives dont elle se transformait, il avait, dans son exil, pris de la France l'impression d'un vaste pays puissant, plein de ressources et de richesses, mais sentrdement géré, et de ce chef, grevé d'un gros retard. Il considérait donc que, comme entrée de jeu, il fallait hâter en France le passage aux formes de l'économie moderne. » Que l'occasion d'apporter la prospérité aux Français ait été offerte par le renversement de la conjoncture ne fait aucun doute. Mais il ne fait pas de doute non plus que l'Empereur a eu l'audace de saisir cette chance et, pratiquant une politique ambitieuse d'intervention dans le domaine économique et social, d'écarter ainsi les principes paralysants du libéralisme louis-philippien.

L'amélioration de la conjoncture économique, dont le point de départ se situe dans les années 1850-1851, se traduit par une hausse de longue durée des prix, hausse mondiale et pas seulement française, qui couvre près d'un quart de siècle. A l'origine de cette hausse, entre autres raisons, l'afflux d'or que provoque la mise en exploitation des mines de Californie, d'Australie, de Nouvelle-Zélande : en vingt ans (1850-1870), la production de l'or dans le monde égale à peu près toutes les quantités accumulées depuis la découverte de l'Amérique. La hausse des prix, lente et relativement modérée (elle est, de 1851 à 1873, de l'ordre de 30 %), va dominer toute la vie économique de cette période en exerçant, par l'intermédiaire du profit qui hausse beaucoup plus que les prix, une influence stimulante sur toute la production. Dans le même temps, l'accroissement des fortunes, tel qu'on peut le mesurer par les statistiques de l'annuité successorale, s'accélère : de 1829-1831 à 1849-1851, la valeur de l'annuité successorale augmente de 30 % ; pour une même période de vingt ans, elle augmente, de 1849-1851 à 1869-1871, de 50 %.

A l'essor économique et, plus précisément, à l'essor capitaliste, un troisième facteur a largement contribué, le *saint-simonisme*, qui lui a offert « des perspectives, des formules, un enthousiasme, des hommes » (G. Palmade). Devenu chez les disciples de Saint-Simon une doctrine de la production et seulement de la production, alors que Saint-Simon lui-même désirait « améliorer le plus promptement possible l'existence morale et physique de la classe la plus pauvre », le saint-simonisme souligne l'éminente utilité des producteurs et célèbre la « classe industrielle » comme la « classe nourricière de la société ». Il proclame que l'âge d'or de l'humanité n'est pas dans le passé, mais dans l'avenir. C'est un idéal de progrès, que les saint-simoniens ont su fort concrètement réaliser. Enfantin et les frères Péreire dans la banque, Michel Chevalier au Collège de France, puis conseiller écouté de l'Empereur, Talabot dans les entreprises de chemin de fer, tels sont quelques-uns des hommes qui impriment au développement économique un élan nouveau.

Sous l'impulsion des saint-simoniens, c'est d'abord le *crédit* qui devient, selon l'expression de J. Lhomme, une « industrie motrice ». Comme le temps est arrivé des grandes entreprises, les capitaux familiaux cessent en général de suffire à leur financement ; le nouveau capitalisme n'est plus familial, mais financier et spéculatif. Le moyen de cette transformation est la mobilisation des épargnes, jusqu'ici stérilisées ou mal employées, et que la prospérité multiplie. Ce « plébiscite des capitaux » a été réalisé en premier lieu par une entreprise animée par des saint-simoniens, les frères Péreire, le Crédit mobilier, fondé dès 1852. Le Crédit mobilier est destiné à faciliter les investissements industriels en mettant à la disposition des grandes sociétés les capitaux dont elles ont besoin ; ces capitaux, le Crédit mobilier les rassemble en plaçant dans le public des obligations; il les prête aux sociétés, qu'il souhaite grouper en un « omnium », de sorte que les plus solides soient en quelque sorte la garantie des moins sûres. Trois ans plus tard, les banquiers rivaux des Péreire constituent un syndicat, qui deviendra en 1864 la Société générale, banque de dépôts qui finance, elle aussi, des entreprises industrielles. Avec le Crédit industriel et commercial (1859) et le Crédit lyonnais (1863) s'achève la création du nouveau réseau bancaire. Mais la vieille banque elle-même commence, sous le second Empire, à orienter certaines de ses opérations dans le même sens, c'est-à-dire à développer ses placements industriels sous forme de crédits, de participations prises dans les sociétés, et d'émissions de valeurs. Quelles que soient les formes employées, le crédit s'ouvre largement aux entrepreneurs.

Parmi ceux-ci, les industriels de la métallurgie, les « rois du fer », les Talabot, les Schneider, les Wendel, se hissent au premier rang de la fraction maintenant la plus dynamique de la bourgeoisie, la *bourgeoisie industrielle*. L'essor des chemins de fer, les commandes de l'armée et de la marine, la construction, offrent à leurs produits des débouchés considérables. L'élévation du niveau de vie sert les intérêts des grands de l'industrie textile, patriciat mulhousien, patriciat du Nord, soyeux de Lyon, dynasties normandes. Les découvertes scientifiques et le progrès technique fraient la voie aux « pionniers de l'industrie chimique », les Kuhlmann, les Guimet, les Deutsch de la Meurthe, les Desmarais. En même temps que la bourgeoisie industrielle profite au maximum de l'orientation favorable de la conjoncture économique, elle développe sa puissance au moyen de la *concentration des entreprises :* concentration financière, les grandes firmes rachetant ou regroupant des entreprises moins solides que les crises cycliques mettent en mauvaise posture; concentration technique en grands établissements, aux dépens du travail en petits ateliers ou à domicile; concentration géographique dans les villes ou près des mines. Cette concentration est particulièrement rapide dans la métallurgie (les établissements de Wendel occupent plus de 9 000 ouvriers à la fin du second Empire; les usines Schneider 2 500 en 1845, 6 000 en 1860, 10 000 en 1870) et dans les chemins de fer (42 sociétés en 1851, 6 en 1860). Moins spectaculaire dans l'industrie textile, qui « participe d'un monde différent en raison de sa structure artisanale et familiale, de sa tradition et de ses routines », elle n'en est pas moins « réelle et effective » (C. Fohlen). Au cours des années 1850 et surtout 1860, on assiste à l'écroulement du monde artisanal, à la naissance d'une industrie textile moderne « dont les traits essentiels sont fixés pour un siècle ».

La grande bourgeoisie industrielle est même allée au-delà de la concentration des entreprises; « accusant au maximum le caractère dévorant du capitalisme », elle a pratiqué autant qu'elle le pouvait le *cumul des fonctions* entre les mêmes mains. Un collaborateur de Proudhon, Georges Duchêne, affirmait qu'en 1862 les Péreire « gouvernaient » dix-neuf compagnies et trois milliards et demi de capitaux; il montrait que les fonctions d'administrateurs de sociétés étaient partagées entre 183 personnes dont une trentaine (Morny, Rothschild, les Talabot, les Péreire, etc. pratiquaient d'impressionnants cumuls. Ces 183 personnes auraient contrôlé plus de vingt milliards de francs d'actions et obligations, un véritable « empire » industriel.

Cette concentration du pouvoir économique entre les mains d'une oligarchie fit scandale et fut dénoncée non seulement par les proudhoniens et autres socialistes, mais par une partie de la bourgeoisie, celle qui restait profondément attachée au libéralisme, par intérêt (commerçants et petits industriels) ou par conviction (intellectuels). La bourgeoisie était menacée d'une scission, d'autant plus grave pour elle que, si la prospérité avait puissamment servi la grande bourgeoisie, elle avait aussi renforcé les rangs de la moyenne et de la petite, aussi bien par l'augmentation du nombre des entreprises (comme le montrent les statistiques des patentes) que par l'accroissement du nombre des carrières offertes par la fonction publique et les possibilités d'emploi de plus en plus large de techniciens. Si la grande bourgeoisie, déjà détentrice du pouvoir politique et de la puissance économique, prétendait au monopole, elle risquait alors de dresser contre elle ceux à qui elle enlèverait jusqu'à l'espoir d'échapper à leur position de subordination.

MOUVEMENT DU NOMBRE DES COTES DE PATENTES
comprises dans les rôles primitifs et supplémentaires 1827-1913

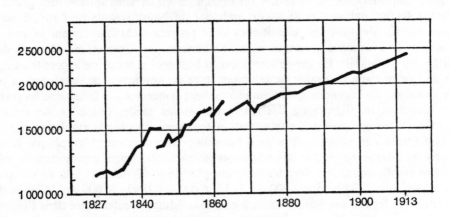

Les décrochements des années 1845, 1859 et 1863 traduisent des modifications de la législation des patentes (exemptions diverses).

Source : *Annuaire statistique*, 1961.

Il semble bien que la grande bourgeoisie ait eu tendance à se constituer, dès cette époque, en *caste*. Les historiens ont pu noter en effet que « les multiples liaisons familiales... tendent à renforcer l'unité du patronat capitaliste, à le fermer aussi. Les mariages se font, presque toujours, à l'intérieur du groupe : pour se marier, il faut « une cheminée qui fume » ; si ce n'est pas dans la même branche professionnelle, c'est au moins entre familles de niveau comparable, appartenant à une même élite économique, que se nouent ces unions ». Cependant, l'accès au patronat, et même au grand patronat, reste sinon aisé du moins possible. G. Duveau, qui remarque qu'après 1870 il n'en sera plus de même, cite l'exemple du « magnat de la métallurgie, Jean-François Cail, qui fit son apprentissage de chaudronnier chez un de ses cousins », celui des frères Darblay, fondateurs des grands moulins de Corbeil, et celui du grand orfèvre parisien Christofle.

On pourrait ajouter à cette liste les noms des créateurs des entreprises de cette industrie neuve qu'était l'industrie chimique, et celui de Pouyer-Quartier, le filateur normand, type du parvenu qu'une fortune considérable place aux premiers rangs du patronat textile et qu'une ambition non moins considérable oriente vers une étonnante carrière politique.

Aussi longtemps qu'elle laisse entrebâillée la porte par laquelle peuvent s'engouffrer les candidats à la promotion sociale, la grande bourgeoisie parvient, sans trop de difficulté, à faire admettre sa suprématie aux autres catégories bourgeoises, dont les membres les plus remuants n'abandonnent pas l'espoir de pénétrer, par réussite individuelle, dans ses rangs. Consciente de sa puissance, enviée de certains, admirée par tous, elle impose, par son seul ascendant, à l'ensemble de la bourgeoisie un comportement et une mentalité qu'on ne tardera pas à considérer comme typiquement bourgeois.

Le *comportement bourgeois* apparaît bien dans la *vie familiale*. La grande affaire est le mariage, la grande terreur du père de famille, la mésalliance. Outre les conditions de fortune, qui doivent être équivalentes, compte tenu des « espérances » que chacun des époux apporte au contrat, le niveau d'instruction et d'éducation doit être semblable : «. Le piano sera la marque distinctive de la jeune bourgeoise, comme le latin pour le jeune bourgeois » (R. Pernoud). Le mari, souvent détaché lui-même de la religion, considère que celle-ci doit faire partie de l'éducation féminine, car c'est un sûr garant de moralité et de stabilité du foyer. Une fois marié, le bourgeois est maître absolu chez lui, il exerce un pouvoir sans limites légales sur ceux qui l'entourent : « La femme est littéralement absente du Code civil. La femme, plus encore que sous l'Ancien Régime, reste une éternelle mineure, passant de la tutelle du père à celle du mari... Le Code civil ignore l'enfant; c'est le futur propriétaire qui intéresse les juristes exclusivement » (R. Pernoud). La famille est d'abord une société d'acquêts, et les sentiments viennent après les intérêts. Aux écrivains qui ont voulu voir comme un trait particulier à la bourgeoisie l'amour des enfants, et qui opposent sur ce point la bourgeoisie du XIXᵉ siècle à la noblesse d'Ancien Régime qui les laissait volontiers aux mains des domestiques, R. Pernoud oppose l'attitude du bourgeois non pas à l'égard de ses enfants (« il y tient comme il tient à tout ce qui constitue une propriété »), mais à l'égard de l'enfance. Elle cite en témoignage des extraits des débats à la Chambre des députés sur la loi concernant le travail des enfants (1840-1841); ils illustrent clairement la sécheresse de cœur, l'hypocrisie et la monstrueuse bonne conscience des porte-parole de la bourgeoisie d'affaires.

Pour la bourgeoisie, le fondement de la société ne peut-être que la propriété, puisqu'elle permet le profit et apporte la sécurité. Aussi, les *vertus bourgeoises* sont celles qui sont récompensées par un accroissement de richesse : sagesse pratique et calculatrice, prudence, ordre, économie, régularité dans le travail. Les vices les plus dégradants sont ceux qui entravent les affaires : malhonnêteté, vol, escroquerie, tromperie. La débauche est sévèrement jugée lorsqu'elle provoque la ruine d'une famille et son déclassement; contenue dans certaines limites, c'est péché véniel. Pour parvenir à l'enrichissement, les scrupules ne sont pas de mise : « Lors du versement des salaires, tous les moyens semblent bons au patronat pour rogner encore sur le peu qu'il lui faut payer: amendes pour malfaçons; retenues pour « frais de machines »; fausses mesures même; pratique

129

d'un « agio » grâce à quoi les payements faits en argent permettent à l'employeur de retenir encore 1 à 2 % du salaire » (J. Lhomme). Plus généralement, la bourgeoisie a besoin pour s'enrichir d'exploiter toute une classe, dont elle exige en outre qu'elle accepte son sort avec patience ; il lui faut, selon sa propre expression, des « instruments résignés ».

Cet égoïsme se tempère-t-il de cet amour de la paix et de la liberté souvent loué ? Que le bourgeois soit ennemi des aventures de la guerre ne fait pas de doute ; on connaît, par exemple, la prudence du roi « bourgeois » Louis-Philippe, et les inquiétudes d'un Rothschild à la veille du rétablissement de l'Empire. Mais ce pacifisme est-il beaucoup plus que le désir de jouir paisiblement de ses richesses ? Quant à l'amour de la liberté, outre que la liberté n'est guère revendiquée que pour l'employeur mais refusée au salarié, il cède souvent devant l'aspiration au monopole : monopole de l'économie (protectionnisme), de la richesse (concentration), de l'instruction (l'enseignement secondaire est réservé aux fils des bourgeois).

Mais le trait sans doute le plus caractéristique de la mentalité bourgeoise est la *bonne conscience*. Les penseurs de la bourgeoisie n'ont pas eu de peine à convaincre leurs pareils qu'ils occupaient, dans la société, la place qui devait de droit leur revenir, la première. Et c'est à l'histoire qu'ils ont demandé la justification de ce postulat : « Préoccupé du vif désir de contribuer pour ma part au triomphe des idées constitutionnelles, écrit Augustin Thierry en 1817, je me mis à chercher dans les livres d'histoire des preuves et des arguments à l'appui de mes croyances politiques. » L'histoire telle que la conçoit Guizot montre ainsi que la bourgeoisie qui, au Moyen Age, forma les communes en France et, au XVIIIᵉ siècle, assura en Angleterre la victoire du Parlement, est digne de la suprématie qu'elle exerce. Pour Guizot, l'histoire de France aboutit logiquement à la Charte. Seul, ou presque, Tocqueville, qui n'est pas un bourgeois, comprend que la victoire bourgeoise ne marque pas le terme de l'histoire.

3. LA FORMATION DU PROLETARIAT OUVRIER

Par l'abolition des corporations et l'institution de la liberté du travail, la Révolution a créé les conditions qui ont permis à la révolution industrielle de faire sentir pleinement ses effets en France. Révolution lente, d'ailleurs, beaucoup plus lente qu'en Angleterre : « L'accouplement massif, généralisé, du métier ou de la machine-outil avec la machine à vapeur » n'est réalisé qu'au cours de la première moitié du XIXᵉ siècle (au début du siècle, près du quart de l'énergie industrielle employée en France est encore d'origine hydraulique, contre 2 % en Angleterre) ; et la révolution des moyens de transport ne se fera qu'après 1850, après la révolution industrielle et non pas en même temps comme chez nos voisins britanniques.

La naissance d'une société économique moderne a donc été plus tardive et plus difficile. Aussi, ce qui caractérise l'industrie française pendant une grande partie du XIXᵉ siècle, c'est la coexistence de formes archaïques, petit atelier où vivent côte à côte patron et compagnons, fabrique dispersée à main-d'œuvre semi-artisanale du type XVIIIᵉ siècle, et de la forme moderne de la fabrique concentrée. Celle-ci n'est pas, et de très loin, la plus répandue; en 1848 encore, les ouvriers qu'elle emploie ne représentent que le quart de la main-d'œuvre industrielle. Le prolétariat de fabrique reste comme noyé au milieu des ouvriers des vieux métiers et constitue avec eux, et aussi avec les petits patrons de l'artisanat, une « classe populaire », mais pas encore une classe ouvrière.

L'*ouvrier des vieux métiers* représente un type social original dans la France du XIXe siècle. Il est, tout d'abord, un ouvrier qualifié, car il a fait son apprentissage (l'ouvrier de la grande industrie n'a pas cette chance; happé très jeune, parfois même dès l'enfance, par l usine, il ne peut apprendre son métier que sur « le tas », au hasard des tâches qui lui sont confiées). Il est, généralement, instruit et attache beaucoup d'importance à l'instruction, dont il entend que ses enfants reçoivent les bienfaits. Aussi s'intéresse-t-il au problème de l'école, qu'il voudrait débarrassée de tous les préjugés et de toute influence extérieure, particulièrement de l'influence cléricale. Sa vie familiale est irréprochable; de mœurs sévères, il ne gaspille pas ses loisirs au cabaret, il les consacre au groupe familial, à son épouse qui reste « au foyer », à des enfants qu'il ne veut pas trop nombreux pour assurer à chacun une vie décente et même la possibilité d'atteindre une condition plus élevée. Il a le goût de la lecture, celui de la discussion (on a souvent remarqué, par exemple, que l'atelier du cordonnier est un lieu de réunion, où le client s'attarde), et de la réflexion, il est ouvert aux problèmes de son temps. Ces qualités font le bon militan ouvrier; et les militants ouvriers se recruteront plus souvent, au moins jusque vers les débuts de la IIIe République, parmi les imprimeurs, les ouvriers d'art, les ébénistes, les charpentiers, les tailleurs, les chapeliers, que parmi les ouvriers de la grande industrie.

Ceux-ci sont issus d'un milieu bien différent, le milieu rural. Non pas que beaucoup de paysans propriétaires aient abandonné leur exploitation; le parcellaire lui-même met son espoir dans l'achat d'un lot de terre plus que dans la quête d'un emploi industriel. Mais les salariés de l'agriculture, ceux aussi de la fabrique dispersée, qui subit la concurrence implacable de l'usine, espèrent échapper au chômage et obtenir des salaires moins misérables en gagnant les villes. *Comment ces ruraux se sont-ils intégrés au milieu urbain?* Faute de monographies locales, nous connaissons mal ces processus d'intégration. En Lorraine, le paysan qui abandonnait le village pour travailler dans les grands centres métallurgiques semble avoir répugné à prendre immédiatement un emploi à la mine ou à la forge. Il se faisait plutôt livreur, commis épicier, garçon boucher, manœuvre dans les travaux de terrassement ou de voirie, et ce recul face au grand établissement industriel ne cessait qu'à la génération suivante; alors seulement les enfants de l'immigrant étaient « happés par les établissements de Wendel ». Dans la Loire, au contraire, si nous en croyons les mineurs de Rive-de-Gier répondant au questionnaire de l'enquête de 1848, « les ouvriers des campagnes, laissant leur champ à défricher, viennent de toutes parts pour s'établir dans (cette) localité... Ils se jettent de préférence dans notre industrie parce qu'elle n'exige pas d'apprentissage aussi long que les autres ». Quoi qu'il en soit, l'afflux des ruraux a provoqué dans les villes industrielles une terrible crise du logement; la population ouvrière a dû s'entasser dans de sordides taudis, comme le constatent tous les observateurs de ce temps, les Villermé, les Blanqui, les Guépin, les Buret. L'état des logements a causé aux ouvriers les plus dures souffrances.

Les souffrances de caractère non matériel, mais psychologique, qu'ont endurées ces nouveaux ouvriers de la grande industrie, n'étaient pas moins grandes. L'ouvrier, enrégimenté dans la fabrique, perdait son indépendance technique; au lieu de travailler à domicile, ou dans les champs, à des tâches variées, il devenait le serviteur d'une seule machine. Habitué à un travail improvisé, désordonné, sans suite, l'ouvrier de fraîche date était astreint à un travail systématique, continu, régulier, le plus souvent monotone. Il avait vendu à son employeur non seulement sa force de travail, mais son initiative, sa liberté de disposer de ses faits et gestes, son temps. Arraché à son milieu traditionnel, il était maintenant exposé à l'isolement, à la démoralisation, à l'instabilité, à l'indiscipline sociale.

Ces effets de *démoralisation* sur le prolétariat rassemblé des fabriques sont connus. Les progrès de l'alcoolisme, par exemple, dans ce milieu, paraissent bien établis : « L'homme qui travaille dans la grande usine... boit d'autant plus qu'il veut oublier son existence monotone » (G. Duveau). Mais la situation a été aggravée encore par la *mise au travail des femmes et des enfants*, conséquence de la mécanisation.

Les industriels, ceux du secteur textile particulièrement, ont découvert en effet que pour mettre en marche et surveiller certaines machines, ou effectuer certaines opérations très simples, comme le rattachage des fils rompus, il n'est pas besoin de force physique; femmes et enfants peuvent aisément remplacer les hommes, et coûtent moins cher; les femmes sont payées deux fois et même trois fois moins que les hommes, les enfants ne reçoivent qu'un salaire dérisoire. Aussi, dès 1847, comptait-on, dans les établissements occupant plus de dix ouvriers, à côté de 670 000 hommes employés, 254 000 femmes et 130 000 enfants.

Les effets d'un travail précoce sur la santé des enfants sont aisés à imaginer : « Ce n'est pas un travail à la tâche, c'est une torture qu'on inflige à des enfants de six à huit ans, mal nourris, mal vêtus, obligés de parcourir, dès cinq heures du matin, la longue distance qui les sépare des ateliers, à laquelle s'ajoute, le soir, le retour des mêmes ateliers. Il en résulte une mortalité infantile excessive » (Villermé). En outre, les mauvais traitements infligés aux enfants n'étaient pas rares; dans certains établissements de Normandie, « le nerf de bœuf figure sur le métier au nombre des instruments de travail ». Ces enfants ne reçoivent, enfin, aucun apprentissage, si ce n'est celui de la dépravation précoce dans la promiscuité de l'atelier.

Le sort des femmes n'est pas plus enviable. Absence d'hygiène dans des bâtiments étroits, installés à la hâte, où règne souvent l'humidité ou la poussière, nécessité de travailler debout pendant de longues heures, traumatismes répétés infligés par certaines machines altèrent gravement la santé des ouvrières. Dans les ateliers mixtes, celles-ci sont exposées à toutes les sollicitations, sinon aux exigences de contremaîtres, de directeurs ou de patrons : « Les lieux de fabrique, écrit en 1855 le procureur de la Cour d'appel de Colmar, sont des repaires de débauche éhontée. » Pour compléter un salaire misérable, certaines ouvrières quittent l'atelier avant la fin de la journée de travail et vont se livrer à la prostitution; elles font ce qu'on appelle alors « le cinquième quart de la journée ».

Le prolétariat de fabrique, en ces temps qu'on pourrait appeler l'âge de fer de l'industrialisation, a donc payé très cher les effets du développement économique. Misère physiologique (dans le département de la Loire, la durée moyenne de la vie, au milieu du XIXe siècle, est de 59 ans pour les cultivateurs, mais de 42 ans pour les passementiers et de 37 ans pour les mineurs) et misère morale (démoralisation, alcoolisme, cupidité même, car l'ouvrier a souvent tendance à refuser de faire instruire ses enfants pour les envoyer au plus tôt à l'usine d'où ils rapporteront un salaire, si maigre soit-il) l'ont profondément marqué.

Il convient, cependant, d'apporter à ce tableau certaines nuances.

— *Nuances géographiques* d'abord. La grande industrie n'est pas uniformément répartie sur le territoire français. Des zones entières lui échappent, comme la Bretagne et la plus grande partie du Midi. Elle est localisée surtout dans la région du Nord, où les fabriques ont écrasé l'artisanat, où les agglomérations ouvrières prennent un caractère massif, en Lorraine (métallurgie) et en Alsace (textiles), dans le centre (Lyon, bassin de Saint-Étienne, bassin du Creusot, région de Montluçon-Commentry) et dans la Seine-Inférieure. A Paris, la grande industrie ne progresse guère, tandis que les petites entreprises, les petits ateliers prolifèrent, au moins jusqu'au milieu du siècle, avec leur élite d'ouvriers très qualifiés et très actifs. Les grands établissements s'installent de préférence dans les communes suburbaines.

— *Nuances sociologiques*, aussi. G. Duveau distingue, au milieu du siècle, quatre types principaux : l'ouvrier campagnard (auquel on pourrait assimiler l'ouvrier de la fabrique dispersée, au moins lorsque celle-ci recrute sa main-d'œuvre dans les campagnes), moins rivé à son métier, menant une existence plus saine que l'ouvrier des villes, mais isolé, fruste, aux réactions élémentaires; l'ouvrier qui habite un centre urbain d'importance moyenne, sans grands établissements, où la différenciation professionnelle est peu accusée, si bien que, quel que soit le métier exercé, les salaires et les habitudes sont à peu près les mêmes, la vie simple et paisible; l'ouvrier de la petite ville qu'écrase un grand établissement (Le Creusot, par exemple), entièrement livré à « l'usine tentaculaire » et au « patron omnipotent »; l'ouvrier des très grands centres urbains, enfin, comme Paris ou Lyon, qui y respire « une atmosphère intellectuelle relativement libératrice ». L'artisan, l'ouvrier du petit atelier, l'ouvrier d'usine, finissent par éprouver les mêmes espoirs et les mêmes colères : « L'unanimisme que forge la ville l'emporte sur celui que forge l'atelier ou l'usine ».

— *Nuances chronologiques*, enfin. Car la condition ouvrière n'est pas restée inchangée tout au long du XIXe siècle, alors que les conjonctures, économique et politique, subissaient les fluctuations que l'on connaît.

Dans un premier temps, auquel on pourrait fixer comme limites commodes les années 1815 et 1848, la conjoncture paraît peu favorable : dans le domaine politique, des régimes dominés par l'aristocratie foncière, peu ouverte aux questions ouvrières, ou la bourgeoisie d'affaires, plus dure encore et surtout fermement opposée, par conviction et par intérêt, à toute mesure protectrice du travail humain, qu'elle considère comme une marchandise, un produit comme les autres, soumis aux lois intangibles d'une économie libre. Dans le domaine économique, une baisse de longue durée des prix-or, et une longue débâcle des prix industriels, qui commence avec la crise de 1817-1818, et dure jusqu'en 1851, menacent le profit de l'entrepreneur et l'incitent à réduire ses prix de revient et à en comprimer l'élément le plus aisément compressible, le salaire.

L'évolution du *taux du salaire* n'a d'ailleurs pas été la même pour tous les secteurs. Dans les vieilles professions qui n'ont pas été touchées par la mécanisation, comme le bâtiment, le salaire se maintient, avec de faibles fluctuations en hausse ou en baisse. Dans la mine, secteur en expansion, il semble plutôt orienté à la hausse. Mais dans les professions mécanisées, comme la métallurgie et surtout le textile, la baisse est générale et, le plus souvent, d'amplitude considérable (entre 1810 et 1850, cette baisse atteint, pour le salaire masculin dans l'industrie textile, 40 %). Dans l'ensemble, et quelles que soient les incertitudes des données dont nous disposons, la tendance à la baisse du taux du salaire est incontestable.

Mais la condition matérielle de l'ouvrier ne dépend pas seulement du taux du salaire. Elle dépend aussi de l'emploi (ou du chômage), du coût de la vie, de la durée de la journée de travail.

En l'absence de statistique du chômage, dont se souciaient peu les gouvernements de l'époque, on ne peut que constater que l'expansion démographique qui se poursuit, et l'afflux, qui commence, de ruraux dans les villes, ont vraisemblablement *accru le volume de l'offre* de main-d'œuvre, et dans des proportions beaucoup plus fortes que l'augmentation de la demande, si celle-ci a eu lieu. Tout porte à croire que cette pression de demandeurs d'emploi a rendu plus aisée la baisse des salaires que l'employeur désirait imposer.

— *Le coût de la vie ouvrière* est étroitement lié au coût de la nourriture (qui représente près des trois quarts du budget ouvrier) et particulièrement du pain. Villermé affirme en effet que les ouvriers « ne mangent de la viande et ne boivent du vin que le jour ou le lendemain de la paie, c'est-à-dire deux fois par mois ». Or, après une forte baisse de 1817 à 1827, le prix du pain tend à hausser à partir de cette date jusqu'en 1847. Comme le prix du loyer (qui représente de 10 à 20 % du budget) s'élève aussi, et bien plus que le prix de la nourriture, le coût de la vie n'a pu qu'augmenter, pendant ce premier demi-siècle, dans une proportion qui ne semble pas très éloignée de 10 %. Il s'ensuit que, le salaire nominal étant orienté à la baisse, le salaire réel, ou pouvoir d'achat, a subi la même orientation, mais d'amplitude un peu plus forte. Encore ne s'agit-il ici que du mouvement de longue durée du salaire réel pour l'ensemble des années 1817-1850. Plus dramatique apparaît le mouvement cyclique de ce salaire, avec les effondrements qui coïncident avec les crises de subsistances de 1817, de 1828-1832, de 1838-1840, de 1847. Lors de ces crises, en effet, le salarié supporte non seulement la hausse considérable du prix du pain (hausses de 50 à 100 %), mais, en même temps, une baisse précipitée du salaire nominal et une poussée de chômage, conséquences de l'extension au secteur industriel de la crise qui frappe le secteur agricole. L'effondrement du pouvoir d'achat ouvrier lors de ces crises dites « de type ancien » est un trait du XIXᵉ siècle et ne se prolongera guère au-delà de 1860. Dans l'économie contemporaine, la concordance, en temps de crise, de la baisse du salaire nominal et de la hausse convulsive des prix de la nourriture cessera, et les effroyables poussées de misère caractéristiques des deux premiers tiers du XIXe siècle cesseront du même coup.

— *Quant à la durée du travail*, elle tend à s'allonger, sous l'influence de facteurs techniques et économiques. Facteurs techniques, la substitution de la machine à vapeur, dont le travail est continu, au moteur hydraulique, dont le travail est, en raison de l'irrégularité du débit des cours d'eau, discontinu, et l'utilisation de la lumière artificielle, car l'éclairage au gaz que l'on commence à utiliser rend possible l'allongement indéfini de la journée de travail. Facteur économique, la nécessité, pour l'entrepreneur, d'utiliser ses machines au maximum, pour laisser le moins longtemps possible improductif le capital qu'il a investi dans l'outillage, et pour lutter en même temps contre la concurrence des autres fabricants, qui se fait de plus en plus vive dans ces temps difficiles. Ces facteurs ne jouent pas pour les anciennes professions qui ne sont pas encore mécanisées, et tout porte à croire que la durée de la journée de travail y est restée fixée aux douze heures de travail effectif par jour que l'on considérait alors comme normales. Mais dans la grande industrie, où ils jouent pleinement, l'allongement de la journée de travail est attestée, parfois par les chefs d'entreprises eux-mêmes. La journée est de douze heures à douze heures et demie de travail effectif dans les ateliers du textile de Reims, de treize heures dans le Nord et à Saint-Quentin, de treize heures et demie au moins dans le Haut-Rhin.

— *Ainsi, une aggravation de la condition ouvrière*, au moins dans la grande industrie, se dessine à partir de tous ces facteurs qui jouent de façon inégale, d'ailleurs. Pour y remédier, les ouvriers ne peuvent compter que sur eux-mêmes, car non seulement ils ne peuvent espérer une protection de l'État, mais ils sont soumis à une *législation qui leur est très défavorable*. Toute association permanente et même toute coalition temporaire leur sont interdites; en cas de grève, les meneurs sont arrêtés, traduits en justice et condamnés à la prison. La force armée est souvent mise à la disposition des employeurs pour obliger les ouvriers à reprendre le travail. Dans la vie quotidienne, le travailleur est suspect : il doit posséder un livret, petit cahier coté et paraphé par le commissaire de police ou le maire, qu'il doit faire viser à chaque changement de domicile sous peine d'être réputé vagabond; l'employeur en a la garde et y inscrit les avances qu'il a pu faire à l'ouvrier; celui-ci ne peut changer d'employeur sans présenter son livret : « Nul ne pourra... recevoir un ouvrier s'il n'est porteur d'un livret, portant le certificat d'acquit de ses engagements, délivré par celui de chez qui il sort » (article 12 de la loi du 12 avril 1803). Cette obligation du livret n'a sans doute pas été très strictement respectée; mais elle pesait toujours, en droit, sur l'ouvrier.

Aussi *l'action ouvrière* est-elle contenue, au début du XIXe siècle, dans d'étroites limites.

— *La vieille pratique du compagnonnage* subsiste, bien qu'elle soit prohibée en droit, mais tolérée en fait. Le compagnonnage facilite le placement des affiliés, permet, grâce au tour de France, au compagnon de se perfectionner dans son métier, et joue même un rôle de mutualité professionnelle locale en allouant des secours en cas de maladie ou de chômage. Mais le compagnonnage n'est pratiqué que dans quelques professions, toutes antérieures à la révolution industrielle; il ne groupe que des célibataires, que des jeunes; surtout, il est rongé par les particularismes, par les rivalités qui opposent, parfois en des rixes sanglantes, rites ou « devoirs » rivaux. Les efforts d'un Agricol Perdiguier pour le réformer de l'intérieur échouent, et le déclin du compagnonnage est évident dès la fin de la Monarchie de Juillet.

— *Les sociétés de secours mutuel* constituent, en dehors du compagnonnage, une autre sorte d'association possible. La Restauration en laissa se créer un certain nombre, même professionnelles. Autorisées après enquête administrative, elles ne devaient tenir leurs réunions que sous la présidence du commissaire de police ou du maire, et le nombre d'adhérents était limité (généralement à moins d'une centaine). Leurs fonds ne pouvaient servir qu'au soulagement des vieillards, des malades ou des infirmes. Le mouvement de création de sociétés de secours mutuels se développa d'abord à Paris (on y comptait 132 mutuelles professionnelles à la fin de 1823), puis en province, particulièrement à Lyon, et fit de sensibles progrès sous le règne de Louis-Philippe. A la fin de la Monarchie de Juillet, leur nombre dépassait sans doute 2 000. Ces mutualités ouvrières réunissaient surtout des ouvriers qualifiés; elles n'étaient pas en relations les unes avec les autres, si bien que le mutuellisme demeure un mouvement fractionné et limité à une infime partie du prolétariat.

— *Cependant, véritables sociétés « de résistance »*, des sociétés de combat, qui ne couvraient pas seulement les risques traditionnels de maladie, de décès, d'accident, mais les risques de lutte et notamment le chômage de grève, se masquaient derrière certaines mutuelles. Une des plus puissantes fut sans doute « la Société de devoir mutuel » fondée à Lyon en 1828 par les canuts, sous la forme d'une société secrète, fractionnée en groupes de vingt personnes pour tourner l'article 291 du Code pénal, qui soumettait à l'autorisation les sociétés de plus de vingt personnes. Quelques autres furent organisées à Marseille, à Roanne, sous la Restauration; elles se multiplièrent sous la Monarchie de Juillet, aussi bien à Paris qu'en province, et s'organisèrent fortement de 1840 à 1848. Se proposant avant tout d'agir sur le salaire et les conditions de travail, elles parvinrent quelquefois à imposer aux maîtres des « tarifs », c'est-à-dire des salaires minima valables pour l'ensemble d'une profession, et qui étaient comme des ébauches de contrats collectifs.

La question du tarif a été à l'origine du premier mouvement ouvrier de masse en France, l'*insurrection lyonnaise de 1831*. Provoquée par le refus de quelques chefs d'entreprises d'observer un tarif librement négocié, grâce aux efforts de conciliation du préfet Bouvier du Molart, entre fabricants d'une part, chefs d'ateliers et canuts de l'autre, elle a, pendant quelques jours, livré la ville de Lyon à des milliers de manifestants groupés derrière le célèbre mot d'ordre : « Vivre en travaillant ou mourir en combattant! » Mais les vainqueurs ne savent que faire de leur victoire, rentrent chez eux, et se trouvent livrés à la répression gouvernementale. La ville est occupée militairement, le tarif annulé, près de dix mille ouvriers, considérés comme indérisables, sont expulsés. Mouvement spontané, mouvement local (le prolétariat des autres villes industrielles n'a pas bougé), mouvement hétérogène (l'initiative est venue au moins autant des chefs d'ateliers que des ouvriers), l'insurrection lyonnaise a montré que le prolétariat a osé agir pour soutenir ses revendications, mais qu'il n'avait, en dehors du tarif, pas de programme précis.

C'est que la classe ouvrière n'a pas encore d'idéologie propre. En ce domaine, elle est une classe dépendante, non encore émancipée de la tutelle bourgeoise. Certains ont posé le problème de la machine et de l'homme, de la contradiction entre la croissance rapide des richesses matérielles et l'aggravation de la condition de ceux qui les produisent ; ils ont pensé que si cette contradiction se révélait fatale dans un régime d'économie libérale, il convenait alors de changer la structure de cette économie. Mais ces réformateurs sociaux, des saint-simoniens aux proudhoniens et aux fouriéristes, sont des intellectuels bourgeois, et ils n'ont qu'une faible action sur la classe ouvrière. En outre, ils ne comptent pas spécialement sur les ouvriers pour imposer les solutions qu'ils préconisent, car ils font appel à tous et considèrent que la transformation sociale sera pacifique, résultant d'innovations spontanées et de la force de l'exemple.

Cependant, l'action ouvrière se développe sous la Monarchie de Juillet, en prenant parfois, sous l'influence de diverses circonstances, un aspect politique. Agitation professionnelle, avec les vagues de grève de 1833-1834 qui ont pour objectifs, à Paris la réduction à dix heures de la journée de travail et une hausse des salaires, à Lyon un nouveau tarif ; de 1840 à Paris, dans une atmosphère de grève générale ; de 1844 dans la Loire, avec les incidents tragiques de Rive-de-Gier ; de 1847 enfin. Mais le gouvernement prête main-forte aux employeurs et, par la loi du 10 avril 1834 sur les associations, aggrave les dispositions du Code pénal : « Les dispositions de l'article 291 du Code pénal sont applicables aux associations de plus de vingt personnes, alors même que ces associations seraient partagées en sections d'un nombre moindre, et qu'elles ne se réuniraient pas tous les jours ou à des jours marqués. » Si la nouvelle loi ne détruit pas toutes les organisations ouvrières, elle substitue à un régime de tolérance relative un régime d'arbitraire, car « l'autorisation donnée par le gouvernement est toujours révocable ». Désormais, l'autorité choisit, entre les sociétés ouvrières, celles qui lui paraissent inoffensives. Si bien que les ouvriers les plus actifs sont contraints de se réfugier dans l'action clandestine, où ils vont rencontrer les sociétés secrètes. Ainsi s'ébauche une jonction entre mouvement politique (le parti républicain) et mouvement ouvrier, dont les premières manifestations sont la nouvelle insurrection lyonnaise d'avril 1834 et l'épisode de la rue Transnonain à Paris, et qui se manifeste de nouveau lors de la révolution de 1848.

Cette révolution a été, pour le monde ouvrier, une grande espérance, que le gouvernement provisoire a tenté de ne pas décevoir en préparant une législation protectrice du travail inspirée des revendications corporatives de la classe ouvrière. On sait comment cette œuvre a été ruinée en quelques semaines, et comment juin a détruit les illusions de février.

« Grandeur de l'idée, faiblesse du mouvement », ainsi a-t-on caractérisé la période 1815-1851, en opposant à la force idéologique du socialisme la misère du mouvement ouvrier. Avec le tournant du demi-siècle, qui coïncide avec un renversement de la conjoncture économique et un changement de régime politique, s'ouvre une *nouvelle période* qui, de 1851 à 1871, va voir, au contraire, l'essor du mouvement ouvrier.

La *prospérité économique* des années 1851-1873 sert d'abord les entrepreneurs qui, par la double augmentation des prix et des quantités produites, réalisent d'énormes profits : le profit industriel semble avoir presque quadruplé au cours de cette période. Elle sert aussi les salariés, parce que le chef d'entreprise, dans une conjoncture faste, transige plus facilement avec la revendication ouvrière.

C'est pourquoi *le salaire nominal* s'engage dans un cours nouveau : il hausse. Dans le bâtiment, il s'établit en 1873 à l'indice 140 (indice 100 en 1851), dans l'industrie des métaux à l'indice 150, dans les mines à l'indice 160, dans l'industrie textile à l'indice 178. La hausse des salaires a sans doute été plus forte dans les grandes villes, où la pression ouvrière a été plus efficace, que dans les régions faiblement industrialisées et les petites villes, dans la grande industrie que dans les vieux métiers. On l'évalue, en moyenne, à 40 ou 45 %. Phénomène fondamental que cette hausse des salaires, tranchant avec la stagnation de la période précédente : quoi qu'on ait dit du caractère fallacieux du salaire nominal, qu'on oppose au salaire réel, au pouvoir d'achat, il est certain que le salarié attache une grande importance au signe monétaire de sa rémunération et, bien entendu, à son accroissement.

Mais de quelles contreparties cette hausse du salaire nominal a-t-elle été payée? Y a-t-il eu allongement de la journée de travail? Sous la seconde République, le Gouvernement provisoire avait dû faire droit aux revendications ouvrières : le décret du 2 mars 1848 fixait la journée à onze heures en province, dix heures à Paris. Mais la loi du 9 septembre 1848 rétablit à douze heures le maximum de travail effectif dans les usines et les manufactures, et les textes réglementaires furent encore en recul sur la loi. Pendant le second Empire, *la règle générale a été la journée de douze heures en province, de onze à Paris.* Cette norme a été, certainement, dépassée dans certains métiers, et pour les travailleurs à domicile. Mais la tendance systématique à l'allongement de la durée du travail, qui caractérisait le premier demi-siècle, a disparu.

Le travailleur a-t-il été soumis à une discipline plus sévère Sous la pression des industriels, il semble que l'habitude de ne pas venir au travail le lundi, qu'avaient prise certains ouvriers des grandes villes (ils fêtaient le « saint Lundi »), n'ait plus été tolérée. Mais une aggravation sensible des conditions de travail aurait provoqué une usure de la santé des ouvriers, et cette usure n'apparaît pas dans les statistiques démographiques. G. Duveau remarque, au contraire que « la santé des ouvriers employés dans les manufactures s'est sensiblement améliorée ».

La véritable contrepartie payée par les salariés a été la *hausse du coût de la vie*, qu'il n'est d'ailleurs pas aisé de chiffrer avec précision. Très forte de 1851 à 1855-56, atténuée ensuite, elle reprend à partir de 1866-1867. Si bien qu'elle a absorbé, jusque vers 1860, les augmentations de salaire et laissé à peu près inchangé le pouvoir d'achat des travailleurs. Après cette date, la hausse du salaire devient plus forte que celle du coût de la vie, entraînant une progression du pouvoir d'achat de 20 à 30 %. Le salaire réel commence ainsi une montée qui continuera jusqu'en 1914 et qui contredit toute l'évoeutio antérieure. Ce *cours nouveau du salaire* est un phénomène considérable, qui luouvrla voie à une amélioration durable de la condition ouvrière. Déjà, dans la consommation populaire, la part du pain tend à se réduire; celle de la viande, à augmenter. A Paris, en 1867-1869, la consommation de viande atteint presque les chiffres les plus élevés au XIXᵉ siècle.

La classe ouvrière a donc pris sa part du progrès social. Mais elle n'en a eu qu'une faible part. Il convient de faire appel ici à une nouvelle notion, celle de *salaire relatif*, de salaire comparé à d'autres revenus. Confrontée à l'augmentation gigantesque du profit, du gain patronal, l'augmentation du salaire réel, pour substantielle qu'elle soit, apparaît presque négligeable. L'écart social entre les revenus s'est creusé.

Devant cette amélioration de leur condition matérielle, mais aussi cette aggravation des écarts sociaux, comment les travailleurs ont-ils réagi ? Qu'est devenu le mouvement ouvrier sous le second Empire ?

C'est ici que la conjoncture politique pèse de tout son poids. Dans une première phase, celle de l'Empire autoritaire, le mouvement ouvrier dut faire face à une offensive gouvernementale. Dans une seconde, à partir de 1860 environ, les positions changent, l'offensive ouvrière se dessine.

Au lendemain du coup d'État, les organisations ouvrières sont traquées, le décret du 2 août 1848 qui autorisait les associations non politiques est abrogé, la législation antérieure (article 291 du Code pénal et loi de 1834) remise en vigueur. Les sociétés de secours mutuels « autorisées » par le gouvernement sont étroitement contrôlées et chacune d'elles reçoit, en application du décret du 26 mars 1852, un président nommé par le préfet. Les coalitions demeurent interdites, les ouvriers soumis à l'exigence du livret. Si la loi du 14 mai 1851 interdit au patron d'y inscrire les avances faites à l'ouvrier, celle du 22 juin 1854 en étend l'obligation aux mines, aux chantiers de travaux publics, aux travailleurs à domicile. Dans ces conditions, le comportement ouvrier a été, malgré la persistance de grèves, à vrai dire de type défensif, entreprises seulement pour préserver des positions acquises, un *comportement de résignation*. La déception de 1848 semble persister dans l'esprit des masses, et seuls quelques militants, quelques « croyants », tentent d'agir.

La situation politique se transforme au lendemain de la guerre d'Italie et de la signature du traité de commerce avec l'Angleterre. *L'Empire tente un rapprochement avec les classes populaires* et recherche l'appui des ouvriers. L'octroi d'un crédit officiel à une délégation ouvrière de deux cents membres qui désire visiter l'exposition de Londres est une première preuve de bonne volonté. Au retour de ce voyage, les délégués, qui ont découvert l'efficacité des Trade-Unions, réclament le droit d'association et le droit de coalition. Le problème du droit de coalition est aussi posé, la même année, par la grève des ouvriers typographe de Paris ; les grévistes, condamnés par les tribunaux, sont graciés par l'Empereur. C'est déjà une tolérance de fait accordée aux coalitions. Avec la *loi du 25 mai 1864*, c'est la tolérance de droit. Quant au droit d'association, il est pratiquement accordé aux ouvriers à la suite de la publication au *Moniteur*, le 31 mars 1868, du rapport Forcade de la Roquette, qui annonce la tolérance de fait des syndicats ouvriers.

Assurée, sinon du bon vouloir de l'État, du moins de sa non-intervention, la classe ouvrière durcit ses positions et entreprend d'arracher au patronat la satisfaction de ses revendications professionnelles. La période qui suit le vote de la loi de 1864 est marquée en effet par une *recrudescence des grèves* : grève des passementiers de Saint-Étienne, des cochers parisiens, des chapeliers, des ouvriers bronziers, des mineurs du Nord ; nouvelle poussée de grèves en 1869-1870, dans les mines de la Loire (où éclate l'incident sanglant de la Ricamarie, le 16 juin 1869), dans les forges d'Aubin (où, une nouvelle fois, la troupe tire et fait plusieurs victimes, le 7 octobre 1869), et au Creusot, où Eugène Schneider contraint les mineurs à la capitulation.

Parallèlement au mouvement de grève, et parfois en liaison avec lui (car une grève, quand elle est victorieuse, favorise le recrutement), le mouvement pour la *constitution d'associations professionnelles* reprend, sous la forme soit des vieilles sociétés de secours mutuels, soit de « chambres syndicales », expression nouvelle qu'adoptent les ouvriers. Dans les dernières années de l'Empire, de nombreuses chambres syndicales sont créées, surtout dans les métiers possédant une longue tradition artisanale : bâtiment, cuirs et peaux, chapellerie, livre, mécanique. Certains de ces syndicats tendent à s'unir pour constituer des « chambres fédérales », ébauches d'organisations régionales, à Paris, Lyon, Marseille, et même pour constituer des fédérations de métiers à l'échelle nationale. Mais seuls les chapeliers y parviennent en 1870.

Ce mouvement d'association culmine dans la fondation de la *première Internationale*, d'initiative française, réalisée en 1864 au meeting de Saint-Martin's Hall, à Londres. C'est une association internationale constituée d'en haut, avant que des sections nationales aient pu être formées. Puis l'action de Tolain, reprise par Richard, Benoît Malon et Varlin, aboutit à la formation, en 1865 et 1868, d'une section française qui, deux ans plus tard, groupait peut-être quelques dizaines de milliers d'adhérents. Les militants de l'Internationale vont tenter d'incliner le syndicalisme français, qui avait été jusqu'alors un syndicalisme de négociation, de conciliation plus que de lutte violente, vers l'action révolutionnaire.

L'offensive ouvrière des années 1860-1870 ne s'est pas développée seulement sur le plan professionnel; l'action économique s'est prolongée en *éveil politique*. Les éléments les plus évolués ont osé poser le problème de l'autonomie politique de la classe ouvrière. Aux élections de 1863, Paris voit, pour la première fois, deux candidatures ouvrières, posées en application du principe qu'un ouvrier est mieux qualifié que quiconque pour connaître et défendre les intérêts des ouvriers. Le *Manifeste des Soixante* (17 février 1864), rédigé par Tolain, proclame la nécessité d'une action autonome de la classe ouvrière. L'année suivante, ce thème est repris par Proudhon, dans sa *Capacité politique des classes ouvrières*.

Après la chute de l'Empire, l'élection de vingt-quatre ouvriers au Conseil général de la Commune, le rôle joué par les membres de l'Internationale dans ce mouvement révolutionnaire, et plus encore l'interprétation donnée par Marx dans *La Guerre civile en France*, ont créé le mythe d'un pouvoir ouvrier ayant conçu un État ouvrier. Si la Commune a bien été autre chose qu'un mouvement purement ouvrier, elle a été, cependant, une tentative de gouvernement du peuple par le peuple, et elle a montré que les ouvriers parisiens avaient été capables, mais pendant quelques semaines seulement, d'instituer un pouvoir de type nouveau.

4. CONCLUSION

De 1815 à 1870, la France a connu plusieurs régimes, de la monarchie à l'empire, en passant par la république. Ces changements n'ont pas empêché, bien au contraire, la grande bourgeoisie, qui avait pris conscience de ses propres intérêts et de sa force dès le début du XIXe siècle, d'assurer solidement sa suprématie. Si, à la fin de cette période, elle feint encore de redouter un retour en force de l'aristocratie, alliée au clergé, ce n'est guère que pour entretenir, dans la masse de la population, la haine des privilèges et l'attachement aux principes de 1789, sentiments qu'elle saura exploiter pour imposer à tous sa propre idéologie et manipuler plus aisément le corps électoral.

Autrement redoutable apparaît, à ses yeux, une classe ouvrière qu'elle a férocement exploitée et qui, peu à peu, s'achemine vers la prise de conscience de sa propre existence. Prise de conscience fort lente, à vrai dire, qui ne se manifeste guère, et seulement à Paris, avant la flambée de la Commune.

En réalité, la menace la plus immédiate qui pèse sur la suprématie de la grande bourgeoisie ne provient pas de la classe ouvrière, mais d'une fraction de la bourgeoisie elle-même. L'évolution économique a provoqué en effet un début de scission; de nombreux éléments de la petite bourgeoisie se sont sentis menacés par le mouvement de concentration des entreprises. Cette petite bourgeoisie inquiète n'a pas oublié l'aspect égalitaire de la Révolution, ni la tradition jacobine. Elle trouvera bientôt dans le radicalisme les éléments d'une idéologie à sa mesure, et dans la paysannerie un allié précieux. Elle ne va pas tarder à exiger, elle aussi, sa part de pouvoir.

LECTURES COMPLEMENTAIRES

Ouvrages d'histoire générale

○ BERTIER DE SAUVIGNY, *La Restauration*, Paris, Flammarion, 2ᵉ éd., 1963.

○ LABROUSSE (E.), *Aspects de l'évolution économique et sociale de la France et du Royaume-Uni de 1815 à 1880*, Cours de Sorbonne, C.D.U., Paris, 1954.

○ VIGIER (Ph.), *La Monarchie de Juillet*, Paris, P.U.F. (Que Sais-je ?), 1962 et *La Seconde République*, ibid., 1967.

○ BLANCHARD (M.), *Le Second Empire*, Paris, A. Colin, 1950.

Sur la valeur des témoignages littéraires, ceux de Balzac en particulier, on pourra consulter :

○ BLANCHARD (Marc), *La Campagne et ses habitants dans l'œuvre de Balzac*, Paris, 1931, et :

○ DONNARD (J.-H.), *Balzac, les réalités économiques et sociales dans la « Comédie humaine »*, Paris, A. Colin, 1961.

Etude d'ensemble

○ VIDALENC (J.), *La Société française de 1815 à 1848*, Paris, M. Rivière. I. *Le peuple des campagnes*, 1970; II. *Le peuple des villes et des bourgs* (à paraître); III. *Les cadres de la nation* (à paraître).

Aristocratie et clergé

○ RÉMOND (R.), *La Droite en France de 1815 à nos jours*, Paris, Aubier, nouvelle édition, 1963.

○ LATREILLE (A.), *Histoire du catholicisme en France*, tome III : La période contemporaine, Paris, Spes, 1962.

○ POUTHAS (Ch.), *L'Église et les questions religieuses sous la Monarchie constitutionnelle*, Paris, Cours de Sorbonne, C.D.U., 1942.

Paysannerie

Les effets des réformes agraires de la Révolution sur la condition paysanne ont été étudiés par :

○ LEFEBVRE (G.), « La Révolution française et les paysans » et « La vente des biens nationaux », in *Études sur la Révolution française*, Paris, P.U.F., 1954 (p. 223 et 246).

○ BOUILLON (J.), « Les Démocrates-Socialistes aux élections de 1849 », *Revue française de science politique*, janv.-mars 1956.

Bourgeoisie

○ MARKOVITCH (T.-J.), *Le Revenu industriel et artisanal sous la Monarchie de Juillet et le Second Empire*, Cahiers de l'I.S.E.A., avril 1967, P.U.F.

○ LHOMME (J.), *La Grande Bourgeoisie au pouvoir (1830-1880)*, Paris P.U.F., 1960.

○ TUDESQ (A.), *Les Grands Notables en France (1840-1849)*, Paris P.U.F., 1964.

○ BEAU DE LOMÉNIE, *Les Responsabilités des dynasties bourgeoises*, tome I : De Bonaparte à Mac-Mahon, Denoël, 1943.

○ PERNOUD (R.), *Histoire de la bourgeoisie en France*, tome II : *Les Temps modernes*, Paris, Le Seuil, 1962.

○ DAUMARD (Adeline), *La Bourgeoisie parisienne de 1815 à 1848*, Paris, S.E.V.P.E.N., 1963.

○ FOHLEN (C.), *L'Industrie textile au temps du Second Empire*, Paris, Plon, 1956.

○ FOHLEN (C.), « La concentration dans l'industrie textile française au milieu du XIXᵉ siècle », *Revue d'histoire moderne et contemporaine*, tome II, 1955, pp. 46-58.

○ GIRARD (L.), *La Politique des travaux publics du Second Empire*, A. Colin, 1952.

Prolétariat ouvrier

○ CHEVALIER (L.), *Classes laborieuses et classes dangereuses à Paris pendant la première moitié du XIXe siècle*, Paris, Plon, 1958.

○ Duveau (G.), *La Vie ouvrière sous le Second Empire*, Paris, Gallimard, 1946.

○ LABROUSSE (E.), *Le Mouvement ouvrier et les idées sociales en France de 1815 à 1848*, Paris, Les Cours de Sorbonne, C.D.U., 1948.

○ PIERRARD (P.), *La Vie ouvrière à Lille sous le Second Empire*, Paris, Bloud et Gay, 1965.

○ TREMPÉ (R.), *Les Mineurs de Carmaux, 1848-1914*, Paris, Éditions ouvrières, 1971, 2 vol.

On ne négligera pas les grandes enquêtes contemporaines :

○ VILLERMÉ (Dr L.-R.), *Tableau de l'état physique et moral des ouvriers employés dans les manufactures de coton, de laine et de soie*, Paris, J. Renouard, 1840, 2 vol.

○ BLANQUI (J.-Adolphe), *Les Classes ouvrières en France*, Paris, Pagnerre, 1849.

○ GUEPIN (Dr A.), *Nantes au XIXe siècle*, Nantes, P. Sébire, 1835.

○ LE PLAY (Fr.), *Les Ouvriers européens*, Paris, Imprimerie Impériale, 1855, 6 vol.

Monographies locales

Elles donnent des descriptions concrètes de structures sociales. On pourra consulter, parmi les plus récentes :

○ AGULHON (M.), *La République au village. Les populations du Var de la Révolution à la Seconde République*, Paris, Plon, 1970.

○ AGULHON (M.), *Une Ville ouvrière au temps du socialisme utopique : Toulon de 1815 à 1851*, Paris, Mouton, 1970.

○ ARMENGAUD (A.), *Les Populations de l'Est-Aquitain au début de l'époque contemporaine*, Paris, Mouton et Cie, 1962.

○ DUPEUX (G.), *Aspects de l'histoire sociale et politique du Loir-et-Cher, 1848-1914*, Paris, Mouton et Cie, 1962.

○ LEUILLIOT (Paul), *L'Alsace au début du XIXe siècle. Essais d'histoire politique, économique et religieuse (1815-1830)*, Paris, S.E.V.P.E.N., 1959-1961. 3 vol.

○ VIDALENC (J.), *Le Département de l'Eure sous la Monarchie constitutionnelle*, Paris, Marcel Rivière et Cie, 1952.

○ VIGIER (Ph.), *La Seconde République dans la région alpine. Étude politique et sociale.* Tome I : Les notables (vers 1845-fin 1848); tome II : Les paysans (1849-1852), Paris, P.U.F., 1963.

Pour l'histoire des mentalités religieuses, on se reportera à l'excellente étude de :

○ MARCILHACY (Christiane), *Le Diocèse d'Orléans au milieu du XIXe siècle*, Paris, Sirey, 1964.

DOCUMENTS

25. LE MORCELLEMENT SUCCESSORAL

Statistique des cotes foncières d'après leur quotité

	1826		1842		1858		Indices 1858 (base 100 en 1826)
	Nombre	%	Nombre	%	Nombre	%	
20 F et au-dessous	8 024 987	77,94	8 873 951	77,09	10 446 757	79,63	130
21 à 30	663 237	6,44	791 711	6,88	821 852	6,26	124
31 à 50	642 345	6,24	744 911	6,47	758 876	5,78	118
51 à 100	527 991	5,13	607 956	5,28	609 562	4,65	115
101 à 300	335 505	3,26	375 860	3,26	368 631	2,81	110
301 à 500	56 602	0,55	64 244	0,56	59 842	0,46	106
501 à 1 000	32 579	0,31	36 862	0,32	37 333	0,29	114
1 001 et au-dessus	13 447	0,13	16 346	0,14	15 870	0,12	118
TOTAL	10 296 693	100,00	11 511 841	100,00	13 118 723	100,00	127

Tableau des cotes foncières (propriété non bâtie) comprises dans les rôles de l'année 1884

Catégories	Nombre des cotes	Contenance imposable (ha)	Pourcentages	
			Nombre des cotes	Conté-nance
Au-dessous de 50 ares	6 597 843	1 147 804	46,90	2,31
De 50 ares à 1 hectare	1 987 480	1 426 785	14,12	2,88
De 1 à 5 hectares	3 735 173	8 647 714	26,54	17,50
De 5 à 10 hectares	892 887	6 254 142	6,36	12,67
De 10 à 20 hectares	476 843	6 629 491	3,38	13,42
De 20 à 50 hectares	261 829	7 866 769	1,84	15,95
De 50 à 75 hectares	50 230	3 044 065	0,36	6,17
De 75 à 100 hectares	23 273	2 015 752	0,16	4,08
De 100 à 200 hectares	31 567	4 338 240	0,22	8,79
Au-dessus de 200 hectares	17 676	8 017 542	0,12	16,23
TOTAL	14 074 801	49 388 304	100,00	100,00

26. LA LEGISLATION DES ASSOCIATIONS

Article 291 du Code pénal (1810)

Nulle association de plus de vingt personnes dont le but sera de se réunir tous les jours ou à certains jours marqués pour s'occuper d'objets religieux, littéraires, politiques ou autres, ne pourra se former qu'avec l'agrément du gouvernement, et sous les conditions qu'il plaira à l'autorité publique d'imposer à la société.

Loi du 10 avril 1834

Art. 1er. — Les dispositions de l'article 291 du Code pénal sont applicables aux associations de plus de vingt personnes, alors même que ces associations seraient partagées en sections d'un nombre moindre, et qu'elles ne se réuniraient pas tous les jours ou à des jours marqués.

L'autorisation donnée par le gouvernement est toujours révocable.

Art. 2. — Quiconque fait partie d'une association non autorisée sera puni de deux mois à un an d'emprisonnement et de cinquante francs à mille francs d'amende.

En cas de récidive, les peines pourront être portées au double. Le condamné pourra, dans ce dernier cas, être placé sous la surveillance de la haute police pendant un temps qui n'excédera pas le double du maximum de la peine.

L'article 463 du Code pénal pourra être appliqué dans tous les cas.

Art. 3. — Seront considérés comme complices et punis comme tels, ceux qui auront prêté ou loué sciemment leur maison ou appartement pour une ou plusieurs réunions d'une association non autorisées.

Décret du 26 mars 1852 sur les sociétés de secours mutuels

Art. 1er. — Une société de secours mutuel sera créée par les soins de maire et du curé dans chacune des communes où l'utilité en aura été reconnue.

Art. 2. — Ces sociétés se composent d'associés participants et de membres honoraires; ceux-ci paient les cotisations fixées ou font des dons à l'association, sans participer aux bénéfices des statuts.

Art. 3. — Le président de chaque société sera nommé par le Président de la République.

Art. 6. — Les sociétés de secours mutuel auront pour but d'assurer des secours temporaires aux sociétaires malades, blessés ou infirmes et de pourvoir à leurs frais funéraires. Elles pourront promettre des pensions de retraite si elles comptent un nombre suffisant de membres honoraires.

Le droit de coalition

Loi du 25 mai 1864

Art. 1er. — Les articles 414, 415 et 416 du Code pénal sont abrogés. Ils sont remplacés par les articles suivants :

« Art. 414. — Sera puni d'un emprisonnement de six jours à trois ans et d'une amende de seize francs à trois mille francs, ou de l'une de ces deux peines seulement, quiconque, à l'aide de violences, voies de fait, menaces ou manœuvres frauduleuses, aura amené ou maintenu, tenté d'amener ou de maintenir une cessation concertée de travail, dans le but de forcer la hausse ou la baisse des salaires ou de porter atteinte au libre exercice de l'industrie ou du travail.

Art. 415. — Lorsque les faits punis par l'article précédent auront été commis par suite d'un plan concerté, les coupables pourront être mis, par l'arrêt ou le jugement, sous la surveillance de la haute police pendant deux ans au moins et cinq ans au plus.

Art. 416. — Seront punis de six jours à trois mois et d'une amende de seize francs à trois cents francs, ou de l'une de ces deux peines seulement, tous ouvriers, patrons et entrepreneurs d'ouvrage qui, à l'aide d'amendes, défenses, proscriptions, interdictions prononcées par suite d'un plan concerté auront porté atteinte au libre exercice de l'industrie ou du travail. »

ART. 2. — Les articles 414, 415 et 416 ci-dessus sont applicables aux propriétaires et fermiers, ainsi qu'aux moissonneurs et ouvrier de la campagne.

27. RAPPORT A L'EMPEREUR SUR LES VŒUX DES DÉLÉGATIONS OUVRIERES A L'EXPOSITION UNIVERSELLE DE 1867 (31 MARS 1868)

Les vœux exprimés par les délégués au sujet des chambres syndicales ont reçu dans ces derniers temps, la satisfaction que comporte l'état de la législation, et les règles appliquées aux syndicats des patrons ont été, à la suite de l'Exposition universelle, étendues aux syndicats ouvriers. Les lois sur la matière remontent à l'époque où l'Assemblée constituante venait d'abolir les corporations et les privilèges dont elles étaient investies. Elles contiennent des dispositions sévères qui s'expliquent par la nécessité d'empêcher les abus qui s'étaient produits sous l'Ancien Régime et avaient porté une grave atteinte à la liberté du commerce et de l'industrie. Mais plus on s'est éloigné de ces abus, plus l'administration a été amenée à montrer de mesure dans l'application de la loi, à l'égard des réunions industrielles ou commerciales formées par des fabricants ou des négociants honorables.

La loi ne reconnaît encore aujourd'hui d'autres chambres syndicales que celles qui ont pour fonction de régler la discipline de certaines professions spéciales, telles que les professions d'agents de change et de courtiers. Elle n'admet pour représenter officiellement les intérêts commerciaux et industriels que les chambres de commerce et les chambres consultatives des arts et manufactures. Mais depuis un certain nombres d'années, la formation de chambres syndicales libres est entrée dans les usages de l'industrie parisienne. Le commerce des vins, les industries qui se rattachent à la construction des maisons et aux entreprises de travaux publics, celles qui ont pour objet la fabrication ou la vente des tissus, ont établi des syndicats d'origine déjà fort ancienne. Le nombre en a beaucoup augmenté depuis plusieurs années et l'on en compte aujourd'hui plus de quatre-vingts à Paris.

Les raisons de justice et d'égalité invoquées par les délégations ouvrières pour former à leur tour des réunions analogues à celles des patrons ont paru dignes d'être prises en considération, et, conformément aux intentions de Votre Majesté, les ouvriers de plusieurs professions ont pu se réunir librement et discuter les conditions de leurs syndicats.

En adoptant les mêmes règles pour les ouvriers que pour les patrons, l'administration n'aura pas à intervenir dans la formation des chambres syndicales. Elle ne serait amenée à les interdire que si, conformément aux principes posés par l'Assemblée constituante dans la loi du 17 juin 1791, les chambres syndicales venaient à porter atteinte à la liberté du commerce et de l'industrie ou si elles s'éloignaient de leur but pour devenir, à un degré quelconque, des réunions politiques non autorisées par la loi. Mais les ouvriers seront les premiers à comprendre que leur intérêt même est engagé à maintenir le caractère purement professionnel de leurs réunions...

Le ministre de l'Agriculture, du Commerce et des Travaux publics :

FORCADE

(*Moniteur universel*, 31 mars 1868)

28. MOUVEMENT DES SALAIRES HORAIRES MOYENS

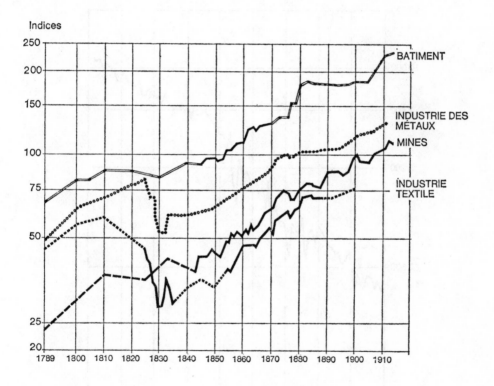

d'après SIMIAND

29. L'ANNUITE DEVOLUTIVE

(Successions et donations, moyenne par personne décédée.)

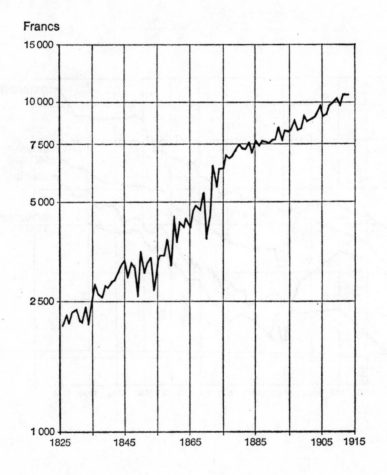

Source : F. SIMAND, *Le Salaire*, F. Alcan.

30. CHRONOLOGIE DU MOUVEMENT OUVRIER, 1800-1870

1803 — Loi du 22 germinal an XII instituant le livret ouvrier.

1806 — Rétablissement des Conseils de Prud'hommes. Seuls les maîtres et chefs d'atelier y sont représentés.

1810 — Promulgation du Code pénal. Les articles 414, 415 et 416 interdisent les coalitions.

1817-1819 — Fondation des bourses auxiliaires des chapeliers et des fouleurs de Lyon, des approprieurs de Paris. Grève générale des ouvriers chapeliers.

1822 — Grève des charpentiers de Paris.

1823 — Société de l'Union des travailleurs sur le Tour de France.

1825 — Crise économique.

1826 — Première ligne de chemin de fer française (Saint-Étienne-Lyon). Nombreuses grèves.

1830 — Gouvernement conservateur de combat.
 — « Les Ordonnances », 26 juillet.
 — Les manufacturiers parisiens entretiennent l'agitation ouvrière et poussent à la Révolution.
 — « Les Trois Glorieuses », 29-30-31 juillet. Louis-Philippe d'Orléans, roi de France. Nombreuses grèves pendant l'automne.

1831 — Création de la Société philanthropique des tailleurs.
 — 21-23 novembre : « Les Trois Journées » d'insurrection à Lyon.
 — 5 décembre : Lyon est occupé par les troupes royales.

1832 — Juin : Procès et acquittement des accusés de Lyon.
 — Insurrection républicaine à Paris, dite du Cloître Saint-Merry.

1833 — Société d'Union fraternelle des tisseurs.
 — Grèves des tailleurs, imprimeurs et cordonniers de Paris, des porcelainiers de Limoges.
 — Septembre : Grève des ouvriers charpentiers de Paris.
 — Novembre : Trois brochures ouvrières sont distribuées à Paris, parmi les ouvriers tailleurs, compositeurs et cordonniers.
 — L'Association républicaine pour la défense de la liberté de la presse et de la liberté individuelle intervient en faveur des grévistes.
 — La Commission de propagande de la Société des droits de l'homme s'adjoint des militants ouvriers.

1834 — Février : L'Association des mutuellistes lyonnais vote la grève. 14 000 métiers s'arrêtent.
 — Projets de loi contre les associations.
 — Avril : Procès des grévistes de Lyon.
 — L'insurrection éclate le 11; vaincue à Lyon, elle reprend à Paris le 13. Massacres de la rue Transnonain (14 avril).
 — Vote de la loi contre les associations.

1839-1840 — Crise économique. Chômage. Agitation ouvrière.

1839 — 13 mai : Insurrection républicaine conduite par Blanqui et la Société des Saisons. Les sociétés secrètes sont poursuivies impitoyablement.

1842 — Loi sur les chemins de fer. Débuts des grandes affaires.

1847 — Grave crise économique.

1848 — 24 février : Révolution à Paris. Proclamation d'un gouvernement provisoire républicain. Louis Blanc et l'ouvrier Albert en font partie.
— 25 février : Proclamation de la liberté d'association, du suffrage universel et du droit au travail.
— 27 février : Création des Ateliers nationaux pour donner du travail aux chômeurs.
— 28 février : Création de la Commission du Luxembourg pour l'Organisation du travail.
— 4 mars : Décret supprimant le marchandage et instituant la journée de dix heures à Paris et de onze heures en province.
— 23 avril : Élections constituantes, les premières au suffrage universel. Élections complémentaires en mai.
— 16 mai : Suppression de la Commission du Luxembourg.
— 13 juin : L'Assemblée est envahie par la foule.
— 21 juin : Suppression des Ateliers nationaux.
— 23-26 juin : Les *Journées de Juin*. Guerre civile à Paris. Représailles sanglantes.
— 4 novembre : Vote de la nouvelle Constitution. La majorité a refusé d'y insérer le droit au travail et le droit à l'instruction.
— 10 décembre : Louis-Napoléon Bonaparte est élu président.

1849 — Mai : Succès des « Montagnards » aux élections complémentaires.
— Loi électorale retirant le droit de vote à 3 millions de citoyens.
— Août-septembre : Réunion des délégués de 43 associations pour fonder l'Union des associations ouvrières.
— Fondation de l'Association fraternelle des instituteurs socialistes par Pauline Roland et Lefrançois.

1850 — On apprend la découverte de l'or en Californie.
— La situation économique s'améliore.

1851 — Coup d'État du 2 décembre.

1852-1857 — L'Empire autoritaire Prospérité économique.
— L'âge d'or de la spéculation, des chemins de fer et de la banque.

1857 — Krach boursier, crise économique, grèves.
— Cinq républicains sont élus au Corps législatif.

1860 — Michel Chevalier signe pour Napoléon III un traité de commerce libre-échangiste avec l'Angleterre.

1863 — Fondation du Crédit Lyonnais.
— Coalitions et grèves. Les mineurs d'Anzin obtiennent une diminution des heures de travail.

1863-1864 — Discussions ouvrières à propos des élections.
— Le manifeste des Soixante rédigé par Tolain proclame la nécessité d'une action autonome de la classe ouvrière.

1864 — Fondation de la Société générale et du Comité des Forges.

1864 — Grève des relieurs. Débuts de la Caisse du sou (Caisse de prêt aux grévistes).

1864 — Loi sur le droit de coalition et de grève.
— Constitution de nombreuses chambres syndicales ouvrières avec la tolérance de l'administration.

1865 — Installation place de la Corderie du Bureau de la section française de Fédération internationale.

1866 — Crise économique.
— Grève des mineurs d'Anzin.

1867 — Loi sur les sociétés par actions.
— Exposition universelle à Paris. La Commission ouvrière élue prépare un rapport au ministre.

1868 — Grève du bâtiment à Paris.
— Premier procès de l'Internationale parisienne.
— Société ouvrière des femmes à Lyon (les ovalistes).

1869 — Nombreuses grèves. La Caisse du sou étend son action.
— Incidents sanglants à La Ricamarie et à Aubin.
— Chambre fédérale des sociétés ouvrières de Paris (place de la Corderie),
— L'opposition libérale et républicaine obtient la majorité au Corps législatif.

1870 — Grève du Creusot.
— Chambre fédérale des sociétés ouvrières de Rouen, de Marseille et de Lyon.
— Deuxième et troisième procès de l'Internationale.

DOLLÉANS (E.), CROZIER (M.), *Mouvements ouvrier et socialiste.*
Les Éditions Ouvrières, pp. 29-32.

Chapitre 3

DE LA COMMUNE
A LA BELLE ÉPOQUE

« En aucun temps, la transformation de la société française n'a été si rapide que dans le dernier demi-siècle. » Ainsi s'exprime l'historien Charles Seignobos, dans son *Évolution de la Troisième République*, publiée en 1921. Jugement qu'on ne saurait accepter sans discussion, mais qui ne surprend pas quand on considère que celui qui l'a porté a vu se produire, sous ses yeux, des changements d'une telle ampleur qu'ils ne pouvaient que l'émerveiller.

Depuis le milieu du XIXe siècle, science et technique, s'épaulant mutuellement, ont donné à la production une impulsion remarquable, et la mise en œuvre de nouvelles forces motrices, électricité, pétrole et gaz, a provoqué ce qu'on appelle parfois la « deuxième » révolution industrielle. Plus spectaculaire encore, les progrès des moyens de communication étonnent les Français du XXe siècle commençant; quiconque a vu se répandre, en quelques décennies, l'usage de la bicyclette, de l'automobile, de l'aéroplane, du télégraphe, du téléphone ne peut douter qu'il assiste à un bouleversement des conditions d'existence de ses contemporains.

Il est vrai aussi que, comme l'affirme Seignobos, « le progrès caractéristique de cette période est l'abondance croissante des objets et des services, qui a rendu la vie matérielle des Français plus aisée et plus variée ». Quelques chiffres suffisent pour montrer que *l'accroissement de la consommation* est hors de doute. Du côté de l'alimentation, d'abord. Si la consommation de froment (2,5 hl par habitant et par an vers 1860, 3,23 vers 1885, 3,25 vers 1910) ne progresse que lentement, tout comme celle des pommes de terre (133 kilos en 1860, 141 en 1882, 181 en 1892, 192 en 1910), c'est que les Français se détournent de l'alimentation traditionnelle et y substituent une alimentation plus riche et plus variée. La consommation de viande, qui n'était que de 26 kilos en 1862, atteint 33 kilos en 1882, 36 en 1892, 40 en 1914; celle du sucre fait plus que doubler des années

1860 (6,5 kilos) aux années 1900 (14 kilos), et dépasse 17 kilos à la veille de la guerre. Les « denrées coloniales », surtout, sont de plus en plus appréciées ; la consommation du café triple en cinquante ans, celle du cacao fait plus que tripler. Il en est de même, malheureusement, pour l'alcool. Calculée en litres d'alcool pur, la consommation annuelle moyenne par habitant s'établit à 2,8 vers 1875, à 3,6 en 1880, pour atteindre un maximum de 4,5 en 1890.

Les progrès dans l'habillement se mesurent aussi en statistiques de consommation : le Français n'utilisait que 2,6 kilos de laine par an et 1,9 de coton vers 1865 ; vingt ans plus tard, il en utilise deux fois plus ; à la veille de la guerre, la consommation de laine atteint 6,6 kilos et celle du coton, qui a progressé encore plus vite, 6,7 kilos.

CAISSES D'ÉPARGNE 1835-1913

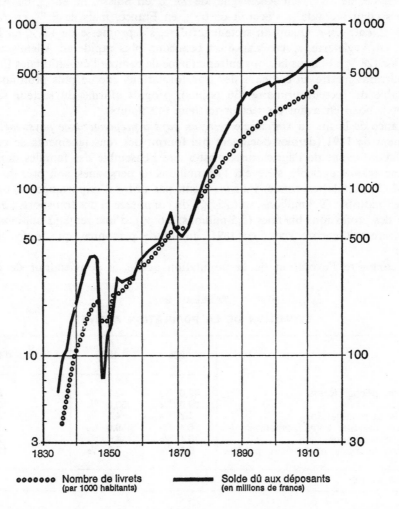

∘∘∘∘∘∘∘ Nombre de livrets
(par 1000 habitants)

▬▬▬ Solde dû aux déposants
(en millions de francs)

La hausse, incontestable, du niveau de vie moyen n'a pas été réalisée au détriment de l'épargne. Bien au contraire, le solde des dépôts dans les Caisses d'épargne, qui était de 550 millions environ pendant les premières années de la IIIe République, s'élève à deux milliards en 1884, trois en 1891, six en 1913. Encore ne s'agit-il ici que d'une épargne surtout populaire, pour ne rien dire des autres placements et des investissements, dont on sait l'ampleur.

S'ensuit-il que l'amélioration des conditions matérielles de l'existence suffise à faire admettre cette transformation si « rapide » de la société française que Seignobos tenait pour démontrée ? Un coup d'œil jeté vers les pays voisins nous incline, malgré l'imperfection des données statistiques dont nous disposons, à plus de prudence. Considérons, par exemple, l'évolution de la population active par grands secteurs. La part du secteur primaire est réduite, en France, de 12 % en trente ans (1876-1906) ; elle l'est, pour une même période, de 18 % en Allemagne, de 27 % en Suisse, de 38 % en Angleterre. Celle du secteur secondaire s'accroît de 6 % en France, mais de 8 % en Allemagne et de 9,5 % en Suisse. Quant au secteur tertiaire, s'il progresse de 13 % en France et de 16 % en Angleterre, sa croissance est beaucoup plus rapide en Allemagne (25 %) et en Suisse (28 %). Si nous faisions entrer en ligne de compte l'évolution des États-Unis, nous pourrions mettre en évidence des transformations encore plus profondes : recul considérable du secteur primaire (36 points), progrès affirmé du secteur secondaire (29 points), bond en avant du secteur tertiaire (42 points).

La France de la fin du XIXe siècle *reste un pays à prépondérance paysanne*. Selon le recensement de 1891 (dernier document qui fournit des renseignements de cet ordre), la population vivant de l'agriculture, c'est-à-dire l'ensemble des familles dont le chef exerce une activité agricole, s'élève à 17,5 millions de personnes, soit près de la moitié (46 %) de la population totale. Puis viennent, par ordre d'importance, la population vivant de l'industrie (9,5 millions, soit 25 %), du commerce et des transports (5 millions, 13,5 %), des professions libérales (2,5 millions, 6,6 %), d'une rente (2 millions, 5,7 %). L'agriculture fait encore vivre, en 1891, autant de personnes que toutes les autres activités.

Pour connaître l'évolution de la population active, il conviendrait de comparer

TABLEAU 9

ÉVOLUTION DE LA POPULATION ACTIVE

	1866	1906	Indice d'évolution [1]
Agriculture, pêche, forêts	49,8 %	42,7 %	86
Industrie	29,0 %	30,6 %	105
Transports et manutention	1,7 %	4,3 %	253
Commerce, banque, soins personnels	6,4 %	9,9 %	155
Services domestiques	6,4 %	4,6 %	72
Professions libérales et services publics	6,7 %	7,9 %	118

1. Base 100 en 1866.

les résultats des recensements de 1872 et de 1911. Malheureusement, ces recensements n'ont pas été conduits selon les mêmes principes, et leurs résultats sont difficilement comparables. Il faut leur préférer ceux de 1866 et de 1906 et admettre que, l'évolution en ce domaine étant toujours lente, ils nous informent assez bien sur elle. On obtient les résultats regroupés dans le tableau 9 ci-dessus. Les deux secteurs en recul sont l'agriculture et les services domestiques; ces deux secteurs sont d'ailleurs liés, bon nombre de domestiques étant recrutés parmi les fils et surtout les filles de paysans. Des secteurs en progrès, l'industrie est celui qui se développe le moins rapidement, tandis que le secteur distributif (commerce et surtout transports) attire de plus en plus de travailleurs. Malgré ces changements, il est difficile de considérer que la structure de la population active ait été bouleversée pendant ces quarante années.

Il en est de même pour l'évolution du statut des travailleurs, qui peuvent être patrons ou salariés, et, parmi ces derniers, employés, ouvriers ou domestiques. A partir de 1866, les recensements fournissent des renseignements sur ces « positions dans la profession », et la comparaison 1876-1911 est, ici, possible. Elle donne les résultats suivants :

TABLEAU 10

POPULATION ACTIVE, PAR STATUT

	1876	1911	Indice d'évolution [1]
Patrons	6 393 000 (40,5 %)	8 582 000 (42,2 %)	104
Employés	772 000 (5 %)	1 869 000 (9,3 %)	186
Ouvriers	7 653 000 (48 %)	8 933 000 (44 %)	92
Domestiques	1 015 000 (6,5 %)	929 000 (4,5 %)	69

1. Base 100 en 1876.

A l'exception de la catégorie des domestiques, les nombres absolus sont partout en augmentation, ce qui traduit l'accroissement de la population au travail. Ce sont surtout les proportions qui changent, et le phénomène à retenir est la progression de la catégorie des employés. Mais le déséquilibre masse ouvrière-masse patronale tend, lentement, à se réduire.

Les raisons de la *relative stabilité de la structure sociale* sont diverses. Remarquons d'abord que les grands transferts de propriété, caractéristiques de l'époque de la Révolution, ne se sont plus reproduits. Le but du paysan est bien toujours d'agrandir sa propriété, de ronger la propriété noble et bourgeoise, mais ce n'est qu'un lent et patient grignotage. Remarquons aussi que l'extraordinaire prospérité de l'époque du second Empire cesse vers 1873 et fait place à une période de relative stagnation, qui s'étend jusqu'aux dernières années du XIXe siècle. La baisse des prix, qui fléchissent d'environ 40 % entre 1873 et 1896, décourage les producteurs. Si la croissance industrielle continue, mais à un taux plus modéré, l'agriculture connaît une crise grave, en raison à la fois de la concurrence des blés étrangers, produits à bas prix dans les pays neufs et transportés à bon marché grâce aux progrès des marines marchandes, et des ravages causés dans le vignoble par le phylloxera, entre 1876 et 1890. Le renversement de la conjoncture provoque une vigoureuse reprise (1896-1914). Mais, outre que les vignerons n'eurent pas la chance de participer à cette nouvelle prospérité, celle-ci ne porta peut-être pas des fruits aussi plantureux que la prospérité « impériale ». Simiand a calculé que le « profit par personne patronale » a augmenté de 13 % en agriculture, de 57 % dans l'industrie. Mais, de 1850 à 1880, ce profit avait été multiplié par 2,5 dans l'agriculture, par 4,2 dans l'industrie.

Les fluctuations de la conjoncture économique avaient eu encore une autre conséquence, dont il est difficile de mesurer exactement la portée, mais dont on ne peut nier qu'elle a contribué à la sclérose de la société française, le *protectionnisme*. En choisissant de placer l'économie française à l'abri d'un haut tarif, Méline et ses successeurs se sont prononcés pour la conservation d'une société de petits producteurs et distributeurs indépendants, garantie de la stabilité sociale, et renforcé le sentiment, si largement partagé, que la France avait atteint un degré d'harmonie et d'équilibre envié de l'étranger. Cette autosatisfaction béate ne pouvait qu'encourager la routine.

Un autre facteur de sclérose a été mis en évidence par les historiens anglo-saxons : *l'état d'esprit des entrepreneurs français*, restés très attachés, au moins jusqu'à la première guerre mondiale, à la forme familiale de l'entreprise. État d'esprit étroit, qui conduit à écarter tout intrus, à refuser ainsi tout investissement d'origine extra-familiale (« mon verre est petit, mais je bois dans mon verre »), à refuser même tout agrandissement de l'entreprise pour protéger le patrimoine et le transmettre intact aux héritiers (« on risque de tout perdre à vouloir trop gagner »). Le goût de l'expansion n'existe guère. Non pas que la France n'ait pas connu de ces pionniers de l'industrie ouverts aux nouveautés et indifférents au risque; elle s'était même assuré un avantage initial dans des secteurs pilotes, rayonne, aluminium, construction électrique, automobile, cinéma. Mais cette avance, elle l'a très vite perdue. En 1914, l'industrie française restait encore dominée par les « vieilles » industries, les industries textiles et de l'habillement, qui employaient plus du tiers de la main-d'œuvre, dominée aussi par la forme ancienne de la très petite entreprise. En 1906, la moitié de la main-d'œuvre industrielle était occupée dans les établissements comptant de un à cinq salariés seulement. Les très grands établissements (plus de cinq cents salariés) n'occupaient que le dixième des ouvriers.

Dans ces conditions, l'évolution de la société française à la fin du XIXᵉ siècle et au début du XXᵉ doit être considérée, pour en mesurer la portée, sous un angle différent. Ce ne sont pas tant les modifications, d'ampleur limitée, de la répartition de la population entre les secteurs économiques qui importent que les luttes que livrent divers groupes sociaux pour s'ouvrir l'accès au pouvoir ou pour en saisir le contrôle. Lorsque, dans son discours de Grenoble (1872), Gambetta annonce « la venue et la présence, dans la politique, d'une couche sociale nouvelle... qui est loin, à coup sûr, d'être inférieure à ses devancières », il pose le problème essentiel, qui dépasse de beaucoup celui de la forme même des institutions, le problème de la relève des catégories dirigeantes par les couches nouvelles.

1. LES COUCHES NOUVELLES

Nul doute qu'en employant cette expression, vague à dessein, Gambetta avait en vue non pas tel ou tel groupe social bien délimité, mais un ensemble complexe aux contours incertains. Les couches nouvelles juxtaposent des catégories anciennes, jouissant déjà d'un certain prestige social, et des catégories nouvelles ou renouvelées, portées par l'essor économique des années de l'Empire, le développement de nouvelles techniques ou la division accélérée du travail, mais qui, toutes, ont en commun la possibilité d'échapper, par leur indépendance matérielle et intellectuelle, à l'emprise de la grande bourgeoisie.

Les capacités

Au moment où le prestige de la science est à son comble, où la foi dans l'instruction comme moyen du progrès de l'humanité est générale, il n'est pas surprenant que grandisse la place prise dans la société par ceux qui savent, par les gens instruits, pourvus de diplômes, par ceux qui appartenaient à ce qu'on appelait, depuis longtemps déjà, les « capacités ».

— *Parmi elles, les professions libérales*, les plus anciennes, jouissent d'un prestige remarquable, fondé sur la culture et l'indépendance. En tête, les professions judiciaires, non pas tant les magistrats, qui appartiennent souvent à des familles de vieille bourgeoisie et, par goût aussi bien que par nécessité professionnelle, vivent à part, volontairement coupés des milieux plus modestes, que les avocats, plus actifs, plus remuants parfois, mieux intégrés à la société urbaine. Techniciens de la parole, ils sont indispensables pour animer la vie politique, diriger une campagne, guider les « comités » qui, en ces temps, tiennent lieu de partis. Lors des élections législatives, les avocats font de bons candidats et, s'ils sont élus, peuvent abandonner une profession qu'ils reprendront sans difficulté en cas d'échec électoral. La IIIᵉ République, en rendant au suffrage universel une liberté complète, a offert à ceux qui détenaient les secrets de l'éloquence de nouvelles chances de promotion sociale qu'ils n'ont pas manqué de saisir.

Elle a offert des chances identiques aux membres de deux professions libérales qui présentent bien des traits communs, celles de notaire et de médecin. Notaire « de famille », médecin « de famille », cette expression signale la solidité des liens que nouent ces praticiens avec leur clientèle, surtout dans les campagnes et les petites villes. Sous le second Empire déjà, les procureurs généraux ne cessaient, dans leurs rapports au pouvoir central, de dénoncer l'influence pernicieuse de ces petits notables sur les électeurs; ils les accusaient de « pervertir l'opinion ». Débarrassés, après la chute de l'Empire et l'échec de l'Ordre moral, de l'étouffante surveillance administrative, notaires et médecins approfondissent à leur aise leur influence; moins portés, peut-être, que les avocats à solliciter les mandats électifs, ils excellent dans les rôles de conseillers, de propagandistes, d'inspirateurs, de guides de l'opinion.

Si le nombre des notaires reste à peu près stable, celui des médecins s'accroît très rapidement à la fin du siècle, à la fois parce que la clientèle grandit (on a de plus en plus confiance dans l'efficacité de la médecine et, en même temps, on dispose de plus de ressources pour payer le médecin) et parce que le recrutement est devenu plus abondant, si bien que le diplôme d'officier de santé, qui n'exigeait pas la qualité de bachelier, a pu être supprimé dès 1892. En 1876, on comptait dix mille médecins en France ; en 1911, le nombre s'en élevait à plus de vingt mille, et dix mille étudiants étaient inscrits dans les Facultés de médecine.

— *Certaines professions salariées* qui donnent à ceux qui les exercent un statut social assez élevé, parce qu'ils sont rémunérés en fonction de leur talent ou de leur instruction, doivent être jointes à ces capacités anciennes, à ces professions libérales dont le trait essentiel est l'indépendance (ceux qui les exercent vivent d'une clientèle et reçoivent des honoraires). La progression des unes est liée au progrès scientifique et technique : telles sont les professions d'architecte et surtout d'ingénieur (on compte plus de vingt-cinq mille ingénieurs à la veille de la guerre), tandis que celle des autres est liée à la diffusion de l'instruction. C'est parce qu'il existe un public qui sait lire, et aussi parce que les ressources de la publicité permettent d'abaisser le prix de vente des journaux que la presse, et particulièrement la presse locale, connaît son « âge d'or ». La loi du 29 juillet 1881, qui supprime toutes les restrictions et entraves à la liberté de la presse, marque le point de départ d'une montée rapide des publications : le nombre des quotidiens de province passe de 114 en 1880 à 280 en 1885 et 302 en 1892, celui des hebdomadaires de 1 156 en 1882 à près de 2 000 en 1913. La profession de *journaliste* s'ouvre largement, et s'il est des journalistes besogneux et inconnus (ils ne sont pas admis au privilège de signer leurs articles), d'autres apparaissent comme de puissants personnages, capables de modeler l'opinion d'une circonscription électorale, voire d'un département. Pendant les années 1871-1879, au cours desquelles se joue le sort du régime, les républicains n'ont pas créé de parti politique ; mais ils ont eu à leur disposition une presse politique dont l'efficacité a été remarquable. La diffusion de l'idéologie républicaine a été l'œuvre de grands journalistes tout autant que des politiciens de profession. Dans les villes moyennes et petites, le rédacteur en chef du journal le plus lu dans l'arrondissement est fréquemment devenu, sous la IIIe République, une puissance avec laquelle il fallait compter ; puissance politique, mais aussi puissance sociale, car il pouvait, presque à son gré, faire et défaire les réputations.

— *Les carrières de l'enseignement* ont connu sous l'impulsion de Jules Ferry une importance nouvelle. En multipliant les postes, dans l'enseignement primaire d'abord (64 000 instituteurs et institutrices en 1876-1877, 100 000 en 1892-1893, 125 000 en 1912-1913), puis dans l'enseignement primaire supérieur (près de 5 000 maîtres à la veille de la guerre) et dans l'enseignement secondaire ; mais aussi, et surtout, en améliorant, avec la condition matérielle des enseignants, leur statut et leur prestige. Mieux payé, délivré de la tutelle du curé et du maire (mais non pas de celle du préfet), recevant, depuis la loi de 1889, son traitement de l'État, pourvu d'une solide formation par son passage à l'École Normale du département, l'instituteur devient un notable dans la commune où il exerce sa profession, parce qu'il est celui qui distribue le savoir. Il est aussi celui qui connaît les formules, qui sait rédiger une lettre, guider les démarches auprès d'une administration lointaine et redoutée. Dans les campagnes, à l'exception des régions cléricales, il est l'égal du curé, mais, plus rarement, l'égal du maire. Car l'instituteur, parce que son traitement est modique, et sa dépendance à l'égard des autorités étroite (aussi longtemps que le droit syndical ne lui est pas reconnu), reste socialement un tout petit notable. Les professeurs des lycées et des collèges ont connu une promotion semblable : mieux préparés par leurs études dans les Facultés, ils sont tous, au moins, licenciés et, dans les lycées, en grande majorité agrégés. Moins liés à la vie sociale que les instituteurs, généralement plus réservés, ils ne restent pourtant pas tous étrangers à la vie politique locale; certains ont même été des militants actifs, mais peu ont réussi à pénétrer à la Chambre ou au Sénat.

— Situés dans la hiérarchie sociale au-dessous des catégories précédentes, *les fonctionnaires* se détachent, à la fin du siècle, des milieux populaires, pour venir grossir le contingent des couches nouvelles. Il ne s'agit pas des hauts fonctionnaires, dont le recrutement reste limité, malgré l'épuration qui a suivi l'échec du Seize Mai, à la grande bourgeoisie, mais des *fonctionnaires subalternes*, dont le nombre grandit à mesure que les tâches de l'administration se font à la fois plus précises et plus étendues. A la veille de la guerre, le nombre de personnes recensées dans les « services publics administratifs » (non compris l'armée) s'élève à plus de 550 000 selon certaines sources, à 470 000 selon d'autres. La progression du nombre des fonctionnaires a été très rapide : on estime que, de la fin du second Empire à 1914, il a presque doublé.

La plupart sont issus des masses populaires, et beaucoup, restant au bas de l'échelle, ne s'en dégageront jamais tout à fait. Les petits fonctionnaires, en effet, sont mal payés : les sous-agents du ministère des Travaux publics ne reçoivent, en 1911, qu'un traitement annuel de 800 francs; le garde-magasin avec 1 000 francs, le facteur rural avec 1 100 francs, le préposé aux douanes avec 1 140 francs, reçoivent une rémunération inférieure au salaire annuel moyen de l'ouvrier, et très inférieure à celui du mineur (1 500 francs). Mais l'écart des traitements dans la fonction publique atteint une amplitude considérable, puisqu'il va, en 1914, de 1 à 40. Aussi les fonctionnaires qui, par leur travail ou la protection dont ils bénéficient de la part de personnes bien placées, particulièrement de politiciens, parviennent à gravir les échelons de la hiérarchie, améliorent-ils notablement leur condition. Ils obtiennent, surtout s'ils appartiennent à certains corps, la considération de leurs concitoyens. Il en est ainsi des services financiers, Contributions et surtout Enregistrement, de services techniques comme les Ponts et Chaussées, des Postes et Télégraphes (seul service, avec l'Instruction publique, qui soit ouvert aux femmes : à côté du métier d'institutrice, celui de « demoiselle des P.T.T. » permet une certaine promotion féminine), et surtout des services préfectoraux. Chefs et sous-chefs de bureaux de préfecture et de sous-préfecture appartiennent sans conteste au corps des notables de la petite ville française.

Échappant peu à peu à l'arbitraire, car la pratique des révocations, rétrogradations ou déplacements d'office par les chefs de service a été peu à peu abandonnée, assurés du lendemain par la titularisation et la perspective de la retraite, respectés et souvent redoutés parce qu'ils représentent l'État, les fonctionnaires de grade moyen jouissent de la sécurité et de l'indépendance. Ils parviennent presque à se hisser au niveau des professions libérales et viennent grossir les rangs des nouvelles capacités.

Les entreprises

Les chefs d'entreprise ne constituent pas, bien entendu, une catégorie nouvelle dans la société française. Mais le fait capital est que le développement des grandes affaires et la création de grosses entreprises n'ont pas provoqué une « concentration » comparable à celles que l'on peut relever dans d'autres pays. Le nombre des *petites entreprises*, loin de décroître dans la seconde moitié du XIXe siècle, a augmenté, et augmenté dans des proportions considérables. Le recensement de 1866 avait montré que le nombre total d'établissements et de « travailleurs isolés » (c'est-à-dire de personnes exerçant seules leur métier) s'élevait à près de deux millions (1 968 000). Le recensement de 1896 porte ce chiffre à près de trois millions et demi (3 436 000), celui de 1906 à 3 927 000, maximum qui ne sera plus jamais atteint.

Sur ce chiffre global de quatre millions, on ne relève guère plus d'un million de chefs d'établissements occupant un ou plusieurs salariés. Tout le reste est formé de « chefs d'établissements sans salarié » (c'est-à-dire, selon la terminologie utilisée dans les recensements, le chef d'entreprise aidé de sa femme), au nombre de 364 000, et de « travailleurs isolés » (c'est-à-dire indépendants), au nombre de 2 445 000. A la veille de la guerre, la forme prédominante en France est donc l'entreprise individuelle ou familiale, n'employant pas de main-d'œuvre, et par conséquent de très modeste dimension.

Cette progression très remarquable du nombre des petites entreprises s'explique à la fois par les progrès de la consommation et par la spécialisation du travail qui a fait que la moyenne et la grande entreprise industrielle ne s'occupent plus que de la production, laissant à d'autres le soin d'écouler les marchandises. Les secteurs du transport et de la manutention occupent, en 1906, deux fois et demie plus de personnes qu'en 1866. Le commerce proprement dit connaît un essor comparable, surtout le commerce de l'alimentation, qui emploie plus de 600 000 personnes. Grâce aux statistiques fiscales, nous connaissons avec précision le nombre des débitants de boisson, tenus d'acquérir une licence pour la vente de l'alcool : il s'élève en 1913 à 482 000, soit un débitant pour cinquante-trois personnes adultes!

Dans l'industrie, le secteur le plus favorable à la petite entreprise fut celui du bâtiment. Étudiant *Le Département de l'Isère sous la IIIe République*, P. Barral relève, au tournant du siècle, la présence de près d'un millier d'entrepreneurs du bâtiment, qui se divisent en plusieurs catégories. La plus nombreuse était, de loin, celle des « maîtres-artisans », travaillant seuls ou presque seuls. Puis venaient « les entreprises occupant une ou deux dizaines d'ouvriers; dans la charpente, la peinture, la menuiserie... les plus grandes affaires se limitaient généralement à ce volume; les principales carrières ... étaient à peine plus importantes ». On ne rencontrait de grandes entreprises qu'à Grenoble même, où deux d'entre elles occupaient plus de cent salariés. Mais, ajoute P. Barral, « d'une catégorie à l'autre, se faisait une osmose assez active. Le bâtiment fut par excellence le domaine de la promotion sociale. En particulier, les immigrants italiens du Nord, Piémontais et Lombards, s'y élevèrent par leur travail acharné. Dès le XIXe siècle, plusieurs s'établirent à leur compte : en 1872, déjà, la moitié des entrepreneurs de peinture possédait des noms italiens ».

Au contraire, le déclin de l'artisanat traditionnel à la campagne paraît bien établi. Dans son étude sur *Les Campagnes de l'Ouest lyonnais et du Beaujolais de 1800 à 1970*, G. Garrier en démonte ainsi le mécanisme :

> Nous avions laissé, au milieu du XIXᵉ siècle, l'artisan de village au faîte de son importance et de ses pouvoirs. Pierre angulaire d'une économie fermée repliée sur elle-même, il s'était fait une place à part. L'ouverture des campagnes par la route puis par le chemin de fer lui porte un rude coup. Il n'est plus l'homme indispensable, bon conseiller et prêteur occasionnel. Des produits industriels arrivent désormais, de meilleure qualité et à meilleur marché... C'est ainsi qu'après avoir connu l'âge d'or entre 1850 et 1860, les tonneliers sont de moins en moins requis : le vin ordinaire se vend « nu » et c'est l'acheteur qui fournit la futaille et l'entretien; les vins supérieurs du Haut-Beaujolais continuent à être vendus logés, mais l'usage se répand de faire revenir les tonneaux par le chemin de fer et de les réutiliser... A cette date (1911), l'examen des listes nominatives (du recensement) révèle la disparition totale des ferblantiers, des boisseliers, des scieurs, de long, des tuiliers, des savetiers, des voituriers, des cordiers, des vanniers, des puisatiers; sabotiers et galochers se sont faits très rares. Les métiers liés au bâtiment ne sont plus représentés que dans les bourgs de quelque importance, alors qu'avant 1870 il y avait un forgeron, un charpentier, un couvreur, un maçon, un serrurier dans chaque village et même dans les gros hameaux... En 1906 comme en 1911, l'artisan de village était isolé : il n'a ni compagnon ni apprenti et il est bien rare qu'un grand fils travaille avec le père; or, quarante à cinquante ans plus tard, chaque forge, chaque atelier, chaque échope abritait trois ou quatre travailleurs. Ce déclin a été lent et n'a pas été véritablement ressenti comme une crise. L'artisan en place a dû réduire sa clientèle et ses activités. renvoyer ses apprentis, vivre de ses économies et de son jardin, décourager ses fils de lui succéder. C'est l'émigration de la génération suivante qui a sanctionné la déchéance.

La prolifération urbaine de l'entreprise individuelle, particulièrement dans le commerce de détail, a incontestablement favorisé l'ascension sociale des salariés. L'employé ambitieux, l'ouvrier qui cherche à échapper à la condition prolétarienne, trouvent dans l'artisanat ou le petit commerce l'occasion d'une promotion. Promotion relativement facile, car ces carrières n'exigent pas un niveau élevé d'instruction : le certificat d'études suffit, à un moment où les techniques commerciales restent rudimentaires, et la concurrence des grandes maisons limitée, malgré le succès de la vente par catalogues. Mais, dans la plupart des cas, la promotion de ces entrepreneurs individuels ne les mène pas bien loin; pour le commerçant et l'artisan, l'horizon économique ne s'étend guère au-delà du bourg ou, pour ceux des villes, au-delà du quartier; pour le petit industriel, il s'élargit bien rarement au département.

Dans ces milieux, voués par nature à la concurrence, la solidarité ne joue guère. Cependant, les *organisations professionnelles* n'y sont pas tout à fait inconnues. Les premières regroupèrent des entrepreneurs du bâtiment, soit sous forme de syndicats patronaux de métiers, soit sous forme d'unions fédérales à l'échelle des départements. Il s'agissait essentiellement de présenter, pour la défense des prix, un front uni, devant les administrations notamment, pour l'exécution des travaux publics. Chez les commerçants détaillants, des syndicats groupèrent les débitants, au moment où le Parlement

161

remaniait le régime des boissons, et se réunirent parfois en fédérations, comme celle du Sud-Est, qui couvrait la région lyonnaise. Dans les métiers de l'alimentation, des syndicats, à l'échelle de la ville, apparurent à la fin du siècle. Ces organisations professionnelles menèrent la lutte sur deux fronts : contre le fisc, accusé de sacrifier les intérêts des petites entreprises « aux prétendues nécessités, comme disaient les représentants d'un syndicat grenoblois, d'un budget que l'on gonfle à plaisir », et contre les coopératives de consommation, dont on dénonçait « la vilaine besogne, qui est principalement d'affamer les commerçants ». Indices d'une mentalité caractéristique de ces petits entrepreneurs, qui voyaient dans l'État un ennemi et dans les groupements ouvriers un obstacle au libre jeu des lois du marché.

Ni leur individualisme, ni l'ambiguïté de leur position dans la société ne leur permettaient d'adopter, en politique, des positions communes. Nombre d'entre eux, dont la situation restait précaire, étaient hantés par la crainte d'une déchéance sociale et, redoutant tous les désordres qui ne pouvaient que nuire à leurs intérêts, se rangeaient aisément dans la clientèle des partis conservateurs. Ceux qui réussissaient s'ouvraient plus largement aux idées nouvelles, l'aisance et le loisir procurant une plus grande liberté d'esprit. Ils fournirent au radicalisme nombre d'électeurs, à défaut de militants. Au début du siècle, le socialisme en attira un certain nombre. Quelques chefs d'entreprise (dans le bâtiment par exemple) qui n'avaient pas oublié les difficultés rencontrées dans leur jeunesse, alors qu'ils n'étaient que de simples compagnons, allèrent même jusqu'à prendre la tête de sections locales du parti socialiste. Mais la discipline de ce parti répugnait à beaucoup qui, lors des élections, accordaient plus volontiers leurs suffrages aux candidats « socialistes indépendants », dont la double étiquette conciliait agréablement le goût pour les idées avancées et la crainte de trop profonds changements sociaux.

Les paysans

Les changements subis par la paysannerie se sont produits avec une telle lenteur qu'ils ont, pour la plupart du temps, échappé aux contemporains. Pourtant, la physionomie des campagnes françaises apparaît, en 1914, différente de ce qu'elle était au début de la IIIe République et, à fortiori, au milieu du XIXe siècle. Les facteurs d'évolution ne sont pas nouveaux, mais leur efficacité s'est accrue avec le temps.

L'un des plus importants est *l'exode rural*, qui tend à se nourrir lui-même à partir du moment où les paysans qui vivent mal, petits exploitants et surtout salariés, et désirent quitter la terre, savent ou peuvent espérer que leurs parents, leurs amis, qui sont déjà partis et ont trouvé du travail dans les villes, les accueilleront à leur arrivée et faciliteront leur adaptation à la vie urbaine. Les causes économiques de l'exode rural sont renforcées dans le dernier quart du XIXe siècle, lorsque les prix des produits agricoles s'orientent à la baisse. Les causes psychologiques n'ont pas été moins puissantes dès que, le service militaire devenu universel, tous les jeunes paysans sont entrés en contact direct avec les jeunes citadins, et surtout avec la ville elle-même, la ville de garnison qui présente à leurs yeux une vie apparemment facile. Car ils n'apprennent à en connaître que les aspects les plus artificiels, ceux du loisir dominical et des plaisirs bon marché.

Les jeunes paysans qui, après le service militaire, gagnent la ville, appartiennent généralement aux couches paysannes les plus pauvres, à ces milieux qui, jusque vers 1850 encore, avaient entretenu dans les campagnes un certain climat d'insécurité et de revendication, une agitation qui pouvait devenir, en période de crise économique ou politique, inquiétante. La masse paysanne, après leur départ, apparaît moins redoutable : « L'émigration l'épure, la décongestionne du sang le plus pauvre et le plus dangereux. » Il est vrai qu'elle l'épure parfois aussi du sang le plus vif. Car nombre de paysans aisés commencent à orienter leurs enfants les plus doués, ceux que l'instituteur remarque en classe pour leur intelligence et leur travail, vers des carrières urbaines, et particulièrement vers cette fonction publique à la fois si décriée et si enviée.

L'exode rural est intimement lié au progrès technique, dont on peut dire qu'il est à la fois conséquence et cause. Conséquence, parce que le progrès technique, surtout l'amélioration de l'outillage, libère de la main-d'œuvre et la rend disponible pour la ville; cause, parce que l'émigration, en raréfiant la main-d'œuvre, provoque une augmentation des salaires agricoles et pousse l'exploitant à substituer la machine à l'ouvrier. Le *progrès technique à la campagne* s'accélère à la fin du siècle, par la généralisation de l'emploi de la charrue perfectionnée, des semoirs mécaniques, des faucheuses et des moissonneuses, mais aussi par l'utilisation des engrais chimiques, grâce aux progrès de l'industrie : en 1913, la consommation d'engrais chimiques en France est six fois plus forte qu'en 1886. Mais le progrès technique n'est ni uniforme ni général : d'abord parce qu'il exige des investissements hors de la portée de beaucoup d'exploitants, ensuite et surtout parce qu'il est le fait d'individus isolés, qui font preuve d'initiative personnelle. L'enseignement technique agricole, qui seul aurait pu provoquer un progrès généralisé, n'existe pratiquement pas : les grandes écoles ne recrutent pas parmi les fils de paysans, les professeurs d'agriculture (un par département à la veille de la guerre) sont des administrateurs plus que des enseignants, les cours d'agriculture donnés par les instituteurs ne sont pris au sérieux ni par le maître, ni par les élèves. La IIIᵉ République a borné son effort à maintenir ce qu'avait développé le second Empire, les comices et les concours agricoles. Dans ces conditions, le progrès technique, loin d'être un moyen de promotion généralisée, se présente plutôt comme un facteur de différenciation qui accroît le déséquilibre entre la petite et la grande exploitation.

Il en est de même pour la substitution de l'*économie de marché* à l'économie de subsistance. En substituant à l'autoconsommation la vente au marché, le paysan est entré dans l'économie d'échanges et s'est trouvé exposé à des fluctuations déconcertantes. Encore s'est-il contenté pendant longtemps de porter ses produits au marché voisin pour une vente directe au consommateur. Mais, à la fin du siècle, le caractère du marché se modifie; le consommateur s'en détourne et s'adresse le plus souvent au commerçant-détaillant, au boutiquier. Le paysan, surtout s'il a spécialisé ses cultures, trouve devant lui non plus le consommateur, mais le professionnel, acheteur en gros ou commissionnaire, beaucoup mieux informé des tendances du marché, beaucoup plus habile aussi, beaucoup lus redoutable, en un mot, que le consommateur. Les nouvelles formes de commercialisation des produits agricoles jouent contre le paysan.

Une fois encore, le déséquilibre entre le petit exploitant, pressé de vendre, et le gros exploitant, qui a des réserves, s'est accentué.

De ces changements, il s'ensuit que la vie du paysan devient *plus incertaine*, plus dangereuse en quelque sorte. Autrefois, c'était aux caprices du climat qu'il était exposé. Le progrès technique a considérablement diminué l'ampleur de ce risque. Mais les incertitudes du marché, surtout en période de bas prix, et les effets de la concurrence entre paysans vendeurs, en ont introduit de nouveaux. La différenciation entre paysans s'est accrue et, comme les différences tenaient surtout aux aptitudes individuelles, l'individualisme paysan s'est considérablement renforcé.

Plus que jamais, la diversité est le trait dominant des campagnes françaises. Diversité économique, selon l'étendue et la valeur des exploitations. Au sommet de la hiérarchie, celui qu'on pourrait appeler l'*entrepreneur de culture*, le gros fermier riche de capitaux ou, plus rarement, le grand propriétaire qui exploite lui-même. L'entrepreneur de culture utilise un outillage perfectionné et fait travailler une nombreuse main-d'œuvre. En 1906, on compte près de 250 « établissements » (c'est-à-dire exploitations) agricoles employant plus de cinquante salariés. Il s'agit là, évidemment, de cas exceptionnels, où la grande exploitation est associée plus ou moins directement à l'usine de transformation des produits agricoles, meunerie, distillerie de betteraves ou sucreries. L'agriculteur capitaliste n'est déjà plus un paysan. Mais, à la même date, on recense plus de 45 000 exploitations occupant de six à cinquante salariés, et 1 300 000 exploitations occupant de un à cinq salariés. Au total, les exploitants employeurs de main-d'œuvre représentent le tiers au moins, peut-être même les deux cinquièmes, de l'ensemble des exploitants agricoles.

On pourrait s'étonner que les contemporains n'aient pas attaché plus d'importance à la présence de ce patronat agricole, dont ils parlent peu. C'est que le paysan type, dont on célèbre les vertus et dont on rêve de faire la base d'une démocratie idéale, est *le propriétaire travaillant seulement avec sa famille*, sans employer de « mercenaires » (les panégyristes oublient d'ailleurs d'évoquer l'exploitation sordide du travail de la femme, qui assure à la fois le travail ménager et les soins donnés aux animaux, et de celui des enfants, retirés de l'école et mis au travail dès leur treizième année, sinon plus tôt). L'enquête agricole de 1909 est caractéristique à cet égard : entreprise avec le préjugé favorable à l'exploitation familiale, elle tend à montrer que c'est elle qui obtient les meilleurs résultats et échappe le plus facilement aux crises.

Les exploitations familiales sont, au début du XXᵉ siècle, largement majoritaires; on peut en évaluer le nombre à deux millions ou deux millions et demi. Elles sont dirigées tantôt par des propriétaires, tantôt par des fermiers, tantôt par des métayers. La condition matérielle des exploitants n'est pas moins variée que le statut des terres; la polyculture et l'autoconsommation en maintiennent beaucoup dans une situation médiocre, la spécialisation réussit à certains, lorsque les terres s'y prêtent et que la conjoncture est favorable. Rien n'est plus varié que ce monde paysan, tant est inégal le développement des régions agricoles de la France.

Car à la diversité économique il faut ajouter une diversité géographique qui n'a cessé de s'accroître à mesure que les campagnes sont sorties de leur isolement et ont participé plus largement aux échanges économiques. La *spécialisation régionale* s'est affirmée, portant les régions les mieux douées et les plus rationnellement exploitées loin en avant des autres, aggravant fortement les écarts naturels.

Les régions agricoles les plus modernes sont alors les campagnes à blé et betteraves à sucre du Nord et du Bassin Parisien ; sur de riches sols de limon, la grosse culture l'emporte en Flandre, Hainaut, Cambrésis, Picardie, Vexin, Soissonnais, Valois, Brie et Beauce. La proximité des grandes concentrations urbaines permet un écoulement facile et rémunérateur de la production. Le type social dominant est le grand fermier, mais l'exploitation en faire-valoir direct reste fréquente. Cette zone agricole soutient aisément la comparaison, à la veille de la guerre, avec les plus riches régions agricoles d'Angleterre ou de l'Europe du Nord.

Les bocages de l'Ouest sont plus complexes. Leur isolement les a souvent tenus à l'écart du progrès. Mais lorsque la spécialisation a pu s'imposer, la prospérité a suivi, comme le montrent deux régions pourtant bien différentes. La *Normandie* s'est spontanément spécialisée dans l'élevage pour fournir à l'agglomération parisienne des produits laitiers renommés ; l'enrichissement des fermiers et des propriétaires, qui tendent à constituer une véritable bourgeoisie locale, y a développé un état d'esprit conservateur qu'A. Siegfried a parfaitement décrit. La transformation de la région des *Charentes* s'est opérée d'une toute autre façon. Avant 1880, avec leurs 120 000 hectares de vigne, les Charentes étaient la seconde région viticole de France, après la Gironde ; l'invasion phylloxérique vint tout détruire, ou presque ; en 1892, il ne restait plus que 30 000 hectares de vignes en état de produire. L'initiative d'un paysan de Surgères, qui fonda en 1888 la première laiterie coopérative, provoqua la transformation de cette ancienne région de vignoble en zone d'élevage laitier. En 1893 fut organisée l'Association centrale des laiteries coopératives des Charentes et du Poitou, sur le modèle des coopératives suisses ; dès 1899, cette association organisa un service de wagons réfrigérés pour transporter le lait vers Paris. En 1906, la création de l'École professionnelle de laiterie, à Surgères, permit de former les chefs de fabrication. La qualité du beurre des Charentes, produit en coopératives, l'imposa sur le marché parisien. Dans cette région, la coopérative a sauvé la petite propriété paysanne.

La spécialisation a profondément transformé aussi deux régions méridionales : les *plaines rhodaniennes* et le Bas-Languedoc. Les premières ont été améliorées par le drainage des « paluds » et l'arrosage des terres sèches par les eaux de la Durance, distribuées par canaux. Le prix de revient de l'aménagement et la cherté de l'eau d'irrigation imposèrent le choix de cultures rémunératrices. Celles-ci devinrent possibles lorsque des moyens rapides de communication permirent l'écoulement sur des marchés lointains, marché parisien ou marchés étrangers d'Allemagne, de Suisse, des Pays-Bas, d'Angleterre. Les petits propriétaires se spécialisèrent alors dans la culture des fruits et des légumes. A la veille de la guerre, les plaines rhodaniennes connaissaient une très grande prospérité, l'exode rural y était arrêté, la région paraissait même en voie de repeuplement.

Dans le *Bas-Languedoc*, c'est encore la catastrophe phylloxérique qui provoqua un bouleversement économique et social. Avant 1870, la vigne était cultivée sur des collines par de petits propriétaires, tandis que les terres basses étaient négligées. En dix ans (1870-1880), le vignoble des coteaux fut détruit. Le premier moyen de lutte utilisé contre le phylloxera fut la submersion hivernale des vignobles; on planta donc de nouvelles vignes dans les terrains arrosables, c'est-à-dire en plaine. Là, la terre ne valait presque rien, mais la reconstitution du vignoble exigeait de grosses mises de fonds, qui ne rapportaient pas avant plusieurs années; le nouveau vignoble fut donc créé par des vignerons déjà très aisés et aussi par des bourgeois riches des villes, qui le firent exploiter par une main-d'œuvre salariée, avec un matériel perfectionné. Quant aux petits propriétaires des coteaux, ils durent s'endetter pour replanter en plants américains, résistants au phylloxera, et n'obtinrent que des rendements très inférieurs à ceux des vignobles de plaine. Ils se groupèrent en coopératives, avec de petits propriétaires de la plaine qui avaient, à grand-peine, résisté à la concurrence de la grande propriété; mais ils se trouvèrent en difficulté lorsque, à partir de 1900, la surproduction, aggravée par le développement du vignoble algérien, avilit les cours. Victimes d'une spécialisation poussée jusqu'à la monoculture, ils formèrent un Comité de Défense (1907), tentèrent des manifestations de masse qui dégénérèrent en émeutes à Narbonne et Perpignan et, à Béziers, en une mutinerie des soldats du 17e de ligne. Quelques mesures législatives et, surtout, un relèvement des prix, à la suite de mauvaises récoltes, ramenèrent le calme dans les années suivantes.

La spécialisation des cultures, pour le meilleur ou pour le pire, n'a pas touché toutes les régions : des îlots subsistent, dans lesquels l'agriculture diffère peu, en ces premières années du XXe siècle, de celle d'autrefois. La plus grande partie de la Provence, mais aussi la Bretagne intérieure, la Champagne, la Lorraine, en restent à l'économie de subsistance. Des régions au sol plus riche, comme la Limagne ou l'Aquitaine, maintiennent la polyculture, qui limite les risques mais ne permet guère d'améliorer les rendements. Les régions montagneuses, enfin, sortent à peine de leur isolement.

« A l'extrême diversité du monde agricole correspond une extrême diversité du comportement politique, à tel point qu'à la différence de la classe ouvrière, les paysans constituent une clientèle pour tous les mouvements politiques sans exception », écrivait J. Fauvet en 1958. Ces remarques sont parfaitement valables pour la période de la IIIe République. Aux premières élections, lorsque la droite et la gauche s'affrontent clairement (1876 et 1877), *deux Frances paysannes s'opposent*, celle de l'Ouest qui vote à droite, celle de l'Est (de la Lorraine à la Provence en passant par le Massif Central) qui vote républicain. En 1914, la droite ne contrôle plus que le bloc de la Bretagne et de l'Ouest intérieur, le pays basque, la partie méridionale du Massif Central et quelques départements alpestres. Mais elle a reconquis la Lorraine et la Champagne. Les autres régions rurales sont restées fidèles à la gauche ou ont été conquises par elle (tel est le cas, notamment, du Sud-Ouest, Languedoc et Bassin Aquitain). Ces changements de comportement politique ne coïncident nullement avec des changements de nature économique. Les régions modernisées ont persisté dans leur comportement traditionnel (la Normandie est restée conservatrice, les plaines rhodaniennes ont toujours voté « rouge ») ou viré à gauche comme le Languedoc; les régions fidèles à la polyculture ont évolué dans des directions opposées, le Nord-Est vers la droite, le Sud-Ouest vers la gauche.

Permanences ou changements ne doivent pas dissimuler ce fait remarquable qu'il n'y a jamais eu de « parti paysan », et que même aucun parti n'a pu valablement se prétendre le porte-parole des paysans. La diversité des conditions et des intérêts, s'approfondissant sans cesse, a permis à toutes les tendances politiques de recruter des électeurs dans le monde changeant des paysans.

Si hétérogène que soit la paysannerie et, plus encore, cet ensemble des « nouvelles couches » aux frontières indécises, puisque les unes tiennent encore au milieu populaire dont elles viennent à peine de se dégager, et les autres s'intègrent déjà aux catégories bourgeoises dont elles tendent à partager le mode de vie, il est un trait qui les réunit toutes, l'*individualisme*. Paysans, commerçants, artisans, entrepreneurs, fonctionnaires, membres des professions libérales, savent bien, en effet, ou croient savoir, que leur place dans la société dépend de leur réussite personnelle, c'est-à-dire de leur travail et de l'intensité de leurs efforts. Ils ne comptent, et ne peuvent compter, que sur eux-mêmes pour maintenir leur rang ou l'améliorer; il n'est, pour eux, que des solutions personnelles au problème de l'ascension sociale.

Mais l'expérience leur a démontré que l'*ascension sociale passe presque toujours par l'école*, et c'est pourquoi ils sont si attentifs à assurer à leurs enfants les bienfaits de l'instruction. Cette soif d'instruction rencontre opportunément les préoccupations des grands ministres républicains, préoccupations, il est vrai, un peu différentes en ceci que Jules Ferry et ses collaborateurs s'inquiétaient plus de former, par l'école, de bons citoyens que des professionnels compétents. L'école de Jules Ferry n'aurait jamais connu une réussite aussi complète si elle n'avait pas répondu à l'attente des particuliers; car l'État ne disposait pas de moyens efficaces de coercition pour faire respecter l'obligation scolaire que la loi avait instituée.

L'école primaire n'est pas seulement le moyen d'assurer aux enfants l'acquisition des connaissances élémentaires que requiert l'exercice des professions. Elle est la première marche d'un escalier qui mène plus haut. L'enfant qui, à l'école primaire, par son intelligence et son goût du travail, a attiré l'attention du maître, voit s'ouvrir devant lui deux grandes voies. Par l'une, il gagnera l'école primaire supérieure (où la fonction publique recrute nombre de ses employés), et peut-être l'école normale départementale, d'où il sortira instituteur. Par l'autre, il abordera l'enseignement secondaire, qui ouvre les carrières bourgeoises. L'ascension sociale par l'école est un trait original de l'époque; elle est plus ou moins rapide, soit qu'elle s'arrête à la première génération, au niveau du fonctionnaire moyen ou de l'instituteur, qui constitue une étape souvent respectée, soit qu'elle mène les sujets les plus brillants jusqu'aux grandes écoles et aux grands concours administratifs. Elle est facilitée par le système des bourses d'État, accordées par concours aux élèves les plus doués et les plus méritants. La carrière du boursier, de famille pauvre mais d'intelligence supérieure, qui s'est hissé par ses mérites aux plus hautes fonctions est, sous la IIIe République, un symbole, un mythe, qui joue en France le rôle que joue, à la même époque, le mythe du *self-made man* aux États-Unis, celui d'une société ouverte offrant une chance à chacun.

Si la promotion sociale passe, au niveau de l'individu, par l'école, on peut dire qu'elle passe aussi, mais au niveau de la famille, par le *malthusianisme démographique*. Le système des bourses d'études, pour efficace qu'il soit, ne s'applique qu'à une petite élite et convient surtout aux enfants des salariés. Dans les autres familles, la question de la transmission du « fond » (fond de commerce, entreprise, propriété foncière) conditionne le statut social familial : la division du fond entre plusieurs héritiers condamnerait la génération suivante à la régression sociale. Le Code civil n'est donc pas seulement une « machine à hacher le sol », il est aussi une incitation au malthusianisme, au moins pour les catégories propriétaires. L'accélération du mouvement de dénatalité, très sensible à la fin du XIXᵉ siècle et au début du XXᵉ, semble devoir être attribuée au comportement des couches nouvelles.

L'influence du facteur religieux sur le comportement démographique doit aussi être soulignée, car le malthusianisme et la déchristianisation sont en rapports étroits. Le *déclin de la pratique religieuse* semble bien attesté en France à cette époque, au moins dans de nombreuses régions (Aquitaine, Poitou, Limousin, Bassin Parisien à l'exception de la Lorraine) et surtout dans les villes, grandes et petites. De bons observateurs inclinent à penser que la pratique religieuse n'était plus, depuis longtemps et pour un bon nombre de catholiques, que très superficielle : elle ne traduisait guère qu'un conformisme social. A partir du moment où la politique anticléricale des gouvernements républicains s'est accentuée pour aboutir à la séparation des Églises et de l'État, un nouveau conformisme s'est substitué à l'ancien : il était devenu de bon ton de ne plus pénétrer dans l'église. Quoi qu'il en soit, le lien entre le recul des vocations sacerdotales (recul très prononcé à partir des premières années du XXᵉ siècle) et les mesures anti-cléricales et, plus encore, comme le remarque le chanoine Boulard, le « climat général du pays » apparaît très étroit. Si le climat des villes était depuis longtemps peu favorable, en raison de l'hostilité ouvrière et aussi de l'insuffisance croissante du nombre des prêtres, le climat des villages s'est détérioré lorsque s'est envenimé le conflit entre le curé et l'instituteur, débarrassé de la tutelle de l'Église et formé, dans les écoles normales, à la controverse antireligieuse.

Cependant, le mouvement de déchristianisation a surtout touché les hommes. Les femmes, qui lisent peu, ne sortent guère et sont tenues à l'écart des controverses, restent plus soumises à l'influence du clergé. Les hommes ne font rien, d'ailleurs, pour les y soustraire : « Surtout quand sa femme est jolie, le Français, même anticlérical, est tenté de la croire mieux gardée si le curé s'en mêle » (A. Siegfried).

A ces hommes détachés de la religion, l'école laïque, dont l'enseignement est le reflet du climat intellectuel de l'époque, a offert un substitut, le culte de la science, la foi dans la raison et le progrès. Sur les traces d'Auguste Comte, les Français sont entrés dans *l'ère positiviste*. Étudiant la personnalité de Renan, A. Thibaudet constate qu'il « a représenté avec Taine et Berthelot une génération qui a cru à la pleine puissance, à la pleine bienfaisance et au plein avenir de la science ». Le positivisme, devenu doctrine quasi officielle de l'Université, a imprégné l'enseignement public qui l'a diffusé jusqu'à l'école primaire. A ce niveau, il se réduit à un bréviaire du rationalisme et du laïcisme.

Cette confiance dans le progrès et dans la science, moyen du progrès, convenait parfaitement aux couches nouvelles, toutes tendues vers l'avenir. Comme leur convenait aussi l'idéologie radicale, dont Léon Bourgeois disait qu'elle tendait à « organiser poli-tiquement et socialement la société selon les lois de la raison ». Si Gambetta avait mis sa confiance dans les couches nouvelles, celles-ci ne devaient pas décevoir les républicains, puisqu'elles ont été, sous la IIIᵉ République, les fermes soutiens du radicalisme.

A vrai dire, le *radicalisme* a pris, pendant cette période, des formes changeantes. Le premier radicalisme, né à l'extrême fin du second Empire avec le programme de

Belleville (1869), n'est que la revendication générale des grandes libertés et l'affirmation de la souveraineté populaire. Il s'agit de fonder la démocratie, et le reste viendra par surcroît : « Je pense, disait Gambetta en acceptant ce programme, que le suffrage universel, une fois le maître, suffirait à opérer toutes les destructions que réclame (ce) programme et à fonder toutes les libertés. » Le radicalisme ne se distingue pas alors du républicanisme, et si son programme est réalisé par Jules Ferry et non par Gambetta, c'est seulement parce que les rivalités personnelles ont écarté celui-ci du pouvoir.

Le second radicalisme, celui des années 1880, est un radicalisme d'impatience, de protestation contre les lenteurs des opportunistes à fonder une réplique débarrassée de l'influence, qui reste grande, des anciennes autorités sociales. Radicalisme d'hostilité à l'Église (revendication de la Séparation), d'hostilité aux féodalités économiques (revendication de la nationalisation des chemins de fer), d'hostilité aux riches (proposition d'institution d'un impôt progressif sur le revenu).

Parvenu au pouvoir, le radicalisme s'organise (le parti républicain radical et radical-socialiste a été fondé en 1901) et précise sa doctrine. Établir une république qui soit l'héritière de la Révolution, et fonder cette république sur l'école, sur la diffusion des lumières; garantir l'autonomie des citoyens par la propriété individuelle; résoudre les problèmes agraires par la protection de la petite propriété; offrir à la classe ouvrière, par l'accession à l'artisanat, un moyen d'émancipation; résoudre les problèmes sociaux par la solidarité. Cette doctrine ne pouvait que plaire aux couches nouvelles, parce qu'elle répondait à leur goût de l'indépendance, à leur souci de voir respectée la dignité de la personne humaine, mais aussi à leur crainte des désordres, de la révolution sociale : le « solidarisme » de Léon Bourgeois est une tentative de conciliation de l'individualisme et du collectivisme, qui écarte la menace de la lutte des classes, dont les couches nouvelles ne pourraient, par leur position moyenne, que faire les frais.

Cependant, le radicalisme se trouvait menacé par les progrès, en son sein, de deux courants, le courant jacobin et le courant égalitaire. Le premier avait dévié dans le boulangisme et le nationalisme; le second avait imposé, à défaut de réformes, le choix de l'étiquette « radical-socialiste » accolée à l'ancienne. Devant ces menaces, le radicalisme de l'avant-guerre se repliait sur lui-même et prenait la forme d'un *radicalisme de refus*. Refus de modifier l'ordre existant : « Le parti est résolument attaché au principe de la propriété individuelle dont il ne veut ni commencer ni même préparer la suppression » (Programme de 1907); refus de reconnaître jusqu'à l'existence d'un problème social : « Le parti se refuse à établir, même théoriquement, entre les citoyens, des classes en lutte les unes contre les autres »; refus, enfin, de l'autorité, qui se trouve parfaitement exposé dans l'œuvre d'Alain. Comme, d'autre part, l'effet mobilisateur de l'anticléralisme était en partie épuisé depuis 1905, le radicalisme n'était déjà plus qu'un traditionalisme, une idéologie de satisfaits, dotés d'une sensibilité « de gauche », mais socialement conservateurs. De là « une curieuse indifférence aux réformes chez nombre de ces radicaux qui les ont toujours à la bouche », note A. Siegfried, qui ajoute : « On reste étonné de voir à quel point les *avancés* de cette formation se satisfont en somme aisément de l'ordre social existant. Dans cette démocratie idéologiquement audacieuse et pratiquement tempérée, la surenchère paraît facile et même sans péril, puisqu'elle évolue dans un cadre qu'on ne souhaite pas changer. » N'était-ce pas précisément le cadre au sein duquel les couches nouvelles évoluaient à l'aise ?

2. LA GRANDE BOURGEOISIE

C'est au tournant du siècle que la prédiction de Gambetta parut se réaliser : par l'intermédiaire du parti radical, qui les représentait, des couches sociales nouvelles parvenaient au pouvoir. Ce changement se préparait depuis longtemps, depuis même l'échec du Seize Mai (1877) : la grande bourgeoisie avait tenté alors de se réserver le monopole du pouvoir, mais le suffrage universel en avait décidé autrement. En deux ans, les républicains avaient obtenu le contrôle de la Chambre, du Sénat et de la présidence de la République. Cette République « républicaine » n'était plus celle qu'avait imaginée la grande bourgeoisie ; ce n'était ni la « République des Ducs », ni même celle de Monsieur Thiers. La grande bourgeoisie allait-elle subir à son tour le sort qu'elle avait infligé, un demi-siècle plus tôt, à l'aristocratie, et perdre d'un seul coup, avec sa suprématie, le contrôle de ce que J. Lhomme appelle les « trois pouvoirs », politique, économique, social ?

— *La perte du pouvoir politique* a été beaucoup moins complète et rapide que les contemporains eux-mêmes ne l'ont cru. Car la bourgeoisie conservait de solides moyens de défense, et ne se trouvait nullement disposée à abdiquer.

— *C'est dans l'exercice du pouvoir exécutif*, conquis par les républicains « opportunistes » dans un premier temps, par les radicaux dans un second, qu'elle enregistra son échec le plus grave. Si les radicaux ne cachaient pas leur hostilité aux « gros », les opportunistes, cependant, s'étaient montrés plus prudents : soucieux de faire disparaître les traces de monarchisme qui subsistaient dans le régime républicain, ils n'étaient pas foncièrement hostiles à la grande bourgeoisie en tant que catégorie sociale, et ils la ménagèrent dans l'espoir d'obtenir son ralliement au régime.

En outre, l'instabilité ministérielle permit à la grande bourgeoisie de glisser parfois, à la tête du ministère, des personnalités qui ne lui voulaient aucun mal : Charles Dupuy, Jules Méline et, après la période des cabinets radicaux, Raymond Poincaré. Mieux encore, elle trouva en Maurice Rouvier un habile défenseur de ses intérêts. Or, Rouvier dirigea deux ministères, le premier de mai à décembre 1887, le second de janvier 1905 à février 1906 ; il occupa, en outre, le poste de ministre des Finances pendant plusieurs années, dans les cabinets Tirard, Freycinet, Loubet, Ribot, c'est-à-dire de février 1889 à décembre 1892, puis, de nouveau, dans le cabinet Combes, de juin 1902 à janvier 1905. Si la grande bourgeoisie réussit à échapper à la menace, qu'elle considérait comme très sérieuse, de l'établissement d'un impôt sur le revenu (qui aurait fait disparaître la quasi-immunité fiscale dont elle bénéficiait comme détentrice de la richesse mobilière), elle le dut en grande partie à l'habileté de Rouvier. Mais celui-ci n'aurait pu réussir, seul, à faire repousser ce projet (l'impôt sur le revenu ne fut adopté qu'en juillet 1914), s'il n'avait trouvé des appuis dans les assemblées.

— *On admet généralement que la grande bourgeoisie a été dessaisie du pouvoir législatif* comme du pouvoir exécutif. Il est vrai qu'elle n'a pas réussi à maintenir longtemps ses représentants au Sénat. Le Sénat de la III° République, en effet, a rapidement recruté son personnel dans un milieu spécialisé, celui des politiciens républicains qui avaient fait de la politique une profession. Cette profession échappait aux grands bourgeois, parce qu'elle ne les attirait guère et parce qu'elle exigeait une souplesse, une patience, un don de séduction dont ils étaient le plus souvent dépourvus. Mais la Chambre des députés était moins inaccessible. La démocratisation de cette assemblée a été très lente, comme il apparaît à la lecture de ce tableau :

TABLEAU 11
ORIGINE SOCIALE DES DEPUTES

Election de	1871	1893	1919
Noblesse	34 %	23 %	10 %
Haute bourgeoisie	36 %	32 %	30 %
Bourgeoisie moyenne	19 %	30 %	35 %
Petite bourgeoisie	8 %	10 %	15 %
Classe ouvrière	3 %	5 %	10 %
TOTAL	100	100	100

Source : DOGAN M., *Les Hommes politiques et l'Illusion du pouvoir.*

Si chacune des catégories sociales avait été politiquement homogène, la situation de la haute bourgeoisie eût été, à la Chambre, déterminante : il eût suffi qu'elle fît bloc avec la noblesse pour arrêter toute mesure législative dangereuse. Mais cette homogénéité n'existait pas; il suffit de rappeler que l'ardent promoteur de l'impôt sur le revenu fut Joseph Caillaux, et qu'il descendait d'une famille de grande bourgeoisie. Les dissidences n'étaient pas, cependant, assez nombreuses pour amoindrir notablement, dans cette assemblée, l'influence de la grande bourgeoisie.

— *Celle-ci a, plus aisément encore, maintenu son emprise sur les grands corps administratifs*, dont on sait l'importance en une période où l'instabilité gouvernementale ne laissait guère aux ministres la possibilité de concevoir et de faire appliquer de grands desseins. Jusqu'à l'arrivée au pouvoir de Jules Ferry, le personnel administratif ne fut rien moins que républicain.

> Tous les fonctionnaires de l'Empire, écrit Seignobos, étaient restés en place, sauf quelques centaines de préfets, de sous-préfets et de magistrats des parquets. Ils continuaient donc à diriger tous les services publics, l'armée, la gendarmerie et la marine, la magistrature, les contributions directes et indirectes, les postes, les ponts et chaussées, l'instruction publique. Ils gardaient à leur disposition l'arsenal des innombrables règlements de police et de finances accumulés depuis l'Ancien Régime, que personne n'est sûr de connaître, et que l'administration peut à volonté employer contre ses adversaires ou laisser dormir pour ses amis. Ils gardaient sur leurs agents subalternes

le pouvoir quasi discrétionnaire de les déplacer ou destituer, de les faire avancer ou rétrograder, de favoriser ou d'entraver leur carrière par des notes secrètes.

Certes, les républicains ne tardèrent pas à effectuer de sévères épurations, tandis que l'arbitraire administratif fut réduit à mesure que les politiciens prirent la défense de leurs électeurs et parvinrent à se faire entendre des ministres. Restait le problème du recrutement des fonctionnaires, et surtout de ceux du plus haut rang. Par leur fortune, leur culture, leur habitude du « monde », leurs relations, les jeunes gens appartenant à la grande bourgeoisie étaient bien armés pour postuler ces charges. Formés à l'École libre des sciences politiques, créée en 1871 par Émile Boutmy, ils s'assuraient le quasi-monopole des postes diplomatiques et de ceux, beaucoup plus importants pour la défense des intérêts bourgeois, de l'Inspection des Finances. Hauts fonctionnaires, grands techniciens, conseillers des ministres, ils orientaient presque à leur gré la politique économique de la France.

Si la grande bourgeoisie a réussi à maintenir une influence politique bien plus forte qu'on ne l'admet communément, ce n'est pas seulement à ses capacités et à sa ténacité qu'elle le doit. C'est aussi parce qu'elle a été, involontairement mais efficacement, *servie par ses adversaires eux-mêmes* qui n'ont jamais su, ou voulu, la désigner clairement aux électeurs comme l'ennemi qu'il fallait écarter. Dans un premier temps, c'est-à-dire jusque vers 1885, les républicains ont mené leurs campagnes électorales sur des thèmes du passé, ceux de 1789, en appelant les électeurs à constituer le bloc du tiers état contre l'aristocratie et le clergé, pourtant hors de combat depuis bien longtemps. C'est le moment où la presse opportuniste de province ne cesse d'évoquer le joug « odieux » que faisait peser sur ses serfs le seigneur féodal, et l'arbitraire des « billets de confession ». Puis les modérés, et parfois les radicaux eux-mêmes, terrifiés par les progrès du socialisme, ont, pour écarter la subversion sociale, appelé à l'union tous les propriétaires; ils n'ont même pas hésité à brandir, contre les projets d'impôt sur le revenu, le spectre de « l'inquisition fiscale ».

Mieux encore, les adversaires de la suprématie bourgeoise n'ont jamais, comme l'a bien montré J. Lhomme, sérieusement mis en cause ce qui faisait l'essentiel de sa puissance, son pouvoir économique : « Les adversaires de la grande bourgeoisie, dans les classes moyennes par exemple, n'étaient pas tous bien conscients de la façon dont la lutte devait être menée. Ils ont cru souvent qu'une victoire politique suffisait... Si l'on veut faire cesser la suprématie bourgeoise, c'est dans son contenu économique qu'il faut l'atteindre. » Le parti radical avait bien inscrit depuis longtemps dans son programme un article sur « l'abolition des monopoles ». On ne voit pas qu'il eût jamais cherché à l'appliquer, si ce n'est dans la malheureuse affaire du rachat par l'État du chemin de fer de l'Ouest (1908). Cette nationalisation aurait pu inquiéter la grande bourgeoisie, si elle n'avait elle-même compris que, loin d'être le prélude à une intervention vigoureuse de l'État dans l'économie, le rachat n'était qu'un moyen de faire supporter par les contribuables les conséquences de la gestion, déplorable, de la Compagnie. Ce n'était, finalement, qu'une nationalisation du déficit, seule forme d'intervention de l'État que la bourgeoisie de cette époque pouvait admettre.

— *La puissance économique de la grande bourgeoisie* ne dépendait, dans un régime où le système de la libre entreprise ne supportait nulle atteinte efficace, que des transformations internes du capitalisme et de l'évolution de la conjoncture. Les transformations du capitalisme français n'ont pas été fondamentalement différentes de celles qu'a connues le capitalisme mondial, mais elles ont présenté un rythme moins rapide que dans d'autres pays. La concentration, par exemple, n'a progressé que dans certains secteurs, secteurs industriels comme la sidérurgie et la chimie, et secteur bancaire, par absorption des entreprises provinciales par les grandes banques parisiennes de dépôt. Plus que la concentration, les chefs d'entreprises ont pratiqué la *cartellisation* pour maintenir les profits en dictant les prix, en contingentant la production et en répartissant les marchés.

De même qu'à l'étranger, le patronat s'est « dépersonnalisé », la constitution de très nombreuses entreprises par actions substituant à l'entrepreneur individuel d'anonymes conseils d'administration. Mais bien des dynasties ont survécu (les Wendel, les Schneider dans la métallurgie, les Darblay dans l'industrie alimentaire), et des pionniers ont surgi qui, comme Louis Renault ou Marius Berliet, tentèrent l'aventure individuelle dans les industries nouvelles. Les affaires ont d'ailleurs été largement facilitées par l'achèvement d'un réseau national de distribution du crédit qui, mettant fin à l'ancien compartimentage régional, a fourni à bon compte l'argent dont avaient besoin les chefs d'entreprises. Dans la mesure, enfin, où les banques de dépôts s'orientent progressivement vers les prêts à court terme et, se dégageant des immobilisations industrielles, deviennent, par là, plus solides, elles gagnent davantage la confiance des déposants et mobilisent plus aisément l'épargne pour la mettre à la disposition des entrepreneurs.

La conjoncture économique française n'a pas été, non plus, différente de la conjoncture mondiale. Une première phase longue, de 1873 aux dernières années du siècle, phase de stagnation et même de recul des profits, a mis en difficulté tous les secteurs; ce fut une *phase de tassement des affaires*, « d'essoufflement » généralisé de l'économie. La seconde phase, de 1896 à la guerre, fut au contraire une *phase d'expansion* remarquable :

> Les masses et taux de profit des sociétés sidérurgiques atteignent, dans les années du début du XXe siècle, les plus hauts chiffres de leur histoire : on a même l'exemple d'un taux de profit... dépassant les 100 % (108 % en 1912 à Denain-Anzin). Mais il ne s'agit pas seulement de la sidérurgie. Les affaires bancaires connaissent, après les fort tristes années 1882-1895, un très remarquable renouveau. Toutes ces grandes sociétés (banques et sidérurgie) atteignent d'ailleurs les chiffres maxima de leurs bilans et masses de profits dans les années de l'immédiat avant-guerre : 1913 pour les banques, 1912 ou 1913 pour les sociétés sidérurgiques (J. Bouvier).

Cette « alacrité générale » des affaires, favorisée par la politique d'armement, a nourri l'optimisme de la Belle Époque, d'une belle époque pour les détenteurs du pouvoir économique.

La grande bourgeoisie n'a pas réussi à maintenir sur *la société* une emprise comparable à celle qu'elle avait conservée sur *l'économie*. Non pas qu'elle ait perdu tout moyen d'exercer un « pouvoir social ». Elle n'a pas négligé, par exemple, celui que lui fournissait *la presse* dans la direction de l'opinion. Le moment était favorable. C'est à la fin du XIXe siècle en effet que triomphe en France la « grande presse », conçue sur le modèle anglais ou américain : tirages gigantesques, exploitation des faits divers, publicité envahissante, apolitisme proclamé. Par leur immense succès, les cinq « grands » parisiens (*Le Petit Journal, Le Petit Parisien, Le Matin, Le Journal* et *L'Écho de Paris*, dont l'orientation politique est plus marquée), avec leurs cinq millions de lecteurs, étouffent la presse d'opinion, c'est-à-dire la presse de gauche. Sous une apparence d'information objective, ils véhiculent en fait le plus plat des conformismes, sûr garant de l'ordre établi et des intérêts de la grande bourgeoisie qui les finance.

La grande bourgeoisie *a perdu, en revanche, toute influence sur l'école* ou, plus exactement, sur l'école publique. Par son recrutement démocratique, par son indépendance à l'égard des autorités sociales et de l'Église catholique, par son attachement au rationalisme, par l'importance qu'elle attachait au libre examen et à l'esprit critique, l'Université apparaissait, parmi les corps constitués, comme le plus étranger et, à certains niveaux, comme le plus hostile à la grande bourgeoisie. Et celle-ci pensait avoir tout à redouter d'une jeunesse formée par l'enseignement public.

Cette crainte explique en partie *l'évolution intellectuelle de la bourgeoisie*, qui accueillit très favorablement la réaction antipositiviste et même anti scientifique des premières années du XXe siècle. Les femmes « du monde » qui se pressaient aux cours que Bergson donnait au Collège de France n'avaient sans doute pas la culture philosophique requise pour saisir la portée des leçons du maître; mais leur présence, le snobisme aidant, témoignait de l'importance du nouveau climat, comme en témoignait, à un niveau moins élevé, le succès des romans d'un Paul Bourget. La grande bourgeoisie se détournait maintenant de cette Raison qu'elle avait célébrée un siècle plus tôt, et de ce Progrès auquel elle avait cru autrefois, mais qui devenaient dangereux parce qu'ils pouvaient servir d'autres classes sociales dont elle redoutait l'ascension.

3. LE MOUVEMENT OUVRIER

On sait de quel prix le prolétariat avait payé la révolution industrielle, et quelle menace représentait, aux yeux des bénéficiaires de l'ordre social, une catégorie qui parvenait, à mesure qu'elle émergeait de sa misère, à se doter d'une conscience de classe. L'échec de la Commune et la répression qui suivit avaient écarté, pour quelques années, le péril. Mais le problème ouvrier restait évidemment posé, aussi bien sur le plan de la condition matérielle que sur celui de l'idéologie et de l'action.

La hausse vigoureuse des salaires observée pendant les années du second Empire trouvait son origine dans la prospérité générale, dont les ouvriers avaient obtenu une part. On pouvait se demander ce qu'il allait advenir avec le renversement de la conjoncture et pendant la longue dépression des années 1873-1896.

Les statistiques de salaires, de plus en plus abondantes et dignes de confiance grâce aux enquêtes de l'Office du Travail, apportent une réponse très claire, mais à première vue surprenante : loin de baisser, *le salaire nominal continue de croître*, bien qu'à une cadence moins rapide. De 1873 à 1900, le salaire moyen du mineur a augmenté de 36 %, celui des ouvriers du bâtiment, à Paris, de 34 %, celui du manœuvre de 40 %. Dans certaines professions, la hausse a été moins importante : les professions traditionnnelle-ment les mieux payées sont moins favorisées, car l'éventail des salaires tend à se refer-mer. Mais, dans l'ensemble, il n'est pas exagéré d'estimer au tiers environ l'amplitude moyenne de hausse pendant cette période. A partir de 1900, avec le retour de la pros-périté, les salaires s'élèvent encore, de 10 à 20 % en dix ans [1].

Ces fluctuations du salaire nominal sont à rapprocher des fluctuations du coût de la vie pour permettre d'apprécier le *mouvement du salaire réel.* De 1873 à 1896, le coût de la vie a diminué, grâce surtout à la baisse des prix des produits alimentaires (alors que les dépenses de logement restaient stables ou augmentaient) : on estime à 10 % au moins cette diminution du coût de la vie. Si bien que le pouvoir d'achat du salaire, fonction de la hausse du salaire nominal et de la baisse du coût de la vie, a progressé de 40 à 45 %. Après 1900, la hausse du coût de la vie a été presque aussi importante que celle des salaires nominaux et en a, en grande partie, annulé les effets.

Tout compte fait, *l'ouvrier se trouve plus à l'aise* à la veille de la guerre de 1914 qu'au lendemain de la guerre de 1870. Mais cette amélioration n'a-t-elle pas été payée de quelque façon, soit par une augmentation de la prestation de travail, soit par l'allonge-ment de la durée du travail ?

La réponse à la première question est très incertaine. Nous ne savons rien du rythme de travail à l'atelier ou dans les petites entreprises. Le patron s'est-il montré plus exigeant ? L'ouvrier, au contraire, a-t-il ralenti son effort ? Dans les grandes entreprises, il est très vraisemblable que l'introduction de machines plus perfectionnées et plus délicates, une plus stricte organisation du travail, ont aggravé les contraintes qui pesaient sur l'ouvrier, accéléré le rythme et substitué des heures de travail « *denses* » aux heures « poreuses » d'autrefois. Les témoignages de militants ouvriers ne laissent guère de doute sur le sentiment d'oppression ressenti par le travailleur de la grande industrie : le « bagne », ainsi désigne-t-il l'usine.

La réponse à la seconde question est bien plus aisée : la *journée de travail* n'a pas été allongée, une nouvelle législation l'a, au contraire, réduite, au moins pour certaines catégories de travailleurs. La loi du 19 mai 1874 a interdit l'emploi dans les « manu-factures, usines, ateliers ou chantiers » des enfants de moins de treize ans; à partir de treize ans, les enfants ne devront pas travailler plus de douze heures par jour. En fait, la journée de douze heures semble avoir été la règle générale à cette époque. La loi du 2 novembre 1892 introduit des modifications importantes : les enfants de treize à seize ans ne devront pas travailler plus de dix heures par jour, les adolescents de seize à dix-huit ans plus de soixante heures par semaine (sans que le travail journalier puisse excéder onze heures); les filles au-dessus de dix-huit ans et les femmes ne pourront être employées à un travail effectif de plus de onze heures par jour. La loi du 30 mars 1900 stipule que les jeunes de moins de dix-huit ans et les femmes ne devront plus être employés que dix heures et demi par jour à partir de 1902, dix heures à partir de 1904 et, pour la première fois, limite la durée de la journée de travail pour les hommes, ou du moins pour « les hommes adultes qui travaillent dans les mêmes locaux » que les femmes et

---

1. Malgré ces progrès, le taux du salaire est resté inférieur à celui de l'Angleterre ou des États-Unis : en 1906, par exemple, le salaire horaire d'un maçon londonien était de 28 % supérieur, celui d'un maçon de New York trois fois plus élevé que celui d'un maçon parisien.

des enfants : ils bénéficieront des mêmes avantages. La loi du 29 juin 1905, enfin, réduit à huit heures par jour la durée du travail dans les mines.

A la veille de la guerre, la pratique générale semble avoir été celle de la *journée de dix heures*. Telle était la règle dans les trois quarts des établissements industriels. Mais les organisations ouvrières réclamaient la généralisation de la journée de huit heures, considérée comme le maximum rationnel, selon le système dit des « trois huit » (huit heures de travail, huit heures de repos, huit heures de loisir).

La législation du travail a été, pendant cette période, étendue au domaine des *assurances sociales*. L'assurance contre les risques d'accidents du travail a été, par la loi du 9 avril 1898, mise à la charge du patron, qui devait payer à l'ouvrier une rente en cas d'incapacité de reprendre le travail, supporter les frais médicaux et pharmaceutiques et, en cas de décès, verser une pension à la veuve et aux enfants. Le principe de l'assurance vieillesse a été posé par le projet de 1906, et les modalités réglées par la loi du 5 avril 1910, qui institua les retraites de vieillesse : tout salarié gagnant moins de 3 000 francs par an devait recevoir, à partir de 65 ans, une allocation viagère de soixante francs par an, à condition d'avoir effectué au moins trente versements annuels de neuf francs pour les hommes, de six francs pour les femmes. L'employeur était tenu au même versement pour chacun de ses salariés, et l'État fournissait le complément nécessaire au fonctionnement de ce système de retraites. Il faut préciser que cette loi fut très mal accueillie par le patronat, et plus mal encore par les syndicats ouvriers qui, n'admettant pas le principe d'un versement ouvrier, en dénoncèrent « l'escroquerie ». Les trois quarts des salariés refusèrent de cotiser.

Malgré le vote de cette législation sociale, d'ailleurs très en deçà de celle d'autres pays, comme l'Allemagne par exemple, malgré même l'amélioration incontestable du niveau de vie, *la condition ouvrière reste essentiellement précaire*. D'abord parce que le travail ouvrier use le travailleur, l'expose constamment à la menace de la maladie; ensuite, parce que la stabilité de l'emploi n'est pas assurée, que le chômage peut survenir à tout moment; enfin, et surtout, parce que le fondement juridique des relations entre patrons et ouvriers n'a pas changé : c'est celui du contrat individuel. Il n'existe de convention collective de travail que dans les houillères du Nord, et depuis 1891 seulement. Le contrat individuel ne peut même pas être discuté dans ses clauses : il n'est que l'adhésion de l'ouvrier à un règlement d'atelier toujours fixé par l'employeur. Les rapports entre patrons et ouvriers ne peuvent être, malgré l'institution par la loi du 27 décembre 1892 d'un arbitrage, purement facultatif d'ailleurs, que des rapports de force.

C'est pourquoi la question de l'*organisation collective des travailleurs* revêt, pour eux, une importance considérable. Organisation qui s'est développée selon des rythmes variés, et sur deux plans, plan syndical et plan politique.

Toute organisation ouvrière n'a pas disparu avec l'écrasement de la Commune. Malgré la prohibition légale, des « chambres syndicales » subsistent, à Paris, où chaque corporation ouvrière semble posséder la sienne, et même en province, au moins dans les grandes villes. Le mouvement de reconstitution, ralenti pendant la période de l'Ordre Moral, s'accélère après la victoire des républicains aux élections de 1876. C'est que la majorité républicaine n'est pas hostile à l'association ouvrière. Aussi, dès 1876, un premier *Congrès national ouvrier* se réunit-il à Paris, où sont représentés une centaine de groupements, chambres syndicales mais aussi sociétés coopératives, d'inspiration proudho-nienne. On y réclame l'abolition des dispositions légales dirigées contre les associations ouvrières, et la création de nouvelles coopératives. Jules Guesde salue le Congrès de Paris comme un grand événement politique : pour la première fois, constate-t-il, le monde du travail a pris rendez-vous dans le cadre national.

Le second rendez-vous national est celui du Congrès de Lyon (janvier 1878), qui affirme que la seule forme d'organisation qui réponde aux besoins du temps est une fédé-ration de tous les syndicats. Mais coopérateurs proudhoniens et militants collectivistes s'affrontent, et si les premiers l'emportent encore, c'est pour peu de temps. Au congrès suivant (Marseille, 1879), où sont représentés et des syndicats et des « groupes d'études sociales », d'inspiration socialiste ou anarchiste, les collectivistes l'emportent et font adopter le principe de la création d'une Fédération des Travailleurs socialistes de France, véritable parti ouvrier. Ainsi, le succès du collectivisme engage immédiatement le mouvement syndical vers l'action politique. Pour peu de temps car, au quatrième congrès (Le Havre, 1880) une scission se produit entre « syndicaux », c'est-à-dire modé-rés, d'une part, collectivistes et anarchistes, de l'autre. Les uns et les autres tiendront désormais des congrès séparés, et leur division affaiblit le mouvement ouvrier.

Celui-ci, cependant, surmonte un premier obstacle, l'obstacle légal, grâce au vote de la *loi de 1884*, qui reconnaît la légalité des syndicats professionnels sous la réserve que soient déposés les statuts, et les « noms de ceux qui, à un titre quelconque, seront chargés de l'administration ou de la direction ». De même que les syndicalistes n'avaient pas attendu l'autorisation de l'État pour constituer leurs associations, si bien que le droit ne faisait que légitimer le fait, de même refuseront-ils de se plier à cette obligation, qu'ils considéraient comme un moyen d'inquisition policière. Le syndicalisme conti-nuera à vivre, comme avant, en marge de la loi.

Cependant, le mouvement ouvrier cherche encore, péniblement, ses voies. Il lui faut lutter contre l'obstacle patronal. Le patronat français, plus dur que l'État, refuse de reconnaître le fait syndical, de négocier avec des organisations ouvrières, surtout en un moment où les difficultés économiques le poussent à faire pression sur les salaires. Aussi, les grèves se multiplient-elles, marquées parfois, comme à Fourmies (1er mai 1891), par des incidents sanglants. La résistance ouvrière est efficace, si efficace même que non seulement elle interdit toute baisse généralisée des salaires, mais parvient même à maintenir un certain rythme d'augmentation.

Il lui faut trouver aussi des formes d'organisation, syndicale ou politique. Les tentatives d'organisation syndicale s'ordonnent en deux directions : Fédérations de métiers et Bourses du Travail. La première *fédération nationale syndicale* fut celle des ouvriers chapeliers, fondée en 1879; puis vinrent celles des travailleurs du livre (1881), des mineurs (1883), des cheminots (1890). La première *Bourse du Travail* fut fondée à Paris en 1887; Nîmes, Marseille, Saint-Étienne, suivirent. Dès 1892, quatorze bourses du travail avaient été fondées et, la même année, le congrès de Saint-Étienne constitua la Fédération des Bourses du Travail, dont Fernand Pelloutier deviendra le secrétaire général en 1895. L'unification de ces deux formes d'organisation commença en 1895 : la Fédération des Bourses et la Fédération des Syndicats tinrent un congrès commun à Limoges, d'où sortit la *Confédération Générale du Travail*. Unification encore incomplète, les partisans de l'organisation verticale en fédérations s'opposant à ceux de l'organisation horizontale (bourses du travail), et cette opposition se doublant de divergences doctrinales entre collectivistes et anarchistes. Après la mort de Pelloutier, la fusion fut réalisée (1902), les Bourses du Travail perdant leur autonomie, et la C.G.T., dont le secrétaire général fut Victor Griffuelhes, combina la double organisation, verticale (en fédérations, mais la fédération d'industrie devait être substituée à la fédération de métier), et horizontale (mais des unions départementales devaient remplacer les bourses du travail). Dans cette C.G.T. unifiée triomphe alors le syndicalisme révolutionnaire. *Le syndicalisme révolutionnaire* voulait faire du syndicat non pas un simple moyen de défense de la classe ouvrière, mais la forme sociale destinée à remplacer l'État. Le moyen d'action choisi était « l'action directe », c'est-à-dire « l'action des ouvriers eux-mêmes, directement exercée par les ouvriers », pouvant, en cas de besoin, prendre la forme d'une action violente. L'aboutissement de l'action directe devait être la grève générale qui, disait Griffuelhes, sera la « révolution sociale ». Nul besoin, pour faire la révolution, de compter sur les partis politiques. Le syndicalisme révolutionnaire, qui a médité les leçons de Proudhon, exprime son horreur du parlementarisme; il inspire la Charte d'Amiens (1906), affirmation de l'indépendance complète du syndicalisme à l'égard des partis.

Il est vrai que la méfiance des syndicalistes à l'égard de la politique s'expliquait en partie par les déceptions que leur avait réservées le *mouvement socialiste*, empêtré, pendant un quart de siècle (1879-1905), dans les dissidences et les scissions, les âpres rivalités de personnes et les oppositions doctrinales. Ce n'est qu'en 1901 que les cinq tendances socialistes se réduisent à deux, Parti Socialiste Français de Jean Jaurès, Parti Socialiste de France de Jules Guesde, et en 1905 seulement que l'unité est enfin réalisée par la création du Parti Socialiste Unifié, Section Française de l'Internationale Ouvrière. Alors, les progrès du socialisme s'accélèrent : 35 000 adhérents, 830 000 électeurs et 51 députés en 1906, 90 000 adhérents, 1 400 000 électeurs et 103 députés en 1914. Mais ces succès du parti socialiste n'avaient pas désarmé la C.G.T., malgré les espoirs de Jaurès, affirmant que « le syndicalisme s'élargit naturellement en socialisme ». En février 1912, une nouvelle et solennelle déclaration « d'indépendance absolue, totale, à l'égard des partis et des sectes » avait été formulée par les secrétaires de la C.G.T., Griffuelhes et Jouhaux, dans un document que les syndicalistes appelèrent familièrement « l'Encyclique ».

Cette *séparation absolue du syndicalisme et du socialisme*, trait spécifique du mouvement ouvrier français, a comporté pour celui-ci de redoutables conséquences. Du côté syndical, une crispation sur des positions abstraites, un sectarisme ouvriériste isolant les syndiqués dans une sorte de ghetto. Du côté du parti socialiste, l'impossibilité de compter sur une adhésion massive des syndicalistes, sur des rentrées assurées de cotisations et, par suite, la nécessité de recruter des adhérents et surtout de gagner des électeurs dans d'autres couches sociales, petites-bourgeoises surtout. Les cartes de suffrages montrent qu'en 1914 l'électorat socialiste est constitué en forte partie d'anciens électeurs de gauche, qui considéraient sans doute le parti socialiste moins comme le parti de la classe ouvrière que comme « une sorte de prolongement plus hardi du radicalisme ». L'affadissement du socialisme était en germe dans l'isolement obstiné du syndicalisme. Quant à l'argument selon lequel cet isolement prophylactique le mettait à l'abri des divisions et des scissions, l'avenir devait en montrer la fragilité : la scission qui affectera le parti socialiste en 1920 sera presque immédiatement suivie de la scission syndicale.

L'intransigeance syndicale, le refus de composer, trouvent leur explication, sinon leur ustification, dans les conditions mêmes où s'est développé le mouvement ouvrier français. Tout d'abord, ce mouvement a été animé, au moins au début, par des *ouvriers de haute culture*, rêvant non pas d'améliorer la condition matérielle de leurs camarades mais de créer un monde nouveau, un monde meilleur, sans prolétariat, sans exploitation d'hommes par d'autres hommes. La conception ouvrière du problème social est alors une conception globale.

Ensuite, parce que ce mouvement ouvrier n'a toujours été le fait que d'une *minorité*, quelques centaines de milliers de syndiqués pour plusieurs millions de travailleurs. Cette

ÉLECTIONS DU 26 AVRIL 1914 : EXTREME GAUCHE

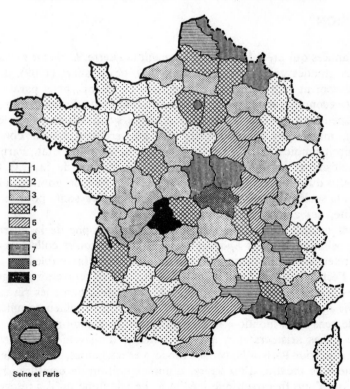

Seine et Paris

L'extrême gauche comprend le Parti socialiste unifié et le Parti ouvrier.

1. Néant
2. Moins de 5 % des électeurs inscrits.
3. De 5 à 10 % des électeurs inscrits.
4. De 10 à 15 % des électeurs inscrits.
5. De 15 à 20 % des électeurs inscrits.
6. De 20 à 25 % des électeurs inscrits.
7. De 25 à 30 % des électeurs inscrits.
8 De 30 à 35 % des électeurs inscrits.
9. De 35 à 40 % des électeurs inscrits.

Source : Fr. GOGUEL, *Géographie des élections françaises de 1870 à 1951*, A. Colin.

faiblesse numérique est typiquement française. En 1911, la C.G.T. groupe moins de 700 000 syndiqués, soit 7 syndiqués pour 100 salariés; l'Angleterre en compte plus de quatre millions (25 syndiqués pour 100 salariés), l'Allemagne quatre millions et demi (28 syndiqués pour 100 salariés). Même l'Italie, pourtant très en retard, économiquement, sur la France, compte une plus forte proportion de syndiqués (11 pour 100 salariés). Comme tout mouvement de minorité, le mouvement syndical français penche tout naturellement vers l'extrémisme.

Enfin, c'est sans doute *du côté du patronat* qu'il faut chercher une dernière explication : son refus total, obstiné, de reconnaître le fait syndical, l'emploi des méthodes les plus brutales ou les plus hypocrites pour se débarrasser des organisations ouvrières, sont largement responsables du durcissement syndical, de cet aspect quasi désespéré que revêt la lutte de classe dans l'esprit des militants ouvriers.

4. CONCLUSION

Au cours des années qui précèdent immédiatement la guerre, *le climat social se détériore gravement.* Les grandes grèves des mineurs (1906), des postiers (1909), des cheminots (1910), sont durement réprimées par Clemenceau et Briand, mais paralysent quelque temps l'activité économique du pays. Les manifestations du Premier Mai apparaissent comme des répétitions pour le « Grand Soir ». Le syndicalisme gagne le milieu des fonctionnaires, malgré les avertissements des gouvernements, qui considèrent que l'exercice du droit syndical est incompatible avec le service de l'État. Parmi les syndicalistes, le pacifisme et surtout l'antimilitarisme (le congrès de la C.G.T., en 1913, préconise le refus du service militaire en cas de guerre) font de nombreux adeptes. Les fondements de la société paraissent ébranlés, et ces années sont, pour la bourgeoisie, grande et petite, des années de crainte.

Pourtant, ces mêmes années ont reçu, après la catastrophe de la guerre mondiale, il est vrai, l'appellation de *Belle Époque.* Quels traits la mémoire collective des Français a-t-elle donc retenus qui justifient une appréciation aussi favorable?

Sans doute l'éclat de la vie mondaine, qui attire à Paris souverains, « grands ducs » et autres riches désœuvrés de tous pays, et dont la splendeur hante les rêves des provinciaux. Cette vie mondaine est animée par le « Tout-Paris », milieu complexe de snobs, de vedettes, de gens du « monde » et de prostituées du « demi-monde », où le ton est donné par de riches aristocrates à qui une hérédité d'oisiveté a enseigné un certain art de vivre. Le « Tout-Paris » lance la « mode » et les modes, « assure le succès d'un livre, d'une pièce de théâtre, d'un opéra, d'une exposition de peinture, d'une marque d'automobile ou d'une thérapeutique inédite ». Le triomphe qu'il a réservé à *L'Aiglon* laisse des doutes sur la qualité de ses goûts littéraires; le ridicule des toilettes féminines qu'il a admirées en laisse peu sur son goût tout court.

L'agrément de la Belle Époque, ce n'est sans doute pas dans le clinquant de la vie parisienne qu'il faut le chercher. Mais, plutôt, dans la prospérité économique, qui a amélioré le sort de tous, inégalement sans doute, mais suffisamment pour que la misère ne soit plus qu'exceptionnelle. Surtout, dans un certain style de vie, commun à la majorité des Français, fait de goût pour le travail soigné, exécuté en prenant son temps, pour les loisirs tranquilles, pour les longues conversations et l'échange des idées. Dans la conviction, enfin, de vivre dans un pays privilégié, à la civilisation la plus élaborée et la plus enviée, conviction qui nourrissait un ardent patriotisme dont 1914 révéla la profondeur. La nostalgie de la Belle Époque, née des bouleversements cruels engendrés par la guerre, ne sera que le regret d'une certaine stabilité (monétaire, notamment), d'une certaines médiocrité aussi, mais qui prenait, au milieu des tribulations d'une époque difficile, les couleurs d'un bonheur simple.

LECTURES COMPLEMENTAIRES

Outre les ouvrages cités à la bibliographie du chapitre précédent, auxquels on ajoutera :

O SORLIN (Pierre), *La Société française*, T. I, *1840-1914*, Paris, Arthaud, 1969,

et le chapitre remarquable écrit par :

O BOUVIER (Jean), (« Le mouvement d'une civilisation nouvelle ») pour l'*Histoire de la France* dirigée par G. DUBY, t. III, *Les Temps nouveaux*, Paris, Larousse, 1971.

on pourra consulter :

Pour le cadre politique

O GOGUEL (Français), *La Politique des partis sous la IIIe République*, Paris, Le Seuil, 1946.

O — *Géographie des élections françaises de 1870 à 1951*, Paris, A. Colin, 1951 (Cahiers de la Fondation nationale des Sciences politiques, n° 27).

O SIEGFRIED (André), *Tableau des partis en France*, Paris, Grasset. Ce livre a été publié en 1930, mais l'auteur précise qu'il s'est « basé surtout sur des impressions personnelles, vieilles parfois de près d'un demi-siècle ». Ce tableau est donc, en très grande partie, valable pour la période antérieure à 1914.

O SEIGNOBOS (Charles), *L'Évolution de la IIIe République* (tome VIII de *L'Histoire de France contemporaine* de Lavisse), Paris, Hachette, 1931.

O NICOLET (Claude), *Le Radicalisme*, Paris, P.U.F., 1957 (coll. Que sais-je ?).

Pour les questions religieuses

O LE BRAS (Gabriel), *Introduction à l'histoire de la pratique religieuse en France*, Paris, P.U.F., vol. I, 1942; vol. II, 1945.

O — « Transformation religieuse des campagnes françaises depuis la fin du XVIIIe siècle », *Annales sociologiques*, série 2, fasc. II, 1937.

O LÉONARD (E.), *Le Protestant français*, Paris, P.U.F., 1963.

O LATREILLE (André), SIEGFRIED (André), *Les Forces religieuses et la vie politique. Le catholicisme et le protestantisme*, Paris, A. Colin, 1951 (Cahiers de la Fondation nationale des Sciences politiques, n° 23).

Pour les transformations de l'agriculture

O GEORGE (Pierre), *Géographie économique et sociale de la France*, Paris, Éditions Hier et Aujourd'hui, 1946.

Pour le milieu ouvrier

O COLLINET (Michel), *L'Ouvrier français. Essai sur la condition ouvrière (1900-1950)*, Paris, Les Éditions ouvrières, 1951.

O *Le Militant ouvrier français dans la seconde moitié du XIXe siècle*, numéro spécial de la revue *Le Mouvement social*, oct. 1960-mars 1961.

O BRÉCY (Robert), *Le Mouvement syndical en France, 1871-1921, essai bibliographique*, Paris, Mouton, 1963.

O DUBIEF (Henri), *Le Syndicalisme révolutionnaire*, Paris, A. Colin, 1969.

Pour la bourgeoisie

O BOUVIER (Jean), *Le Crédit lyonnais de 1864 à 1882*, Paris, S.E.V.P.E.N., 1961, 2 vol.

O BOUVIER (Jean), FURET (François), GILLET (Marcel), *Le Mouvement du profit en France au XIXe siècle, Industrie et artisanat*, Paris, Mouton, 1965.

O PERROT (Marguerite), *Le Mode de vie des familles bourgeoises, 1873-1953*, Paris, A. Colin, 1961 (coll. Recherches sur l'économie française).

Sur l'enseignement

O PROST (A.), *L'Enseignement en France, 1800-1967*, Paris, A. Colin, 1968, (collection U).

○ Gerbot (P.), *La Condition universitaire en France au XIXe siècle*, Paris, P.U.F., 1965.

○ *Niveaux de culture et groupes sociaux*, Actes du colloque réuni du 7 au 9 mai 1966, à l'École Normale Supérieure, Paris, Mouton, 1967.

Les monographies locales

On consultera surtout les monographies locales dont le modèle a été donné par :

○ Siegfried (André), *Tableau politique de la France de l'Ouest sous la IIIe République*, Paris, A. Colin, 1913. Le même auteur a publié aussi, en 1949 :

○ *Géographie électorale de l'Ardèche sous la IIIe République*, Paris, A. Colin, 1949 (Cahiers de la Fondation nationale des Sciences politiques, n° 9).

On retiendra notamment :

○ Barral (Pierre), *Le Département de l'Isère sous la IIIe République, 1870-1940. Histoire sociale et politique*, Paris, A. Colin, 1962 (Cahiers de la Fondation nationale des Sciences politiques, n° 115).

○ Bernard (Philippe), *Économie et sociologie de la Seine-et-Marne, 1850-1950*, Paris, A. Colin, 1953 (Cahiers de la Fondation nationale des Sciences politiques, n° 43).

○ Desgraves (Louis), Dupeux (Georges), *Bordeaux au XIXe siècle*, tome VI de l'*Histoire de Bordeaux*, Bordeaux, Fédération historique du Sud-Ouest, 1969.

○ Laurent (Robert), *Les Vignerons de la « Côte d'Or » au XIXe siècle*, Paris, les Belles Lettres, 1958.

○ Pataut (Jean), *Sociologie électorale de la Nièvre au XXe siècle (1902-1951)*, Paris, Éditions Cujas, 1956, 2 vol.

○ Thabault (Roger), *1848-1914. L'ascension d'un peuple. Mon village, ses hommes, ses routes, son école*, Paris, Delagrave, 1945.

DOCUMENTS

31. LES CLASSES SOCIALES ET LA POLITIQUE

... Pour ou contre l'esprit de 1789, les diverses classes sociales (on peut employer ce terme à condition de lui dénier toute signification juridique) se sont, au XIXe siècle, groupées et orientées en tendances politiques d'une parfaite clarté.

Nous classerons d'abord, comme relevant de l'esprit de 1789, le paysan et l'artisan de village, toutes les fois du moins qu'ils ne subissent pas l'ascendant politique de l'Église. La crainte de l'Ancien Régime, aujourd'hui purement chimérique, continue de marquer à un étonnant degré la psychologie du paysan français : l'attitude qui en résulte est une instinctive résistance à la domination du presbytère et du château. Il arrive aujourd'hui que le noble et le prêtre soient brouillés, mais dans la majorité des communes cette opposition du peuple et des autorités sociales, résultat d'une prétention à laquelle correspond une résistance, demeure permanente.

L'ouvrier de l'industrie, type social de formation postérieure, a d'abord commencé par avoir tout simplement, comme le paysan et l'artisan, l'esprit de la Révolution française, mais avec un dévouement idéologique peut-être plus passionné. La lutte de classe, conception étrangère, n'est venue que plus tard, mais il y a, en dehors d'elle, un mouvement ouvrier proprement français, dont l'idéal est loin, même aujourd'hui, d'avoir épuisé sa vertu. Je me rappelle un temps, qui n'est pas très loin, où nombre d'ouvriers étaient simplement « républicains ».

A ces éléments fondamentaux de la gauche ajoutons le petit fonctionnaire, peuple par son origine, son esprit et ses manières, longtemps brimé par la superbe d'une administration apparentée aux autorités sociales et soucieux, lui aussi de s'émanciper, sous la protection d'une République qui lui appartiendrait. Au temps du Gambettisme, quand le régime encore discuté s'installait, l'instituteur, le facteur, ont été, dans chaque village, d'incomparables militants. Et n'oublions pas enfin, dans cette revue, la petite et la moyenne bourgeoisie, sans cesse écrémée de son élite par le succès, mais d'autant plus jalouse du snobisme des riches, et par là solidaire d'un ordre qui se réclamait de l'égalité. C'est dans ces quelques groupes que la République naissante a spontanément trouvé ses plus solides appuis.

Mais il y a par contre des milieux dont l'idéal est incompatible avec tout régime se réclamant de 1789 : l'Église, pour les raisons que nous avons dites [1]; la noblesse qui tient naturellement pour la hiérarchie et en réalise encore les conditions dans plus d'un département ; la bourgeoisie, surtout la haute bourgeoisie, devenue à son tour l'une des autorités sociales. Des clientèles gravitent autour de ces trois puissances : populations catholiques dévouées au prêtre, pauvres secourus par l'Église et par les riches, petits fermiers craintifs devant le propriétaire, commerçants de village ou de petite ville effrayés d'un boycottage éventuel, employés,

---

1. A. Siegfried a exposé dans un paragraphe précédent que : « L'Église ne peut évidemment reconnaître l'indépendance complète de la société politique à son égard : en fait elle admettra, à titre empirique, un pouvoir temporel indépendant et même n'importe quel pouvoir temporel, mais il faudra que la délégation vienne d'en haut, non d'en bas, c'est-à-dire que le pouvoir ait Dieu pour origine. Tout naturellement, dans ces conditions, l'Église penche pour les gouvernements d'autorité : théoriquement, la souveraineté populaire, la laïcité de l'État sont, à ses yeux, choses abominables, et, en fait de doctrine, on ne voit pas bien quelle réconciliation pourrait survenir entre son point de vue et celui de la laïcité révolutionnaire. »

domestiques, ouvriers même, tenus en état de dépendance par le patron. Dans la mesure où la société est hiérarchie, organisation, elle tend à échapper à l'esprit de 1789 pour se rallier à d'autres idéals. On ne se rend généralement pas compte à quel point, sous des formes anciennes ou rajeunies, la hiérarchie exerce encore d'influence. Le peuple, idéaliste naïf, espère toujours en avoir raison et instaurer enfin le régime de la véritable égalité, mais les sages, même dans ses rangs, savent bien que c'est une utopie : la discipline renaît toujours parce qu'il faut bien que la société vive.

Entre ces deux groupes les pentes se déterminent aussi infailliblement que des pentes géographiques. Il est naturel que les petites gens s'associent, et de même les riches et les puissants; chacun du reste croit être sur la défensive et n'a pas tort. Ainsi se dessine spontanément, dans chaque commune française, le parti de l'instituteur, qui veut « affranchir » le peuple; et, derrière le curé, le noble ou le riche bourgeois, celui de la hiérarchie, qui (sans le dire bien sûr) voudrait maintenir le peuple en tutelle, n'estimant la masse capable ni de gouverner ni de se gouverner.

Il y a là deux tempéraments si différents, deux points de vue si naturellement opposés qu'on ne saurait les juger avec équité : tout dépend du point de vue où on se place...

André SIEGFRIED, *Tableau des partis en France*, Paris, Grasset, 1930. pp. 66-70.

32. LES BOURSIERS

Dans ces jeunes provinciaux que les trains dégorgent sur Paris, et qui ont pour plaque tournante ces terrasses du Luxembourg, toutes les classes sont représentées. Mais les études de droit et de médecine coûtent trop cher pour qu'elles puissent être abordées par des Français sans patrimoine. Il en est presque de même pour les carrières d'ingénieur, pour la haute administration. L'armée ne fréquente pas le Quartier latin; mais on peut poser que le roc et le centre traditionnels de l'armée résidèrent longtemps, résident encore dans vingt mille familles environ, nobles ou bourgeoises.

L'enseignement est la seule carrière qui se recrute presque exclusivement parmi les boursiers, les fils de familles sans fortune. Huit ou neuf sur dix des élèves de l'École Normale Supérieure ont fait leurs études avec des bourses de l'État, obtenues à la suite de concours sérieux, qui représentent déjà une première sélection. Ceux qui ne passent pas par l'École Normale reçoivent des bourses de licence, d'agrégation, puis de voyage, de missions, de hautes études. Les écoles normales d'instituteurs et de professeurs primaires comportent un recrutement et une gratuité encore plus démocratiques. Les membres de familles riches ou simplement aisées qui figurent dans les trois ordres d'enseignement ne sont qu'une exception négligeable. Dans les professions libérales, l'enseignement représente rigoureusement la section des hommes nouveaux.

Jusqu'à la fin du XIXe siècle, ces hommes nouveaux sont des hommes modestes. Et je ne veux pas dire qu'ils ne le soient pas restés. Seulement, en dehors d'eux, il s'est produit trois faits : l'affaire Dreyfus, la défaite politique de l'Église, et l'arrivée au pouvoir de la République radicale, qui les ont poussés en avant, les ont appelés à une fonction de cadres. L'affaire Dreyfus fut dans son principe une lutte entre les corporations intellectuelles et la corporation militaire; la défaite politique de l'Église renforça le prestige et l'influence du clerc laïque, bien vu du pouvoir; la République radicale, née en 1898, trouva naturellement ses cadres dans ces hommes nouveaux.

Ce n'est pas là un mouvement politique de Paris, mais bien de la province, de la province qui fait aujourd'hui les révolutions politiques. A Paris, les grandes corporations de l'intelligence sont l'Académie, l'Institut, la littérature, le journalisme, le barreau : l'Université ne vient qu'à la suite et à un rang secondaire; l'instituteur, bien entendu, ne compte pas. En province, le professeur tient la première place, et, au village, le curé enlevé, il ne reste que l'instituteur.

THIBAUDET (Albert), *La République des professeurs*, Paris, Grasset, 1927, pp. 120-123.

33. LES INSTITUTRICES LAIQUES ET LE MILIEU RURAL

« J'ai débuté, il y a dix ans dans une commune du Médoc, où nous eûmes, ma directrice et moi, fort à souffrir du fanatisme religieux, d'une concurrence terrible et d'un conseil municipal clérical tout à fait hostile, et comme nous nous plaignions de notre logement, véritable masure ouverte à tous les vents, on nous dit : « Un parc à vaches serait bien assez bon pour loger ces péronnelles! »

« A l'église, notre place était tout à fait au fond, dans un coin obscur, contre le mur; on nous aurait mis dehors, si on l'avait pu. A la fin, cependant, les autorités religieuses et civiles ayant décidé, dans leur sagesse, que nous étions parfaitement respectables, tout le monde se rangea à leur avis. Quant aux vivres, on nous les faisait payer plus cher qu'aux autres, sans doute, mais on ne nous refusa jamais la nourriture. »

« Dans le Nord de la France, de pauvres institutrices qui n'avaient pas demandé à remplacer des religieuses dont l'école avait été laïcisée, de par une loi obligatoire, se sont vu refuser, dans les localité où elles étaient envoyées, les aliments de premières nécessité : pain, lait, beurre, légumes. On ne voulait rien leur vendre. Elles ont dû acheter leurs provisions à l'étranger.

« Vous connaissez l'abus que l'on a fait de ces expressions : enseignement impie, éducation athée, école sans Dieu — loi scélérate, les curés sac au dos — et d'autres que je passe. Si je vous disais que toutes ces choses sont continuellement jetées à la face des instituteurs et surtout des institutrices, je vous étonnerais. Cependant, il en est ainsi. « Votre gouvernement de francs-maçons, de juifs, de voleurs », comme si nous l'avions fabriqué nous-mêmes, malgré le suffrage universel. L'instituteur peut encore, de temps en temps, dire que nous avons le gouvernement que nous avons choisi. Mais la modeste institutrice n'a qu'à rougir, baisser les yeux et se taire. Si elle ouvrait la bouche pour dire qu'elle n'a pas le droit de récriminer contre ceux qui la font vivre, elle en entendrait de belles, elle ferait de la politique, elle passerait bientôt dans l'esprit de certains pour une quasi Louise Michel ».

Lettres d'institutrices rurales d'autrefois, rédigées à la suite de l'enquête de Francisque Sarcey en 1897. Introduites et commentées par Ida Berger. Association des amis du Musée pédagogique, Imp. Nat., s. d., pp. 44-45.

34. LA PRATIQUE RELIGIEUSE DANS LE DEPARTEMENT DE LA NIEVRE AU DEBUT DU XXᵉ SIECLE

Quels sont les différents comportements religieux dans le diocèse, leurs caractères et leurs domaines sociaux propres? Il est possible de distinguer diverses attitudes : celle de l'athée déclaré, ou de l'homme appartenant à une autre religion, vivant hors de l'Église; celle du conformiste indifférent ; celle enfin du pratiquant régulier, quelquefois dévot.

Ceux qui se « posent » non seulement contre l'Église, mais en dehors d'elle, qui

refusent tout secours pour eux-mêmes, notamment l'enterrement religieux, n'ont toujours été qu'une très faible minorité dans la Nièvre. Certes, le témoignage audacieux ou provocant de leur attitude, aux yeux de l'opinion publique, les mettait « très en vue »; d'autant plus que généralement notables, fût-ce de troisième zone, ils s'y trouvaient déjà plus ou moins. Mais presque toujours leur conduite, qui était aussi une bravade à l'encontre de leur atavisme et souvent de leur éducation première, ne se poursuivait pas à l'article de la mort. Ils acceptaient même avec une secrète satisfaction que leur femme pratiquât, que leurs enfants fissent leur première communion; et ils tenaient fermement, presque toujours, à ce qu'ils fussent baptisés. Ainsi profondément déchristianisés, même ceux-là, de très loin, « relevaient » encore de l'Église. Et comme par ailleurs aucune autre ne venait lui disputer les âmes, on peut donc dire qu'elle embrassait tous les Nivernais... Aussi, quelle que fût pourtant la puissance de l'anticléricalisme, la Nièvre n'était pas un pays de « mission ». Le véritable affaiblissement de l'Église se situait ailleurs.

En effet, cette population « chrétienne » vivait très loin de l'Église, très loin de ses directives et de son influence. Sa pratique n'était que le résultat d'un « conformisme saisonnier ». Conformisme, parce qu'on avait perdu de vue dans les choses religieuses leur signification propre; on n'en regardait plus que l'aspect extérieur et il n'en subsistait qu'un attachement coutumier; bien souvent la foi avait cessé d'être réelle et les rites accomplis l'étaient autant, plus peut-être, par superstition que par un reste d'esprit authentiquement religieux, par respect des exigences sociales avant tout, par respect humain, cet impératif du tempérament nivernais. Saisonnier, parce que cet attachement ne se manifestait plus que de loin en loin, qu'aux quelques grandes occasions de la vie, généralement à quatre — où les fidèles entrent alors dans l'Église : au baptême, à la première communion, au mariage, à l'enterrement.

Aussi, malgré l'attachement sans doute très profond à ces quelques restes des pratiques ancestrales, la vie quotidienne repose sur un solide scepticisme, étayé d'un matérialisme et d'une indifférence que permet une terre le plus souvent généreuse. Le rôle du clergé est réduit à l'accomplissement de quelques rites pour lesquels il se trouve indispensable. On ne voit plus en l'Église sa mission véritable. Elle a cessé d'être une directrice d'âmes...

[En 1886, quatre-vingt-seize mille deux cents fidèles communièrent le jour de Pâques, ce qui représente environ 35 % de la popula-

tion totale du département.] En 1909, le nombre des pascalisants fut de cinquante-huit mille et celui des fidèles assistant assez régulièrement à la messe d'environ quarante et un mille deux cents. Ces deux chiffres donnent une idée approximative du volume de la « population pratiquante » restée attachée à l'Église autrement que par pur conformisme.

C'est dans ces âmes que l'Église pourra exercer directement une influence politique. Or, elles représentent, en ce qui concerne les pascalisants, 19 % de la population totale; comme les enfants au-dessous de sept ans et même de onze ans ne communient pas — les communions privées étant assez rares — on peut dire qu'environ 20 à 25 % de la population au-dessus de cet âge a communié en 1909. Cela représente une minorité qui pourrait être temporellement puissante, surtout si les hommes s'y trouvaient en nombre. Les statistiques ecclésiastiques ne renseignent pas sur leur participation exacte à la communion ; mais elles donnent des éléments très précis sur leur assistance à la messe. Ainsi, parmi les « messés » [1] moins nombreux, qui représentent 13,5 % de la population totale, les hommes sont fort peu représentés; chiffrés à sept mille six cents, ils constituent donc 2,5 % de la population totale. On constate, fait banal, que la religion catholique devient une « religion de femmes »... En ce qui concerne l'assistance à la messe, la religion n'intéresse donc environ qu'un homme sur treize...

Ainsi dans la Nièvre les comportements religieux extrêmes, l'athéisme et la dévotion, sont peu représentés. On rencontre avant tout des attitudes moyennes : un conformisme saisonnier à peu près universel, flanqué d'une forte minorité, surtout féminine, de pratiquants réguliers. Certes l'Église sera présente à peu près partout, mais avec un rayonnement généralement très médiocre.

Seulement cette médiocrité n'est pas sans exceptions.

N'ayant pas opposé partout la même résistance lors de la régression de la fin du XIXe siècle, l'Église marque alors diversement de son empreinte les différents milieux sociaux

---

1. Nous empruntons cette qualification à M. le professeur Le Bras.

et les différents cantons du diocèse. Certains ont perdu toute ferveur mais non pas tous. l'Église conserve solidement la fidélité de certaines couches sociales, et de certaines régions : elle garde un domaine.

Celui-ci, socialement, paraît avoir eu ses couches privilégiées à la campagne et aussi dans les bourgs.

En milieux ruraux, les propriétaires aisés ou riches, par alliance à cette force d'ordre qu'est l'Église, entrent souvent dans cette catégorie de pratiquants réguliers, et, avec eux, toute leur clientèle. Encore à cette époque, il semble bien que la pression exercée par les « maîtres » sur leurs fermiers, métayers et ouvriers agricoles, se soit fortement maintenue, surtout sur les terres nobles, alors si étendues dans la Nièvre.

Dans les villes, ces pratiquants sont socialement encadrés par cette petite et moyenne bourgeoisie qui, financièrement bien assise, tirait de la région avoisinante d'importants revenus de fermage, et qui s'allie constamment aux gens de lois, quelquefois même à la noblesse. Par contre, la bourgeoisie négociante, peu traditionaliste quand des mariages ne la rapprochent pas de celle-là, devenue souvent radicalisante et plus accessible aux idées nouvelles, semble avoir été peu attachée aux pratiques religieuses. Mais ici, comme dans les campagnes, les traditions familiales et locales paraissent déterminantes, et cela surtout dans les classes populaires, où les pratiquants saisonniers représentent la grande majorité.

La minorité nettement hors de l'Église se compose avant tout, aux bourgs et dans le « plat pays », de pharmaciens, d'agents d'assurances, d'instituteurs laïques, quelquefois de médecins et de vétérinaires. Ils se recrutent dans les professions libérales, commerçantes, parmi les fonctionnaires, parmi les retraités et parfois aussi parmi les propriétaires terriens de tradition voltairienne. Mais rarement les milieux populaires font leur cette attitude qui se veut parfaitement, purement antireligieuse même si on croit peu à Dieu, on tient pourtant à le ménager : on y est prudent.

PATAUT (J.), *Sociologie électorale de la Nièvre au XXᵉ siècle (1902-1951)*, Éditions Cujas, pp. 63-68.

35. LOI DE FINANCES DU 15 JUILLET 1914

(Art. 5 à 17 établissant un impôt général sur le revenu).

ART. 5. — Il est établi un impôt général sur le revenu.

ART. 6. — L'impôt général sur le revenu est dû, au 1ᵉʳ janvier de chaque année, par toutes les personnes ayant en France une résidence habituelle.

ART. 7. — Si le contribuable a une résidence unique, l'impôt est établi au lieu de cette résidence.

Si le contribuable possède plusieurs résidences, il est assujetti à l'impôt au lieu où il est réputé posséder son principal établissement.

ART. 8. — Chaque chef de famille est imposable tant en raison de ses revenus personnels que de ceux de sa femme et des autre membres de la famille qui habiten avec lui.

Toutefois, les contribuables peuvent réclamer des impositions distinctes : 1º lorsqu'une femme séparée de biens ne vit pas avec son mari; 2º lorsque les enfants ou autres membres de la famille, sauf le conjoint, tirent un revenu de leur propre travail ou d'une fortune indépendante de celle du chef de famille.

ART. 9. — Sont affranchis de l'impôt : 1º les personnes dont le revenu imposable n'excède pas la somme de 5 000 francs, majorée, s'il y a lieu, conformément à l'article 12 ci-après; 2º les ambassadeurs et autres agents diplomatiques étrangers, ainsi que les consuls et agents consulaires de nationalité étrangère, mais seulement dans la mesure où les pays qu'ils représentent concèdent des avantages analogues aux agents diplomatiques et consulaires français.

ART. 10. — L'impôt est établi d'après le montant total du revenu net annuel dont dispose chaque contribuable. Ce revenu net est déterminé, eu égard aux propriétés et aux capitaux que possède ce contribuable, aux professions qu'il exerce, aux traitements, salaires, pensions et rentes viagères dont il jouit, ainsi qu'aux bénéfices de toutes occupations lucratives auxquelles il se livre, sous déduction : 1° des intérêts des emprunts et dettes à sa charge; 2° des arrérages de rentes payées par lui à titre obligatoire; 3° des autres impôts directs acquittés par lui; 4° des pertes résultant d'un déficit d'exploitation dans une entreprise agricole, commerciale ou industrielle.

Le revenu imposable correspondant aux diverses sources de revenus énumérés ci-dessus est déterminé chaque année d'après leur produit respectif pendant la précédente année.

ART. 11. — En ce qui concerne les personnes non domiciliées en France, mais y possédant une ou plusieurs résidences, le revenu imposable est fixé à une somme égale à sept fois la valeur locative de cette ou de ces résidences, à moins que les revenus tirés par le contribuable de propriétés, exploitations ou professions, sises ou exercées en France n'atteignent un chiffre plus élevé, auquel cas ce dernier chiffre sert de base à l'impôt.

ART. 12. — Les contribuables mariés ont droit, sur leur revenu annuel, à une déduction de 2 000 francs.

En outre, tout contribuable a droit sur son revenu annuel à une déduction de 1 000 francs par personne à sa charge, si le nombre des personnes à sa charge ne dépasse pas cinq.

ART. 14. — Chaque contribuable est taxé seulement sur la portion de son revenu qui, après application des dipositions de l'article 12, dépasse la somme de 5 000 francs.

ART. 15. — L'impôt est calculé en comptant pour un cinquième la fraction du revenu imposable comprise entre 5 000 et 10 000 F; pour deux cinquièmes, la fraction comprise entre 10 000 et 15 000 F; pour trois cinquièmes, la fraction comprise entre 15 000 et 20 000 F; pour quatre cinquièmes, la fraction comprise entre 20 000 et 25 000 F; pour l'intégralité, le surplus du revenu, et en appliquant au chiffre ainsi obtenu le taux de 2 %.

ART. 16. — Les contribuables passibles de l'impôt souscrivent une déclaration de leur revenu global, avec faculté d'appuyer cette déclaration de leur revenu du détail des éléments qui le composent.

ART. 17. — Le contrôleur vérifie les déclarations uniquement à l'aide des éléments certains dont il dispose en vertu de ses fonctions, tels que les données servant à l'établissement des rôles des contributions directes et des taxes assimilées, ainsi que de ceux qui, recueillis par tous les services publics en vertu des lois existantes, doivent sans exception lui être communiqués. Il n'a le droit d'exiger de l'intéressé la production d'aucun acte, livre ou document quelconque. Le contrôleur peut rectifier la déclaration; mais, dans ce cas, il adresse au contribuable, avant d'établir la matrice du rôle, l'indication des éléments qui serviront de base à son imposition, l'invite à se faire entendre ou à faire parvenir son acceptation ou ses observations et à fournir, s'il y a lieu, les justifications utiles au sujet des déductions qu'il demande par application des articles 10, 12 et 15. Si le désaccord persiste, le contribuable conserve le droit de réclamer par la voie contentieuse, après la publication du rôle.

36. DU BON USAGE DES LIVRES DE COMPTES

Reproduction d'une lettre du 12 décembre 1886

Ma chère Julie,

Tu vas recevoir les livres de dépenses que je t'offre à l'occasion de ton mariage.

L'un, le plus gros, est destiné à recevoir à la fin de chaque mois les chiffres des différentes dépenses classées par catégories. Il y a aussi à la gauche de chaque page une colonne pour les recettes et une pour les placements. Tu devras donc inscrire sans exception aucune sur ce livre toutes les recettes et toutes les dépenses de quelque matière qu'elles soient et en totalisant les colonnes tu auras les chiffres correspondant à la somme des opérations effectuées pendant le mois.

Le second livre, qui est le plus petit, est divisé en deux parties.

La première est destinée à recevoir, par chaque page, les recettes et dépenses d'une année entière. Il est commode d'arrêter ses comptes annuels, non pas le 31 décembre, car on a toujours de grosses notes qui chevauchent d'une année sur l'autre, mais au milieu de l'année, au 30 septembre par exemple.

En admettant cette date, tu garderas les deux premières pages, je suppose, en blanc, tu les rempliras ensuite avec les dépenses de l'année 1886-1887, puis, à partir du mois d'octobre 1887, et à la fin de chaque mois, tu transcriras sur une seule ligne du registre par année, les totaux, du mois d'octobre par exemple, que tu copieras sur le registre par mois.

Quand tu auras inscrit les douze mois compris du 1er octobre 1887 au 30 septembre 1888, tu additionneras toutes les colonnes au bas de la page, et tu auras les recettes de l'année, ainsi que les dépenses de chaque nature, et la dépense totale.

Comme vérification, la somme des recettes augmentée de l'encaisse au 1er octobre 1887 devra être égale à celle des dépenses augmentée des placements et de l'encaisse au 1er octobre 1888.

La deuxième partie du livre ne contient que des pages blanches, elle est destinée à recevoir à la fin de chaque année l'inventaire de votre fortune. Tu devras donc commencer par mettre sur la première page ce que vous aurez en entrant en ménage. Je t'engage à inscrire d'abord la totalité de ce que vous aurez, puis d'indiquer au-dessous vos dépenses d'installation : frais de contrat, trousseau, voyage de noces, mobilier, etc. Tout cela monte, quelque raisonnable que l'on soit, à un chiffre très élevé. Si tu le retranches de votre fortune totale avant la noce, tu auras le capital réel qui vous restera en arrivant à Tunis et que vous aurez à augmenter chaque année pour constituer des dots à vos filles.

Votre fortune ne variera pas simplement chaque année par les achats ou les ventes de valeurs que vous aurez faits, mais aussi par la hausse et la baisse des titres que vous conserverez.

Il faudra donc pour connaître votre situation réelle que, dans chaque inventaire annuel, tu indiques la nature de chacun de vos titres et sa valeur au jour de l'inventaire, d'après le cours de la Bourse. C'est ainsi que tu as vu à Mâcon que nos 45 actions du Nord, qui ont été à plus de 2 200 F et valaient 100 000 F, sont maintenant à 1 600 F et ne représentent plus que 72 000 F. Nous nous ferions des illusions si nous nous figurions être toujours aussi riches, parce que nous avons conservé nos titres.

Je crois qu'il y a un grand intérêt à bien tenir ses comptes. Lorsqu'on le fait régulièrement en cherchant les causes des variations qui se produisent chaque année, c'est une besogne qui, loin d'être fastidieuse comme on pourrait le croire, offre une véritable attraction et est pleine d'utiles enseignements.

Je ne me fais pas d'illusions sur la valeur de mon cadeau Il ne fera pas brillante figure au milieu de tous ceux que tu vas recevoir. Mais il ne faut pas toujours juger les choses sur l'apparence. Ce sera un serviteur de tous les jours, et si tu sais le consulter, il te donnera de sages avis.

Crois, ma chère Julie, maintenant et toujours à ma vive et sincère affection.

Ton oncle.

PERROT (M.), *Le Mode de vie des familles bourgeoises*, A. Colin, pp. 264-265.

37. LOI DU 21 MARS 1884, RELATIVE A LA CREATION DES SYNDICATS PROFESSIONNELS

ART. 1er. — Sont abrogés la loi des 14-17 juin 1791 et l'article 416 du Code pénal.

Les articles 291, 292, 293, 294 du Code pénal et la loi du 10 avril 1834 ne sont pas applicables aux syndicats professionnels.

ART. 2. — Les syndicats ou associations professionnelles, même de plus de vingt personnes exerçant la même profession, des métiers similaires ou des professions connexes concourant à l'établissement de produits déterminés, pourront se constituer librement sans autorisation du gouvernement.

ART. 3. — Les syndicats professionnels ont exclusivement pour objet l'étude et la défense des intérêts économiques, industriels, commerciaux et agricoles.

ART. 4. — Les fondateurs de tout syndicat professionnel devront déposer les statuts et les noms de ceux qui, à un titre quelconque, seront chargés de l'administration ou de la direction.

ART. 5. — Les syndicats professionnels régulièrement constitués, d'après les prescriptions de la présente loi, pourront librement se concerter pour l'étude et la défense de leurs intérêts économiques, industriels, commerciaux et agricoles.

Ces unions devront faire connaître, conformément au deuxième paragraphe de l'article 4, les noms des syndicats qui les composent.

Elles ne pourront posséder aucun immeuble ni ester en justice.

ART. 6. — Les syndicats professionnels de patrons ou d'ouvriers auront le droit d'ester en justice.

Ils pourront employer les sommes provenant des cotisations.

Toutefois, ils ne pourront acquérir d'autres immeubles que ceux qui seront nécessaires à leurs réunions, à leurs bibliothèques et à des cours d'instruction professionnelle.

Ils pourront sans autorisation, mais en se conformant aux autres dispositions de la loi, constituer entre leurs membres des caisses de secours mutuels et de retraites.

Ils pourront librement créer et administrer des offices de renseignements pour les offres et les demandes de travail.

Ils pourront être consultés sur tous les différends et toutes les questions se rattachant à leur spécialité.

Dans les affaires contentieuses, les avis du syndicat seront tenus à la disposition des parties, qui pourront en prendre communication et copie.

ART. 7. — Tout membre d'un syndicat professionnel peut se retirer à tout instant de l'association, nonobstant toute clause contraire, mais sans préjudice du droit pour le syndicat de réclamer la cotisation de l'année courante.

Toute personne qui se retire d'un syndicat conserve le droit d'être membre des sociétés de secours mutuels et de pensions de retraites pour la vieillesse à l'actif desquelles elle a contribué par des cotisations ou versements de fonds.

ART. 10. — La présente loi est applicable à l'Algérie.

Elle est également applicable aux colonies de la Martinique, de la Guadeloupe et de la Réunion. Toutefois, les travailleurs étrangers et engagés sous le nom d'immigrants ne pourront faire partie des syndicats.

38. LA "CHARTE D'AMIENS"

Ordre du jour adopté au XVe Congrès national corporatif de la C.G.T., tenu à Amiens du 8 au 16 octobre 1906

Le congrès confédéral d'Amiens confirme l'article 2, constitutif de la C.G.T. disant :

« La C.G.T. groupe, en dehors de toute école politique, tous les travailleurs conscients de la lutte à mener pour la disparition du salariat et du patronat... »

Le Congrès considère que cette déclaration est une reconnaissance de la lutte des classes qui oppose, sur le terrain économique, les travailleurs en révolte contre toutes les formes d'exploitation et d'oppression, tant matérielles que morales mises en œuvre par la classe capitaliste contre la classe ouvrière;

Le Congrès précise, par les points suivants, cette affirmation théorique... Dans l'œuvre revendicatrice quotidienne, le syndicalisme poursuit la coordination des efforts ouvriers, l'accroissement du mieux-être des travailleurs par la réalisation d'améliorations immédiates, telles que la diminution des heures de travail, l'augmentation des salaires, etc. ; mais cette besogne n'est qu'un côté de l'œuvre du syndicalisme : il prépare l'émancipation intégrale qui ne peut se réaliser que par l'expropriation capitaliste; il préconise comme moyen d'action la grève générale et il considère que le syndicat, aujourd'hui groupement de résistance, sera dans l'avenir, le groupement de production et de répartition, base de réorganisation sociale;

Le Congrès déclare que cette double besogne quotidienne et d'avenir découle de la situation des salariés qui pèse sur la classe ouvrière et qui fait à tous les travailleurs, quelles que soient leurs opinions ou leurs tendances politiques ou philosophiques, un devoir d'appartenir au groupement essentiel qu'est le syndicat;

Comme conséquence, en ce qui concerne les individus, le Congrès affirme l'entière liberté pour le syndiqué de participer, en dehors du groupement corporatif, à telles formes de lutte correspondant à sa conception philosophique ou politique, se bornant à lui demander, en réciprocité, de ne pas introduire dans le syndicat les opinions qu'il professe au dehors;

En ce qui concerne les organisations, le Congrès décide qu'afin que le syndicalisme atteigne son maximum d'effet, l'action économique doit s'exercer directement contre le patronat, les organisations confédérées n'ayant pas, en tant que groupements syndicaux, à se préoccuper des partis et des sectes qui, en dehors et à côté, peuvent poursuivre en toute liberté la transformation sociale.

39. CHRONOLOGIE DU MOUVEMENT OUVRIER, 1870-1914

1870 — Juillet : Guerre franco-allemande.
  — 23 juillet : Premier manifeste rédigé par Karl Marx au nom du Conseil général de l'Internationale.
  — 4 septembre : La République.
  — 9 septembre : Second manifeste sur la guerre rédigé par Karl Marx au nom du Conseil général.

1871 — 18 mars : Thiers donne l'ordre à l'armée régulière de reprendre les canons enlevés par les gardes nationaux. La foule s'y oppose. Thiers ordonne l'évacuation de Paris.
  — 23 mars : Le Conseil fédéral de l'Internationale parisienne publie un manifeste dans

lequel il demande aux travailleurs de soutenir le Comité central de la Commune et ébauche un programme de réformes.

— 26 mars : Élections : sur 80 membres élus, 25 sont des ouvriers parmi lesquels Varlin, Camelinat, Benoît Malon, Léo Frankel, dirigeants de l'Internationale.

— Mars à mai : Le comité central gouverne Paris. Léo Frankel, membre de la Commission de l'Échange et du Travail, essaie de faire œuvre socialiste. Il favorise les coopératives ouvrières et organise les bureaux de placement.

1871 — 22 au 28 mai : Les troupes versaillaises reprennent Paris. Il y a 107 000 victimes, pour la plupart de la classe ouvrière.

— 30 mai : Marx rédige son adresse *La Guerre civile en France*, comme un document officiel de l'Internationale.

1872 — 14 mar : Thiers fait voter la loi de répression dite loi Dufaure sur l'Internationale.

— 3 mai : Commission d'enquête sur les conditions du travail en France.

— 28 août : Fondation du cercle de l'Union ouvrière, dirigé par Barberet, modéré. De Belgique, Vaillant lui répond au nom des « Communeux ».

1873 — Délégation ouvrière à l'Exposition universelle de Vienne; chute de Thiers; les monarchistes prennent le pouvoir.

1874 — Loi sur la durée du travail des femmes et des e ants et créant l I spection du travail.

1875 — L'amendement Wallon reconnaît l'existence de la République.

1876 — Délégation ouvrière à l'Exposition universelle de Philadelphie.

— Congrès national ouvrier, à Paris, coopératiste et mutuelliste sous l'influence de Barberet.

1877 — Crise du 16 mai. Ministère de l'Ordre moral.

— Élections républicaines.

— 18 novembre : Jules Guesde fonde le premier journal socialiste : *L'Égalité*.

1878 — Première candidature ouvrière aux élections municipales de Paris.

— Congrès ouvrier « modéré », à Lyon.

— 15 septembre : Guesde, Fournière, Labousquière et Gabriel Deville sont arrêtés avec 35 autres organisateurs du Congrès international interdit. Ils lancent, de Sainte-Pélagie, le manifeste : *Programme et adresse des socialistes révolutionnaires français*.

1879 — 20 avril : Blanqui est élu député de Bordeaux.

— Vote de l'Amnistie.

— Fondation de la première Fédération nationale syndicale, celle des ouvriers chapeliers.

— Congrès national, à Marseille, des délégués des associations professionnelles, des cercles d'études socialistes et des groupes anarchistes. Les collectivistes l'emportent. Fondation du parti ouvrier de France (P.O.F.) ou parti guesdiste.

1880 — Visite de Guesde à Karl Marx.

— Congrès du Havre : les mutuellistes se retirent, mais n'aboutiront pas à maintenir leur organisation.

— 21 novembre : Jules Ferry dépose un projet de loi sur les syndicats.

1881 — 15 mars : Rapport Allain Targé sur la loi syndicale.

— Fondation du Comité révolutionnaire central (blanquistes).

— Fondation de la Fédération nationale des travailleurs du livre.

1882 — Au congrès du P.O.F., à Saint-Étienne, les « possibilistes », dirigés par Paul Brousse, se retirent et fondent la Fédération des travailleurs socialistes de France.

1883 — Fondation de la Fédération nationale des mineurs et de celle des mouleurs.

1884 — 21 mars : Loi sur les syndicats leur donnant enfin une existence légale.

1885 — 18 élus ouvriers à la Chambre. Grève de Decazeville.

1886 — Premier congrès national syndical, à Lyon. Il y est décidé de créer la « Fédération des groupements corporatifs de France ». Discussion de la loi de 1884.

1886-1889 — La crise boulangiste; quelques « compromissions » ouvrières.

1887 — Fondation, à Paris, de la première Bourse du travail.
— Création du premier syndicat chrétien : le syndicat des employés du commerce et de l'industrie.
— 4 octobre : Congrès à Montluçon de la Fédération nationale des syndicats.

1888 — Constitution de la Fédération nationale du sous-sol. Première succès électoraux socialistes : conquêtes des mairies de Saint-Étienne, Commentry, Narbonne et Saint-Ouen.
— 28 novembre : Troisième congrès de la Fédération nationale des syndicats au Bouscat. Vote d'une résolution sur la grève générale.

1889 — Janvier : Élection triomphale du général Boulanger, à Paris.
— 1ᵉʳ avril : Fuite du général, à Bruxelles.
— Exposition universelle; célébration du centenaire de la Révolution de 1789.
— Deux congrès internationaux ouvriers, à Paris. Fondation de la seconde Internationale. Les typographes des différents pays créent le premier secrétariat professionnel international, à Paris.

1890 — Piou et de Mun prennent la tête du « ralliement » des catholiques au régime républicain.
— Première célébration française du 1ᵉʳ mai; nombreuses grèves et incidents.
— Constitution de la Fédération des cheminots.
— Au congrès de Châtellerault de la Fédération des travailleurs socialistes de France, scission des « allemanistes » qui créent le Parti socialiste ouvrier révolutionnaire (P.S.O.R.).

1891 — Première convention collective dans les mines du Nord.
— A l'occasion du 1ᵉʳ mai, incidents sanglants de Fourmies.
— Constitution de la Fédération nationale des syndicats du textile et de celle des syndicats maritimes.
— Second congrès international ouvrier socialiste à Bruxelles.

1892 — Création de la Fédération nationale des bourses du travail qui tient son premier congrès à Saint-Étienne.
— Des socialistes sont élus aux mairies de Marseille, Toulon, La Ciotat, Narbonne, Montluçon, Commentry, Saint-Ouen, Carmaux, Caudry.
— Scandale de Panama.
— Grève de Carmaux, la Compagnie et le gouvernement doivent céder, le député de Carmaux démissionne.

1893 — 21 janvier : Jean Jaurès est élu député de Carmaux.
— *La Petite République* devient le premier quotidien de tendance socialiste.
— Aux élections d'août, 50 socialistes sont élus, dont Millerand, Viviani, Jaurès, Jules Guesde, Édouard Vaillant.
— Septembre : Congrès de la Fédération des syndicats. Rapport d'Aristide Briand sur la grève générale.

1892-1894 — Attentats anarchistes.

1894 — 8 février : Proposition Jules Guesde sur l'organisation du droit de grève.
— Lois de décembre 1893 et de juillet 1894, dites lois scélérates, sur la presse.
— Fernand Pelloutier devient secrétaire de la Fédération des bourses et de la Fédération des syndicats, à Nantes.

— Le principe de la grève générale et de la rupture avec les partis politiques est voté.

— 24 juin : assassinat de Sadi Carnot.

— Procès des 30. Ils sont acquittés.

— Novembre : Affaire Casimir-Périer, Gérault-Richard. Gérault-Richard, journaliste socialiste, est traduit en justice pour outrages au Président de la République; défendu par Jaurès, il est acquitté; présenté par les gauches à un siège de député vacant, à Paris, il est triomphalement élu; ulcéré, Casimir-Périer démissionne.

1895 — Au Congrès commun de la Fédération des bourses et de la Fédération des syndicats, à Limoges, la Confédération générale du travail (C.G.T.) est créée.

1898 — 1ᵉʳ octobre : Grève générale des cheminots; échec.

— Grève du bâtiment, à Paris.

1900 — Nombreuses grèves, parfois sanglantes.

— Vote de la loi des 10 heures.

1901 — 13 mars : Mort de Fernand Pelloutier.

— Loi du 1ᵉʳ juillet sur les associations.

1902 — Septembre : Dernier congrès des Bourses du travail, à Alger. Au 7ᵉ congrès de la C.G.T., à Montpellier, l'unité est réalisée, les Bourses perdent leur autonomie, Victor Griffuelhes devient secrétaire général.

1904 — Fondation du journal quotidien *L'Humanité*, avec Jaurès pour rédacteur en chef.

— Décembre : Premier congrès des syndicats chrétiens.

1906 — Avril : Catastrophe de Courrières. Grève dans les mines du Pas-de-Calais. Clemenceau, ministre de l'Intérieur, concentre 20 000 hommes et décrète l'état de siège. Grèves d'une vingtaine de corporations ouvrières.

— 1ᵉʳ mai : Grève générale pour les 8 heures. La troupe est mobilisée, violentes manifestations.

— Octobre : Ministère Clemenceau, Viviani, premier ministre du Travail.

— Octobre : Congrès de la C.G.T. à Amiens. Vote, par 830 voix contre 9, de la résolution connue sous le nom de « Charte d'Amiens ».

1907 — Grève des papetiers, à Essonnes, appel à la troupe.

— Juin : Émeutes dans le Midi viticole. Rébellion du 17ᵉ de ligne, à Narbonne.

1908 — Grèves sanglantes de Draveil et Villeneuve-Saint-Georges.

— Octobre : Congrès de la C.G.T. à Marseille. Vote de la résolution Merrheim sur la déclaration de grève générale répondant à la déclaration de guerre.

1909 — Mars : Première grève des Postes.

— Mai : Seconde grève des Postes. Niel, nouveau secrétaire général de la C.G.T., invite tous les travailleurs à soutenir les postiers. L'appel n'est pas entendu, la grève échoue. Clemenceau fait prononcer 541 révocations.

1910 — Octobre : Grève générale des cheminots. Briand fait arrêter le comité de grève et mobilise 15 000 cheminots.

1911 — Grande grève du bâtiment.

1912 — Septembre : Congrès de la C.G.T. au Havre : fusion des fédérations de métiers; les fédérations du syndicalisme d'industrie triomphent.

1913 — Congrès extraordinaire de la C.G.T. préconisant le refus du service en cas de guerre.

— Grande grève des métallurgistes de la Seine et des mineurs du Pas-de-Calais.

1914 — 27 juillet : A l'appel de l'Union des syndicats de la Seine, les ouvriers manifestent contre la guerre.

— 31 juillet : Assassinat de Jaurès.

— 26 août : Guesde et Sembat font partie du ministère.

— 28 août : Jouhaux fait connaître, au Comité confédéral de la C.G.T., qu'il a accepté le mandat de Commissaire de la Nation.

DOLLÉANS (E.), CROZIER (M.), *Mouvements ouvrier et socialiste. Chronologie et bibliographie*, Les Éditions ouvrières, pp. 85-86, 159-162, 223-228.

40. ANCIENNETE DE L'ORIENTATION A DROITE

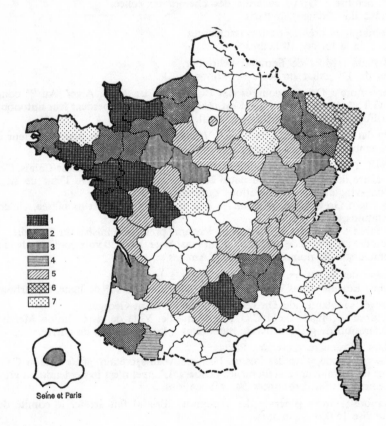

Seine et Paris

Orientation à droite sans interruption notable :

1. Depuis 1871-1881.
2.   —   1885-1898.
3.   —   1902-1914.
4.   —   1919-1936.
5. Depuis 1946.
6   —   1919, pour les départements recouvrés en 1918.
7. Orientation incertaine.

Source : F. GOGUEL, *Géographie des élections françaises sous la III⁰ et la IVᵃ République.* Paris, A. Colin, 1970.

41. ANCIENNETE DE L'ORIENTATION A GAUCHE

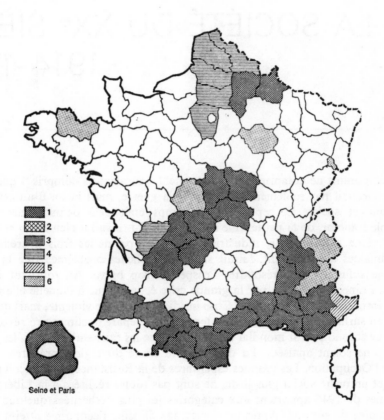

Seine et Paris

Orientation à gauche sans interruption notable :

1. Depuis 1871-1881.
2.   —   1885-1898.
3.   —   1902-1914.
4. Depuis 1919-1936.
5.   —   1946.
6. Orientation incertaine.

Source : F. GOGUEL, *ibidem.*

Chapitre 4

LA SOCIÉTÉ DU XXe SIÈCLE
1914-1970

Les contemporains ne comprirent pas (comment l'auraient-ils compris?) que le 2 août 1914 ne marquait pas seulement le début de la guerre, mais la fin d'un certain ordre économique et social. Et cependant, le temps était déjà définitivement passé de l'intangible franc-or, de la petite ville somnolente, du travail « bien fait » et de la rente douillette. Une guerre totale, industrielle, dont on payait les frais à crédit, mais les pertes humaines au comptant, faisait surgir de difficiles problèmes que la prospérité revenue ne suffisait pas à résoudre. Prospérité trop brève. Au tournant des années Trente, la France est atteinte par la grande crise économique à laquelle elle avait paru, quelque temps, capable d'échapper. Crise insidieuse plus que violente, mais qui s'attarde et gagne en surface, attise les mécontentements et prépare le climat pré révolutionnaire de 1936. Le second conflit mondial éclate avant que les rancœurs des uns, les déceptions des autres ne soient apaisées. La défaite et la chute du régime préparent les années noires de l'Occupation. Les grandes espérances de la Résistance, qui conçoit une France nouvelle et un ordre social plus juste, ne sont pas toutes réalisées à la Libération, mais les réformes de 1945 apportent aux catégories les plus déshéritées quelque protection et une amorce de sécurité. Après un démarrage difficile, l'économie atteint un rythme de croissance accéléré, que la France n'avait jamais connu. Avec le temps de l'automation, et bientôt de l'énergie atomique, apparaissent les prémices d'une « société de l'abondance » dont on sent bien qu'elle sera très différente de celle que nous connaissons, mais dont on parvient à grand-peine à distinguer les lignes maîtresses d'architecture.

1. LES BOULEVERSEMENTS DE LA GUERRE (1914-1921)

Si les guerres du XIXᵉ siècle n'avaient eu que des conséquences négligeables sur l'évolution de la société française, la première guerre mondiale provoqua, au contraire, des transformations durables. Elle fut, en ceci, plus proche des guerres de la Révolution et de l'Empire que de celle de 1870.

Dès que les gouvernements comprirent que les opérations militaires ne seraient pas terminées en quelques semaines, comme on l'avait très généralement prévu, ils durent se résigner à entreprendre un effort de longue haleine et à substituer à un régime économique libéral un régime autoritaire de production, de circulation et de répartition des biens. Pour assurer la victoire, *l'État dut intervenir* aussi bien dans les rapports entre créanciers et débiteurs, locataires et propriétaires, que dans le régime de l'exploitation des chemins de fer et des compagnies de navigation, l'approvisionnement en matières premières, la répartition de la main-d'œuvre ou les techniques de production dans les usines d'armement. Une sorte d'expérience d'économie dirigée fut tentée. Du même coup, le dogme de la libre entreprise subit, dans l'esprit public, de profondes atteintes.

Il est vrai que ce que l'État eut à faire, il le fit mal, ou trop tard. Les incroyables gaspillages de produits alimentaires, de vêtements, de cheptel et de matériel dont l'Intendance militaire se rendit coupable, l'incapacité du gouvernement à maîtriser la spéculation et les spéculateurs, sa répugnance à prendre en temps convenable les mesures les plus nécessaires (les prix des denrées ne furent taxés qu'en 1916, la réquisition des grains ne fut entreprise qu'à la fin de 1917, les cartes de pain établies seulement en janvier 1918, les cartes d'alimentation en avril) indignèrent ou exaspérèrent producteurs et consommateurs. Il est vraisemblable que l'autorité de l'État sortit ébranlée d'une expérience mal conçue et mal conduite. L'euphorie de la victoire une fois dissipée, bien des Français s'interrogèrent sur la capacité de l'État capitaliste à diriger la vie économique.

Les conséquences physiques du conflit furent plus immédiates. Et d'abord, l'effroyable *ponction sur le potentiel démographique du pays*. Au moment de l'armistice, la France avait mobilisé 8 millions d'hommes, soit 20,5 % de sa population (pour 12,5 en Grande-Bretagne et 3,7 aux États-Unis); elle en avait perdu 1 400 000, auxquels il faut ajouter 3 millions de blessés (dont 750 000 devenus totalement invalides). Si bien que, sur dix hommes jeunes (20 à 45 ans) qu'elle comptait à la veille de la guerre, deux avaient été tués, un tombait à la charge de ses concitoyens, trois étaient amoindris pour un temps plus ou moins long; aux quatre autres revenait la charge de faire vivre la nation. Il fallait ajouter à ces pertes humaines l'effondrement du taux des naissances, que la vigoureuse, mais brève, remontée de la natalité dans les années de l'immédiat après-guerre devait difficilement compenser. Il est certain que la population sortait épuisée, physiquement et moralement, de la guerre.

Un autre aspect du coût de la guerre fut le fardeau du travail supporté par la population féminine. A la campagne, le départ des hommes valides à l'été de 1914, en pleine moisson, provoqua une véritable mobilisation d'une main-d'œuvre de remplacement, femmes, enfants, vieillards; pendant toute la durée du conflit, la fatigue et les inquiétudes de la gestion d'un très grand nombre d'exploitations agricoles furent assumées par les paysannes. A la ville, les nécessités de la guerre industrielle provoquèrent à la fois une certaine décentralisation (il fallut évacuer des zones menacées du Nord, de l'Est et de la région parisienne les industries indispensables à la poursuite de la guerre et les transférer, ou en créer de nouvelles, dans des parties abritées du pays, c'est-à-dire le Centre et le Midi ; ainsi la guerre a-t-elle atténué le déséquilibre entre les deux France, la France industrielle du Nord-Est et la France agricole du Sud-Ouest) et un appel puissant à la main-d'œuvre féminine non encore employée dans l'industrie : femmes d'ouvriers mobilisés, jeunes filles des milieux populaires, de l'artisanat et du commerce. En même temps, de nombreuses femmes manifestèrent, à la direction même d'entreprises industrielles ou commerciales, leurs qualités de conscience, de compétence et d'efficacité.

La contrepartie de cette mise à un travail pénible d'une partie de la population féminine a été d'abord l'accession à un niveau de vie inconnu avant la guerre (l'amélioration a été sensible surtout pour les ouvrières), mais surtout l'acquisition de responsabilités nouvelles et d'une liberté (liberté de mœurs à la ville, liberté d'action au sein de la famille à la campagne) qui ont donné à la femme dans la société une place qu'on n'osera plus, à l'avenir, lui disputer.

Les ruines matérielles, pour importantes qu'elles fussent, pesaient moins lourd. A moins qu'on ne fasse figurer parmi elles celle de *la monnaie*. A la veille de la guerre, la situation monétaire de la France était saine : l'étalon-or fonctionnait normalement, les quantités de monnaie en circulation n'étaient fonction que de la situation de la balance des paiements internationaux (importations et exportations nettes d'or) et et de l'activité économique intérieure (escompte commercial et avances bancaires). La situation financière de l'État ne se répercutait pas sur l'évolution de l'économie, puisque la monnaie ne jouait pas de rôle autonome. Avec la guerre, la situation change. En suspenpant, le 5 août 1914, la convertibilité, l'État s'ouvrait la possibilité de recourir aux avances de la Banque de France, c'est-à-dire à *l'inflation* par la multiplication des signes monétaires. Possibilité largement exploitée. De 1914 à 1919, en effet, l'État dut faire face à une augmentation considérable des dépenses intérieures, qui atteignirent un total de 210 milliards de francs. Or les recettes fiscales ne lui fournirent que 35 milliards, parce que les gouvernements par légèreté, par manque de courage civique et par conservatisme social, se refusèrent à demander aux contribuables le gigantesque effort qui eût été nécessaire. Il fallut recourir à l'emprunt, mais cette ressource onéreuse fut elle-même insuffisante, si bien que les avances de la Banque de France à l'État furent largement sollicitées. Il en résulta que le montant des billets en circulation passa de 6 milliards en 1913 à 38 milliards en 1920. Le mécanisme de l'inflation était déclenché, et, avec lui, la hausse des prix, aggravée par la pénurie des biens et services disponibles : l'indice des prix de gros (base 100 en juillet 1914) s'établissait à 600 en avril 1920.

L'État dut faire face, également, à des dépenses extérieures d'une ampleur exceptionnelle. Nos importations s'élevèrent, de 1914 à la fin de 1919, à 117 milliards, nos exportations à 34 milliards seulement. Pour combler la différence, il fallut recourir à des emprunts auprès des puissances alliées, mais aussi à la vente des valeurs étrangères détenues par les particuliers. Ces valeurs furent mobilisées par l'État, qui remit en échange, à leurs propriétaires, des titres français ou des billets de banque. Quant aux

**ÉVOLUTION DE LA MASSE MONETAIRE DE 1870 A 1958
(EN MILLIARDS DE FRANCS)**

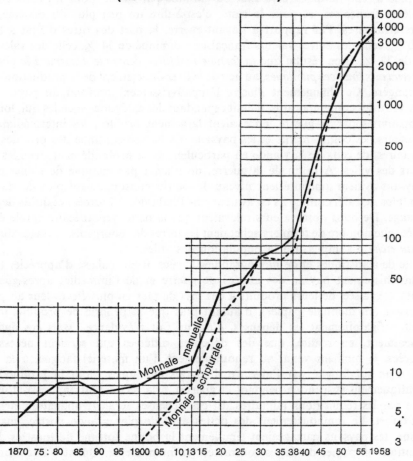

Source : *L'Univers économique et social*, t. IX de *L'Encyclopédie française*.

titres des emprunts russes et ottomans, l'effondrement des puissances qui les avaient émis en réduisit la valeur à néant.

Le financement de la guerre et l'inflation qui en découla modifièrent profondément le montant et la composition des *fortunes mobilières*. En se fondant sur les calculs de spécialistes qui ont comparé la situation de 1914 et celle de 1924, on constate d'abord que la fortune mobilière d'avant-guerre s'est effondrée : estimée à 113 milliards de francs-or en 1914, elle n'atteignait plus en 1924 que 60 à 70 milliards de francs-papier, soit 15 à 18 milliards de francs 1914. La catégorie sociale de détenteurs de revenus fixes a été ruinée à 85 % par l'inflation et la hausse des prix.

On constate aussi qu'une nouvelle fortune mobilière s'est constituée, principalement à l'occasion des émissions renouvelées d'emprunts par l'État. Cette fortune qui s'élève en 1924 à 360 milliards de francs-papier (soit 72 à 90 milliards de francs-or) est composée pour plus de moitié de titres d'État ou garantis par l'État, pour les deux cinquièmes de valeurs françaises, et pour le reste, c'est-à-dire un peu plus du dixième, par des valeurs étrangères. Par rapport à l'avant-guerre, la part des titres d'État a augmenté de 100 %, celle des autres valeurs françaises a diminué de 34 %, celle des valeurs étrangères de 72 %. Il en résulte que *la fortune mobilière demande désormais le plus gros de son revenu aux finances publiques,* au lieu de le tirer directement de la production nationale ou étrangère. Ce changement illustre l'appauvrissement profond du pays.

Aux yeux des contemporains, il était cependant des catégories sociales qui, loin d'avoir été appauvries par la guerre, en avaient largement profité : les intermédiaires et les producteurs, les commerçants et les paysans. La hausse continue des prix des produits alimentaires, de ceux de la viande en particulier, avait profondément irrité les consommateurs des villes. A la fin de la guerre, on n'avait pas manqué de s'apercevoir que les paysans avaient amélioré leur niveau de vie (ils consommaient plus de viande, plus de vin, plus de café, comme ils en avaient pris l'habitude à l'armée) et qu'ils dépensaient davantage. De bons observateurs relevaient que la dette hypothécaire rurale était remboursée, que nombre de fermiers achetaient les terres des bourgeois. L'image du « *paysan nouveau riche* » s'imposait à la population des villes.

Faute de statistiques et de monographies locales, il est malaisé d'apprécier l'ampleur de l'enrichissement paysan des années de guerre et de l'immédiat après-guerre. Que la vente, très aisée, de leurs produits à des prix de plus en plus élevés leur ait permis de thésauriser (en monnaie papier), d'autant plus que la pénurie de produits industriels limitait obligatoirement les dépenses, c'est un fait d'évidence. Mais ces épargnes ne représentaient, en réalité, que des dépenses différées qui seraient nécessairement employées, le moment venu, au renouvellement d'un matériel fatigué, à la reconstitution d'un sol fatigué par l'absence d'engrais chimiques (dont la production avait été pratiquement suspendue pendant la guerre), à la reconstitution, aussi, d'un cheptel décimé par les réquisitions militaires. Et ces dépenses seraient obligatoirement payées au prix fort. Le remboursement des dettes était de plus grande portée; mais, en ce domaine, les paysans partageaient simplement la bonne fortune de tous les débiteurs, s'acquittant en papier de dettes contractées en monnaie or. Quant à l'achat de terres, s'il a satisfait la vieille passion paysanne, il a freiné, par l'immobilisation des capitaux, le progrès technique à la campagne. On calcule qu'avant la guerre chaque travailleur agricole nourrissait 4,2 personnes; en 1935-1939, il en nourrira 5,1. Bien faible progrès, si on le compare à celui réalisé, pendant la même période, aux États-Unis, où le nombre de personnes nourries par travailleur agricole passe de 10,2 à 14,8. Le bas niveau technique reste, après comme avant la guerre, un facteur d'archaïsme dans l'économie agricole française.

Un spécialiste des problèmes de l'agriculture, M. Augé-Laribé, a montré que les modifications de la condition matérielle des paysans pendant la guerre ont été de moindre importance que les *modifications de leur état d'esprit :* « Le paysan de 1914 est un résigné, et celui de 1920 un mécontent. » Il n'est pas certain que le paysan de 1914 ait toujours été un résigné : les progrès de la propagande socialiste dans certaines régions rurales donnent à réfléchir. Mais le mécontentement paysan de l'après-guerre ne saurait faire de doute. Conscients des très lourds sacrifices en hommes qu'ils avaient consentis à la défense du territoire, les paysans étaient revenus du front avec le sentiment très vif que la nation avait contracté à leur égard une large dette de reconnaissance et qu'ils avaient, comme le leur répétaient bien des politiciens, des « droits » sur elle.

Les conséquences de la guerre ont été encore plus importantes pour le *secteur industriel* que pour le secteur agricole. L'industrie française a dû non seulement subvenir aux besoins de la consommation civile, qui n'ont pu être comprimés que dans une faible mesure, mais surtout aux gigantesques besoins des armées en équipement, en matériel et en munitions. Il a fallu mettre en route une *production de masse*, alors que l'industrie française était peu préparée pour le faire (la guerre a révélé, notamment, bien des faiblesses et lacunes dans le secteur des industries chimiques, par exemple), et obtenir des résultats immédiats, au milieu du désordre et des improvisations, et au prix, le plus souvent, du gaspillage des deniers publics par des « fournisseurs » peu scrupuleux.

Cette accélération de la production fut obtenue grâce au progrès technique. Par la multiplication de laboratoires de recherches, la collaboration de la science et de l'industrie (point faible de l'économie française d'avant-guerre, notamment par rapport à l'Allemagne) devint plus étroite; la standardisation des procédés de fabrication fut développée, sous l'impulsion du ministère de l'Armement, en collaboration avec les ministères des pays alliés; une meilleure utilisation des sources d'énergie, charbon et électricité (la puissance des chutes d'eau aménagées fut, de 1914 à 1918, multipliée par 2,5) accrut leur rendement. Et surtout, pour utiliser efficacement la main-d'œuvre de remplacement, en majorité féminine, dont la qualification laissait beaucoup à désirer, on dut perfectionner l'outillage ou créer de nouvelles machines: l'utilisation des machines-outils se généralisa, particulièrement dans la métallurgie, et l'on mit au point des appareils permettant le contrôle automatique des pièces en cours de fabrication.

Cet incontestable essor industriel, et les conditions très particulières dans lesquelles il fut obtenu, ne manquèrent pas de provoquer des changements aussi bien dans le milieu patronal que dans le milieu ouvrier.

Le patronat d'après-guerre apparaît comme un patronat en partie renouvelé, plus concentré et mieux organisé.

— *Renouvelé*, par l'apparition de capitaines d'industrie qui, profitant au mieux des circonstances, ont su obtenir de l'État des commandes massives de fournitures de guerre et ont franchi d'un bond le fossé qui sépare le petit patron du très grand chef d'entreprise. Les réussites les plus éclatantes furent celles d'un Citroën, fournisseur d'obus, d'un Loucheur, producteur de gaz de combat, d'un Boussac, inventeur de la « toile d'avion ». Mais de nombreux autres, aussi, dont le rapide enrichissement scandalisa, et qui furent dénoncés comme des « profiteurs de guerre ». L'ampleur des bénéfices de guerre ne peut être évaluée avec précision. On connaît seulement le montant des déclarations des assujettis à la « contribution extraordinaire sur les bénéfices supplémentaires », réalisés du 1er août 1914 au 30 juin 1919; il s'élève à 17 milliards et demi de francs. Compte tenu des fraudes et des dissimulations, nul doute que le volume des bénéfices de guerre ait été bien supérieur.

— *Patronat plus concentré*, sans qu'on puisse, encore une fois, apporter toutes les précisions désirables. La concentration des établissements, qui est la forme technique de la concentration, peut être saisie à travers les données des recensements professionnels. Nous en donnons un tableau succinct.

TABLEAU 12

NOMBRE D'ÉTABLISSEMENTS

Employant	1906	1921	Indice d'évolution [1]
de 1 à 5 salariés	2 132 800	2 064 100	96
de 6 à 50	141 100	158 500	112
de 51 à 100	5 600	8 200	146
de 101 à 500	4 400	6 200	141
de 501 à 1 000	428	552	129
de 1 001 à 2 000	152	226	148
de 2 001 à 5 000	59	88	149
plus de 5 000	17	35	205
TOTAL	2 284 556	2 237 901	98

1. 1906 = 100.

Pour un nombre total d'établissements en légère régression, la part des très petits établissements a diminué, tandis qu'augmentait celle des moyens, des grands, et surtout des très grands établissements. Encore faudrait-il connaître le pourcentage de la production qui revient à chaque catégorie. Signalons seulement, à titre d'exemple, qu'au lendemain de la guerre les trois principales firmes d'automobiles représentaient, à elles seules, 56 % de la production globale.

Mais la concentration des établissements n'est pas la seule forme de concentration. La concentration financière, qui se réalise par le moyen des sociétés de portefeuille, par l'intervention d'organismes de financement qui imposent leurs volontés et leurs directives, par des liaisons entre sociétés, par la désignation d'administrateurs communs, échappe à la recherche. Il n'existe aucune statistique sur les sociétés, et fort peu de moyens d'observation. On peut, sans exagération, parler de concentration clandestine. Et pourtant, les spécialistes sont d'accord pour estimer qu'au lendemain de la guerre la concentration avait été poussée très avant : « A la place de milliers d'entreprises en concurrence, on a vu se former un réseau de participations d'entreprises qui sont restées indépendantes seulement dans la forme. » Les plus puissants organismes de participation ont été créés dans les secteurs les plus modernes, ceux de l'industrie chimique et de l'industrie électrique. Cette concentration a été largement facilitée, dans les années d'après-guerre, par les perturbations monétaires qui, en mettant en difficulté les entreprises les plus fragiles, ont permis leur absorption par les plus puissantes et les plus résistantes.

— *Patronat mieux organisé*, enfin. Une certaine forme d'organisation lui a d'abord été imposée du dehors, au moment où l'État s'efforçait de mettre sur pied une économie de guerre à forme dirigiste. L'État, en effet, invitait de façon pressante les chefs d'entreprises à se grouper, afin d'éviter des discussions individuelles entre la direction de ses services, ayant la responsabilité de la conduite de l'économie, et les entrepreneurs; ceux-ci comprirent rapidement qu'ils avaient intérêt, pour obtenir des attributions de main-d'œuvre ou pour recevoir aux meilleures conditions les fournitures de matières premières, à se réunir en « consortiums » (sociétés par actions ou sociétés coopératives passant contrat avec l'État). A la fin de la guerre, le ministre Clémentel, constatant l'absence d'une confédération nationale digne de considération (car les principales fédérations d'industrie se tenaient à l'écart des deux ou trois organismes centraux, qui ne groupaient que des associations de second plan), conçut un projet d'organisation générale du patronat, selon lequel toutes les industries seraient réparties en 21 groupes, et les représentants de ces groupes formeraient un état-major, placé sous la direction du ministère du Commerce.

Les milieux d'affaires, un instant séduits par le projet Clémentel, le rejetèrent finalement, parce qu'ils lui reprochaient son caractère « étatiste » et qu'ils refusaient toute tutelle de l'administration. Mais ils en reprirent certaines dispositions pour fonder, le 31 juillet 1919, la *Confédération générale de la Production française*. Rigoureusement indépendante du gouvernement, la confédération comprenait 21 fédérations nationales, groupant chacune les syndicats d'une même spécialité; son rôle devait être de coordonner, par l'action de son secrétaire général et de ses commissions, les activités des fédérsation. Elle servit avant tout de « groupe de pression » auprès des pouvoirs publics, surveillant l'élaboration de la législation fiscale, douanière, monétaire, intervenant par des démarches, des dépositions, l'envoi de rapports ou de projets. Son rôle dans les conflits du travail est plus difficile à saisir, au moins jusqu'en 1936, où elle apparut en pleine lumière avec la signature des accords Matignon.

La création d'une Confédération générale ne réduisit pas l'importance des groupements patronaux qui existaient avant 1914. Le *Comité des Forges*, par exemple, qui groupait à cette date deux cents adhérents représentant un capital d'un milliard de francs, demeura le défenseur des puissants intérêts de la métallurgie. L'*Union des intérêts économiques*, constituée en 1910 pour « la défense, au point de vue économique et social, des intérêts généraux du commerce et de l'industrie », et qui s'était signalée, à la veille de la guerre, en menant une violente campagne contre l'adoption de l'impôt général sur le revenu, intervint plus directement encore dans la vie politique. Lors des élections de 1919, elle prépara la plate-forme électorale qui permit l'union des modérés, des conservateurs et d'une partie des radicaux dans le « Bloc national », qui sortit vainqueur de la consultation. La Chambre de 1919 semble avoir été, bien plus que celle de 1914, sensible aux intérêts du patronat.

Le *milieu ouvrier*, de son côté, sortait des années de guerre profondément transformé. Pour les raisons déjà indiquées (nécessité d'une production de masse des armements et fournitures de toute sorte, emploi d'une main-d'œuvre nouvelle, surtout féminine, de très faible qualification), le travail en série sur machines perfectionnées s'était largement répandu. Les transformations de l'organisation du travail donnèrent naissance à une nouvelle catégorie ouvrière, celle des ouvriers du travail en grande série, auxquels on donna le nom, évocateur, de « manœuvres spécialisés », abandonné, dans les années d'après-guerre, pour celui d'« *ouvriers spécialisés* » ou O.S. Cette catégorie des O.S. ne cessa d'augmenter en nombre, au point d'aboutir à une quasi-élimination des ouvriers qualifiés dans les ateliers de fabrication soumis au travail en grande série. De leur côté, les manœuvres ne furent plus chargés que de travaux marginaux, travaux pénibles non encore mécanisés ou travaux élémentaires de nettoyage ou d'entretien. Ainsi disparut l'ancienne structure du milieu ouvrier, avec ses équipes de travail collaborant à l'achèvement d'une tâche exécutée collectivement, avec ses possibilités de promotion ouvrière, l'aide du compagnon devenant, après avoir acquis une qualification, son égal.

L'après-guerre est l'époque où se développe ce travail parcellaire que G. Friedmann a appelé « le *travail en miettes* ». Travail épuisant, déshumanisant, dans lequel l'ouvrier tend à être réduit à un rôle d'automate, dans lequel on demande « des bras sans cerveaux » et où règne l'insécurité de l'emploi.

L'O.S., dépourvu de véritable qualification, est en effet un ouvrier interchangeable. Si bien que les grandes entreprises eurent de moins en moins besoin d'une main-d'œuvre stable ; le marché du travail était d'autant plus ouvert qu'il devint aisé de former, en quelques jours, « sur le tas », n'importe qui à des tâches élémentaires et parcellisées. En période de ralentissement des affaires, le patronat débauchait massivement, pour embaucher massivement en période d'expansion. L'instabilité de l'emploi a contribué puissamment à la *démoralisation de l'ouvrier spécialisé*.

Démoralisation accentuée par la nature du travail exigé. Les ouvriers professionnels d'autrefois avaient conscience d'être des producteurs de richesses, et si certains se considéraient comme exploités, cette exploitation était ressentie en fonction même de cette qualité de producteurs. Les techniques du travail à la chaîne ont dépouillé le métier manuel de son attrait et de son prix. Si l'O.S. parvient à la conscience de son exploitation, ce n'est plus qu'à travers l'insuffisance de sa rémunération. On a pu dire que ce changement se traduisait dans l'évolution du vocabulaire, lorsque, aux expressions de « producteurs » ou de « classe ouvrière » s'est substituée celle de « prolétariat », chargée de « toute une symbolique de la misère ».

La formation et le développement numérique de la catégorie des ouvriers spécialisés est donc le fait nouveau de la guerre et de l'après-guerre. Mais il ne faudrait pas en exagérer l'importance et considérer que les autres catégories aient entièrement disparu. D'abord, parce que même dans les ateliers de fabrication en grande série, tous les travaux ne pouvaient être intégrés dans une chaîne, tous les ouvriers professionnels remplacés par des O.S., et surtout, parce que la fabrication en série ne pouvait être réalisée que par les grandes entreprises, et que celles-ci ne représentaient encore, nous l'avons vu, qu'une minorité.

Aussi le *mouvement ouvrier* reste-t-il dominé et dirigé par le même type de « militant » qu'autrefois, l'ouvrier professionnel. La C.G.T., profondément divisée pendant la guerre entre « majoritaires » qui soutiennent l'effort de guerre et « minoritaires » opposés à « l'Union sacrée », retrouve sa cohésion au moment de la victoire. Ses dirigeants ont alors la conviction que la classe ouvrière va être payée de son tribut à la défense nationale, et que « la fin des hostilités doit marquer l'avènement de la démocratie économique ». Son Comité confédéral national rédige, le 15 décembre 1918, un programme minimum, énumérant les réformes à entreprendre : reconnaissance du droit syndical, généralisation des contrats collectifs, journée de huit heures, extension de l'assurance sociale, nationalisations.

Mais le gouvernement ne retient de ce programme que la revendication de la journée de huit heures, à laquelle il donne satisfaction en faisant voter la *loi du 23 avril 1919*. La journée de huit heures doit être appliquée, sans diminution de salaires, à tous les établissement industriels et commerciaux; l'agriculture et le travail à domicile n'y sont pas soumis.

Si cette loi représente une conquête ouvrière importante, elle ne réglait pas le *problème urgent des salaires*. Le salaire nominal avait été abaissé au début de la guerre, et n'avait repris sa marche en avant qu'en 1916 et surtout en 1917. Marche trop lente, qui n'avait pas permis de rejoindre la hausse rapide du coût de la vie, si bien qu'à la fin de la guerre les salaires réels s'établissaient à 15 ou 20 % au-dessous des salaires réels de 1914. Cette aggravation de la condition ouvrière provoquait de vives réactions et un renouveau du syndicalisme dont les effectifs augmentaient rapidement. En 1920, le nombre des syndiqués atteignait 1 580 000 selon les statistiques officielles, ou 2 400 000 selon les statistiques de la C.G.T. Au même moment, le syndicalisme d'inspiration catholique, né à la fin du XIXᵉ siècle avec la création, à Paris, du Syndicat des Employés du Commerce et de l'Industrie (1887), franchissait une étape importante en s'unifiant. La nouvelle Confédération française des Travailleurs chrétiens (C.F.T.C.) comptait, en cette même année 1920, plus de 100 000 adhérents. A un patronat mieux organisé s'opposait maintenant un syndicalisme puissant, que l'adhésion des O.S., plus prompts à la révolte qu'au dialogue patient et tenace avec l'employeur, pousse à la violence. La courbe des grèves se redresse violemment en 1919, elle culmine en 1920. Les *mouvements de 1920* débutent par une grève des cheminots; très rapidement, la C.G.T. tente de l'élargir en grève générale, et lance successivement dans la lutte les mineurs, les marins, les dockers, puis les travailleurs des métaux, du bâtiment, des transports, enfin les ouvriers du meuble et les gaziers. Mais la grève générale échoue. L'échec impressionne les syndiqués de fraîche date, venus à la C.G.T. pour obtenir des avantages immédiats, mais incapables d'un effort prolongé. Très rapidement, les effectifs s'effondrent, passant cd 2 millions à 600 000.

Le déclin du syndicalisme se précipite avec la *scission* (21 septembre 1921). La scission syndicale est l'écho de la scission politique intervenue, moins d'un an plus tôt (décembre 1920), au Congrès de Tours : enthousiasmés par les succès de la révolution bolchevique de 1917, cette « grande lueur à l'Est », déçus par leur échec aux élections de novembre 1919, les trois quarts des adhérents du parti socialiste S.F.I.O. le quittent et, se tournant vers la IIIᵉ Internationale, créent le parti communiste S.F.I.C. (Section française de l'Internationale communiste). Comme avant 1905, le mouvement socialiste français se trouve divisé. Mais la division gagne cette fois le mouvement syndical lui-même, parce que la IIIᵉ Internationale exige des communistes qu'ils s'infiltrent dans les syndicats pour les « noyauter » et en prendre la direction. Les dirigeants de la C.G.T., conscients du péril, ripostent en menaçant d'exclusion les indisciplinés. Ceux-ci quittent alors la vieille Confédération et décident d'en constituer une nouvelle, la C.G.T.U.

(Confédération générale du Travail unitaire), qui adhère bientôt à l'Internationale syndicale rouge de Moscou. Désormais, la C.G.T. et la C.G.T.U. vont s'épuiser dans des luttes stériles, dirigées aussi bien contre la confédération rivale que contre le patronat. Les effectifs de la C.G.T., tombés à moins de 400 000 en 1922, ne seront reconstitués que lentement; ceux de la C.G.T.U., constamment affaiblis par des exclusions et des luttes de tendances, ne cesseront de décroître.

La désaffection des travailleurs à l'égard du syndicalisme et les séquelles de la scission placent la classe ouvrière *en position défensive*. Bientôt l'amélioration de la conjoncture économique, qui va persister jusqu'en 1929-1930, en permettant aux employeurs d'acorder assez facilement des hausses de salaires, détend l'atmosphère et atténue considérablement l'ampleur des luttes sociales.

2. L'AGGRAVATION DES CONFLITS SOCIAUX (1930-1945)

Confrontés aux difficultés d'après-guerre, la plupart des Francais avaient nourri le sentiment que la victoire ne tarderait pas à remettre les choses en l'état, et que tout, ou presque, redeviendrait « comme avant ». Une reconstruction menée rapidement et assez brillamment, une nouvelle et vigoureuse prospérité que la France partagea avec la plupart des nations industrielles, mais qu'assombrirent les difficultés monétaires de 1924-1926, parurent, quelque temps, leur donner raison. Lorsque éclata la crise économique mondiale de 1929, la France ne fut pas immédiatement touchée et constitua même comme un îlot de résistance vers lequel affluèrent des capitaux spéculatifs en mal d'emploi.

Ces illusions furent bientôt dissipées. Les premiers symptômes de crise apparurent au début de 1930, et les divers indices de l'activité économique commencèrent à décliner. Mais ce ne fut pas avant 1932 que *la crise fit sentir ses profonds effets*. A cette date, la chute de production a atteint 27 %, et, pour la première fois, le chômage a frappé une part importante de la main-d'œuvre; 260 000 chômeurs ont été officiellement secourus. Atteinte plus tard que les autres pays, la France ne l'est pas moins gravement, et elle s'installe même dans une sorte de crise permanente, jusqu'à la veille de la seconde guerre mondiale. En 1938 encore, la production industrielle restait inférieure de 15 à 17 % à celle de 1928, et de 1935 à 1939 le nombre de chômeurs secourus n'est jamais descendu au-dessous de 350 000.

Pendant cette longue maladie de langueur, presque toutes les catégories sociales ont vu décroître leurs revenus, mais dans des proportions inégales. On a calculé que, de 1929 à 1935, le montant global des revenus distribués a baissé de 30 %. Parmi les revenus capitalistes, les plus touchés ont été ceux des petites et moyennes entreprises, victimes d'une concurrence féroce, tandis que ceux des très grandes entreprises cartellisées, constituant un « secteur abrité », ont été à peu près maintenus à leur niveau antérieur. Les salariés des entreprises privées ont réussi à défendre le taux du salaire nominal, mais ceux d'entre eux qui ont été frappés par le chômage, chômage complet, ou, le plus souvent, chômage partiel, ont vu leurs ressources durement comprimées. Les salariés de la fonction publique ont été frappés non par la crise elle-même, mais par une de ses conséquences, la politique de déflation pratiquée par les gouvernements jusqu'en 1935. Quant aux revenus agricoles, ils ont baissé de 40 % de 1929 à 1932, puis ont subi une nouvelle atteinte en 1934 et 1935, si bien qu'à cette date ils se sont trouvés amputés des trois cinquièmes.

La crise économique s'accompagne d'une crise politique. L'incapacité des gouvernements, qu'ils représentent des tendances de droite (gouvernements dits d'Union nationale) ou des tendances de gauche (gouvernements radicaux appuyés sur une majorité « cartelliste »), d'imaginer et d'appliquer une politique économique, accroît les mécontentements et désoriente l'opinion. Celle-ci tend à se porter vers les extrêmes, voire à se détourner des institutions parlementaires. Alors qu'un Dorgères polarise dans un sens fasciste les mécontentements de certains ruraux, que les ligues attirent une bonne partie des classes moyennes, la constitution du Front populaire oriente à gauche le prolétariat, bon nombre de paysans et une autre partie des classes moyennes. L'*acuité des luttes politiques* crée un climat passionnel, particulièrement sensible au cours des années 1934-1936. Les émeutes et les grèves de 1934, la formation du Front populaire, l'affrontement, lors des élections de 1936, de deux «. blocs » de candidats et d'électeurs, la victoire de la gauche et les inquiétudes de la droite exaspèrent les antagonismes sociaux.

Ceux-ci apparaissent en pleine lumière avec les *grèves de juin 1936*, immense mouvement spontané de masses ouvrières psychologiquement transformées par la victoire du Front populaire. La grève, avec occupation des usines, a été entreprise pour arracher au patronat des avantages matériels, mais, bien plus encore, pour obtenir la reconnaissance réelle du droit syndical, la représentation ouvrière au sein de l'entreprise, la modification des rapports entre patrons et ouvriers. Les revendications particulières ont été moins décisives que le sentiment de prendre une revanche sur l'état d'infériorité sociale dans lequel avait été maintenue, depuis de longues années, la classe ouvrière. Sentiment confus sans doute, mais combien profond et puissant.

La victoire ouvrière, scellée par les accords Matignon (7 juin), est rapidement consolidée par le vote d'une série de « *lois sociales* » : loi du 20 juin, instituant, pour les travailleurs, un congé annuel payé de quinze jours; loi du 21 juin, instituant la semaine de quarante heures; loi du 24 juin, instituant une procédure plus efficace pour la conclusion de conventions collectives. En même temps, le mouvement syndical trouve une vigueur qu'il n'avait jamais connue : la C.F.T.C., qui pendant longtemps avait surtout recruté parmi les employés et les femmes, s'implante plus fortement en milieu ouvrier; la C.G.T., qui avait été réunifiée en mars 1936 (congrès de Toulouse), voit ses effectifs passer de moins d'un million avant les grèves à quatre millions en 1937. Pour la première fois en France, le taux de syndicalisation des salariés atteint 50 %.

Si les accords Matignon avaient été, selon l'expression de Léon Jouhaux, « la plus grande victoire du mouvement ouvrier français », ils avaient provoqué, au sein du patronat, de vives réactions. Une fois passé le premier mouvement de panique et d'humiliation, de découragement aussi, car l'opinion publique avait paru se porter du côté des ouvriers contre les patrons, souvent accusés d'avoir été, par leur égoïsme et leur aveuglement, responsables de la crise sociale de juin, le patronat se retourna

ÉVOLUTION DU NOMBRE DES GREVISTES DE 1900 A 1938

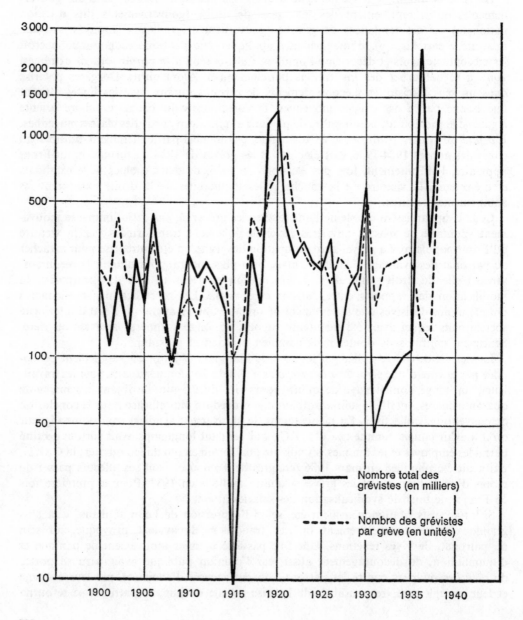

contre ses propres représentants, les délégués de la Confédération générale de la production française. De nombreux patrons, bien que membres d'organisations professionnelles sur le plan local, régional, ou national, ignoraient que la C.G.P.F., selon ses statuts, liait la grande majorité des entreprises françaises aux accords Matignon qu'elle avait signés. Aussi eurent-ils l'impression d'avoir été trahis et, dans leur colère, se retournèrent-ils contre les responsables. Le 4 août 1936, une assemblée générale de la C.G.P.F. modifia les statuts, changea le nom de l'organisation en celui de *Confédération générale du Patronat français* et porta à sa direction une nouvelle équipe.

La nouvelle Confédération entreprit de limiter autant que possible la portée des victoires ouvrières de 1936. Elle refusa catégoriquement de signer tout nouvel accord national avec la C.G.T., et même d'entreprendre avec elle des négociations, sous prétexte que celle-ci ne pouvait justifier d'un monopole de la représentation ouvrière. Ce refus de négociations s'accompagna, au niveau des fédérations patronales, du refus de conclure des conventions collectives nationales. Sur le plan des entreprises, les directions patronales entreprirent, dès la fin de 1936, de renvoyer systématiquement les militants syndicalistes. Pour briser cette *contre-révolution patronale*, la C.G.T. demanda au gouvernement de déposer un projet de loi réglementant l'embauchage et le débauchage et les plaçant sous le contrôle des services officiels de la main-d'œuvre. La C.G.P.F. riposta par une violente campagne, rallia la quasi-totalité de ses adhérents au thème de la défense du droit du patron à choisir ses ouvriers, et réussit à faire écarter, par le Sénat, le projet de loi gouvernemental.

En réalité, la réaction patronale ne fut pas unanime. Du côté des grandes entreprises, lorsqu'il devint évident, dès la chute du premier gouvernement Léon Blum (juin 1937), que le triomphe du Front populaire n'était qu'éphémère, les craintes s'apaisèrent très vite. Mais *les propriétaires des moyennes et petites entreprises* ne parvinrent pas à surmonter les traumatismes que leur avaient infligés les succès ouvriers. Il est vrai, d'ailleurs, que les réformes sociales de 1936 pesaient plus lourd sur leurs épaules que sur celles des grands patrons. Plus d'une entreprise de taille modeste se révéla incapable de supporter les charges nouvelles, particulièrement celles du relèvement des salaires et de la limitation du temps de travail, qui l'accablaient. C'est ainsi que se développa dans cette petite et moyenne bourgeoisie une *mentalité particulière*, faite d'indignation et d'aigreur, parfois même de haine, qu'elle dirigeait aussi bien contre « les trusts », soupçonnés de profiter des circonstances pour l'écraser, que contre les ouvriers, dont elle dénonçait l'avidité et le « matérialisme sordide ». Son désarroi la poussa parfois à prêter une oreille attentive à ceux qui lui vantaient les réalisations de certains pays voisins. C'est ainsi qu'un Comité de prévoyance et d'Action sociale, fondé au lendemain des événements de juin 1936, et que présidait l'ancien ministre Germain-Martin, « ne cachait pas son admiration pour les régimes autoritaires et apparemment corporatifs de l'étranger... [et] faisait l'éloge des mouvements de jeunesse nazis et fascistes qui, selon lui, auraient dû être imités en France » (H.-W. Ehrmann). Mais il est difficile de mesurer l'influence de cette propagande sur le patronat, et H.-W. Ehrmann remarque qu'au moment où « une atmosphère pré-fasciste commençait à envahir la France, la grande masse des patrons préférait demeurer dans un incognito politique ».

La résistance patronale put se développer en contre-offensive à la veille de la seconde guerre mondiale, au moment de l'agonie du Front populaire. La portée des réformes sociales ne tarda pas, en effet, à être sérieusement limitée par la hausse du coût de la vie que les gouvernements ne parvenaient pas à maîtriser. Déçus par le recul constant du pouvoir 'd'achat de leurs salaires, les nouveaux venus au syndicalisme, inscrits à la C.G.T. dans un mouvement d'enthousiasme, mais peu préparés aux efforts et aux sacrifices de l'action quotidienne, la quittèrent peu à peu. Lorsque le gouvernement Daladier-Reynaud entreprit de remettre en cause la loi des quarante heures, la C.G.T. tenta de riposter par une grève générale, le *30 novembre 1938*. Cette grève, mal préparée, équivoque (car des considérations politiques avaient joué, et la manifestation semblait autant dirigée contre les accords de Munich que contre les décrets-lois gouvernementaux), échoua. Le 30 novembre 1938 fut considéré, dans les milieux patronaux, comme la « revanche de Matignon ». Il marque tout au moins le quasi-effondrement du syndicalisme : au début de 1939, les effectifs de la C.G.T. sont retombés à un million. Le dernier coup est porté par la signature du pacte germano-russe et par la guerre : la direction de la C.G.T. décide d'exclure ceux des syndiqués qui persistent à affirmer leur sympathie pour l'Union soviétique. Cette décision est prise le 14 janvier 1940. De nouveau, la scission, scission de fait sinon de droit (car les exclus ne constituent pas une nouvelle confédération), achève d'enlever toute force au mouvement ouvrier.

L'*intermède de Vichy* devait avoir, pour le patronat, de remarquables conséquences. D'abord, parce qu'il lui permit d'achever sa victoire. Non pas que Pétain ait été, par solidarité d'intérêt ou par sympathie, lié en quoi que ce soit au monde capitaliste. On a défini sa « conception politique de fond » comme le « conservatisme élémentaire d'un soutien de la société » (A. Siegfried). Pour assurer ce qu'il croyait être un équilibre, il s'empressa de dissoudre toutes les confédérations syndicales, patronales et ouvrières, et d'interdire grèves et lock-outs; sa tentative de doter le pays, par la Charte du travail (26 octobre 1941), d'institutions de type corporatiste, n'eut aucun effet pratique. Mais, parmi son entourage, des membres de la haute administration, lassés de l'impuissance parlementaire du temps de la IIIᵉ République, et les états-majors des grandes affaires, conçurent un *dirigisme d'État* dont les instruments devaient être les *Comités d'organisation* créés par la loi du 16 juin 1940 sur « l'organisation provisoire de la production industrielle ». Ces Comités d'organisation étaient chargés de faire l'inventaire de toutes les possibilités de production, d'établir les programmes de fabrication, d'organiser l'achat et la répartition des matières premières, de fixer les règles de la concurrence, de taxer les prix et de prendre toutes mesures permettant « un meilleur fonctionnement de la branche d'activité dans l'intérêt commun des entreprises et des salariés ». Ainsi, la direction et la gestion de l'industrie étaient remises aux industriels eux-mêmes. Car les membres des comités d'organisation, nommés par le gouvernement, se trouvèrent être des patrons importants qui avaient souvent occupé des postes de responsabilité dans leurs associations professionnelles. Au jugement d'un contemporain, « le Comité d'organisation n'était en fait que le syndicat transformé ». Malgré la dissolution de la C.G.P.F., le grand patronat, disposant de la haute main sur l'économie française, établissait sa suprématie.

Mais il établissait cette suprématie en se liant au régime, tandis que la classe ouvrière se trouvait poussée, par les événements, dans une opposition intransigeante. A mesure que devait décliner la popularité du maréchal Pétain, l'opinion allait se répandre que, de toutes les catégories sociales, *le patronat avait été le moins patriote*, et qu'il avait collaboré au maximum avec l'ennemi et ses satellites vichyssois. Aussi la Résistance, bien que certains patrons n'aient pas hésité à y participer (mais à titre individuel, et non en tant que représentants du milieu patronal), ne devait-elle pas manquer de préparer des sanctions. Le Conseil national de la Résistance, en élaborant son programme, disait sa volonté d'instituer, après la libération du territoire, une « véritable démocratie économique » comportant la nationalisation des sources de richesse nationales (mines, assurances, banque), une économie dirigée rationnelle, « l'éviction des grandes féodalités économiques » et la participation des travailleurs à la direction des entreprises. Il se rencontrait avec le général de Gaulle qui, dans son discours d'Alger, le 14 juillet 1943, affirmait : « La nation saura vouloir que les richesses naturelles, le travail et la technique, trois éléments de la prospérité de tous, ne soient point exploités au bénéfice de quelques-uns. » Complice du régime de Vichy, le grand patronat devait être victime de la Libération.

Cependant, les *réformes de structure* entreprises par le gouvernement provisoire, puis la première Assemblée constituante, n'ont pas été uniquement inspirées par un désir de représailles politiques. Elles ont été le plus souvent le fruit des réflexions des résistants sur les problèmes sociaux, et tendaient à assurer à l'ensemble des Français un niveau de vie meilleur, une plus grande sécurité des conditions d'existence, des chances aussi larges que possible pour chacun. Dans quelle mesure ces grands desseins ont-ils été réalisés ?
— *Les nationalisations* ont touché d'abord des entreprises accusées de collaboration avec l'ennemi (Berliet, restituée ensuite à ses propriétaires, Renault, Gnôme et Rhône), puis le secteur de l'énergie (création du Gaz et de l'Électricité de France, des Charbonnages de France), celui des banques (nationalisation de la Banque de France, déjà amorcée en 1936, et des quatre grandes banques de dépôts : Crédit lyonnais, Société générale, Comptoir national d'escompte, Banque nationale pour le Commerce et l'Industrie), et des assurances (les 34 principales sociétés). Dans la plupart des cas, les actionnaires des entreprises nationalisées ont été indemnisés par des obligations amortissables. Si les effets économiques des nationalisations semblent avoir été, de l'avis général des spécialistes, bienfaisants, leurs conséquences sociales sont plus difficiles à apprécier. Le problème important est celui de la *direction de ces nouvelles entreprises :* le personnel qu'on y a placé est-il très différent de l'ancien personnel de direction ? Dans les premiers temps, il y eut arrivée massive de personnalités nouvelles aux postes-clés, et la coloration politique qui avait présidé au choix de ces hommes nouveaux était plutôt hostile au patronat. Puis il se produisit un véritable amalgame, avec le retour d'un personnel autrefois au service du grand patronat : « De grands directeurs, qui avaient fait carrière dans l'entreprise privée, ont participé de plus en plus à l'administration des entreprises nationalisées, surtout dans les banques » (H.-W. Ehrmann). Il est d'ailleurs symptomatique que le patronat, après avoir élevé des plaintes très vives contre les nationalisations, ait finalement accepté le fait accompli, et que ses organisations professionnelles ne les remettent plus, aujourd'hui, en cause.

— *La création de comités d'entreprise* par l'ordonnance du 22 février 1945 qui rendait obligatoire leur constitution dans les établissements occupant plus de cent employés (nombre réduit à cinquante par la loi du 16 mai 1946), s'inspirait directement des idées mûries dans la Résistance. La nouvelle institution était conçue comme un pas vers « l'association des salariés à la direction de l'économie et à la gestion de l'entreprise » (préambule à l'ordonnance de 1945). Les comités, formés par des délégués du personnel en nombre proportionnel aux effectifs, devaient travailler avec la direction à améliorer les conditions de travail, gérer les œuvres sociales et contrôler, avec l'aide d'un expert-comptable, la gestion financière de l'entreprise. Ils étaient susceptibles de devenir les instruments du contrôle de l'industrie par les ouvriers. Cependant, la loi spécifiait bien que s'ils avaient d'importants pouvoirs de décision en matière « sociale », ils n'étaient dotés, dans le domaine économique, que de fonctions consultatives. En fait, il est très généralement admis que l'application de la loi n'a pas répondu aux espoirs exagérés qu'elle avait suscités. Les attributions économiques des comités d'entreprise sont demeurées très théoriques : « Sur ce plan, l'échec des comités d'entreprise est certain, sans que l'on sache si l'on doit principalement imputer cet échec aux réticences des chefs d'entreprise, à l'impréparation des travailleurs ou à l'impossibilité de réaliser, par la voie d'un compromis légal, la coexistence et la coopération d'intérêts contra-dictoires[1]. »

— *Les principes de la Sécurité sociale*, posés par les ordonnances de 1945 et précisés par la loi du 22 mai 1946, s'inspirent en partie du plan Beveridge, publié en Angleterre en 1942, qui substituait à la notion d'assurance celle de sécurité, et tendait à instituer, à côté du salaire proprement dit, un revenu social fourni par la solidarité nationale. Le bénéfice de la Sécurité sociale doit, en principe, être étendu à tous les Français à mesure que le permettra le développement de l'économie, mais d'abord à tous les salariés. L'assurance est obligatoire et couvre les risques maladie, invalidité, vieillesse, accidents, décès. L'objectif de la réforme était d'abord de garantir efficacement la sécurité des groupes sociaux dont les membres satisfont normalement à leurs besoins par le produit de leur travail, mais sont incapables, matériellement ou moralement, de faire un libre effort de prévoyance suffisant pour parer aux menaces de la vie économique et sociale; il était aussi de réaliser une distribution plus équitable du revenu national en augmentant indirectement les salaires.

La mise en œuvre de la Sécurité sociale fut acceptée par le patronat « sans résistance, mais aussi sans conviction » (H.-W. Ehrmann). Mais le patronat s'est empressé de mettre en évidence la relation directe existant entre les dépenses sociales et le prix de revient des produits fabriqués (puisque le financement de la Sécurité sociale est assuré par une cotisation assise sur les salaires) et de dénoncer le poids intolérable des « charges sociales » qui, dans la concurrence internationale, placerait la France en fâcheuse posture. Quant aux salariés, ils paraissent, dans l'ensemble, attachés à la Sécurité sociale et conscients des garanties qu'elle apporte.

La question, capitale pour l'évolution sociale, de la *redistribution des revenus par*

---

1. P. Laroque, *Succès et faiblesses de l'effort social français*, A. Colin.

le biais de la Sécurité sociale, ne comporte pas encore, faute de statistiques très détaillées, de réponse parfaitement assurée. Que l'inégalité entre les revenus reste encore considérable est un fait d'évidence. Mais y a-t-il eu, depuis 1946, tendance à la réduction de cette inégalité? Certains considèrent que la Sécurité sociale n'a entraîné redistribution des revenus qu'entre les salariés eux-mêmes, et que cette redistribution fonctionne. pour ainsi dire, en circuit fermé; c'est ce qu'exprime la formule : « Les pauvres aiden, les plus pauvres. » Les statistiques dont nous disposons semblent leur donner raison On constate, en effet, que, selon les comptes de la Nation, la part des salaires et prestations sociales représentait 53,7 % du revenu national en 1949; dix ans plus tard, cette part atteignait 60,6 %. Si l'on tient compte de l'augmentation, entre ces deux dates, du nombre des salariés, d'une part, de l'allongement de la durée du travail, de l'autre, force est de constater que les transferts sont restés limités à l'intérieur du groupe des salariés.

Un effort particulièrement vigoureux a été entrepris, enfin, en faveur de la famille. En réalité, la décadence démographique dont la France avait pris conscience entre les deux guerres avait déjà amené les pouvoirs publics à pratiquer une politique nataliste. Dès 1920, une loi avait été votée, qui réprimait rigoureusement l'avortement et la propagande anticonceptionnelle. Le versement d'allocations familiales avait été rendu obligatoire pour tous les employeurs par la loi du 11 mars 1932. A la veille de la seconde guerre mondiale (décret-loi du 29 juillet 1939), le gouvernement avait pris un ensemble de mesures connues sous le nom de *Code de la famille,* qui comportait, outre le relèvement et l'extension des allocations familiales, l'institution de primes à la première naissance et de prêts aux jeunes ménages.

La loi du 22 août 1946 a, dans le cadre du nouveau régime de sécurité sociale, donné au régime des prestations familiales un développement nouveau. Toute personne qui travaille, ou justifie être dans l'impossibilité d'exercer une profession (et notamment les malades, les invalides, les chômeurs, les femmes seules ayant plusieurs enfants à charge), quel que soit le montant de ses ressources, bénéficie désormais des allocations familiales à condition qu'elle ait au moins deux enfants à charge et tant que ces enfants n'ont pas atteint l'âge de 15 ans, la durée des versements étant prolongée pour les apprentis, les étudiants et les infirmes.

Aux allocations familiales proprement dites ont été ajoutées des prestations diverses : allocations prénatales, allocation de maternité, allocations dites de « salaire unique » et de la « mère au foyer », allocations de logement, prestations individuelles ou collectives, enfin, qui sont versées au titre de l'action sociale par les caisses d'allocations familiales.

Ces prestations, versées en espèces, respectent la liberté des familles, qui en usent comme elles l'entendent. Elles sont, à l'exception de l'allocation-logement, universelles (toutes les familles en bénéficient) et égales (leur taux est le même, quelles que soient les ressources du foyer). Aussi peut-on dire que la France figure parmi les pays qui donnent à la famille la plus large place dans leur effort social. Cependant, le montant des prestations familiales n'a pas, depuis 1946, et contrairement à ce que prévoyait la loi, suivi la hausse du coût de la vie. L'effort financier du pays en faveur des familles a, en valeur relative, diminué au cours des années récentes. Il est probable qu'il diminuera encore, avec la prise de conscience de besoins sociaux peut-être plus pressants, comme l'aide aux personnes âgées et aux « économiquement faibles ».

3. LE DECOLLAGE ECONOMIQUE ET SES CONSEQUENCES (1950-1970)

On considère généralement que la « reconstruction » d'après-guerre a été achevée en cinq ans, grâce à un immense effort collectif, grâce aussi à la sérieuse impulsion donnée par l'aide américaine du plan Marshall. A partir de 1950, la France entre dans une ère de développement sans précédent dans son histoire, et dont on peut penser qu'elle représente la véritable époque du « take off », du décollage de notre économie.

Au modèle de la « reconstruction », c'est-à-dire une justice distributive dans la médiocrité des moyens, un capitalisme timoré et contesté tant sur le plan de ses attitudes politiques que sur celui de son efficacité, un recours à la panacée des nationalisations et à un étroit dirigisme étatique, s'est peu à peu substitué le modèle de la « modernisation », plus productiviste que distributeur, plus orienté vers l'exploit que vers la bienfaisance sociale, plus attentif aux mécanismes du marché, et visant à mettre à la disposition du plus grand nombre possible la plus grande quantité possible de biens matériels.

Ce passage de la quasi-stagnation à la croissance a provoqué, dans la société, des modifications en profondeur plus ou moins bien acceptées, parfois génératrices de malaises et de tensions, de désarrois ou de frustrations, aussi bien dans les secteurs en perte de vitesse comme le secteur primaire (la part des agriculteurs dans la population active passant de 36 % en 1946 à 30 % en 1954, à 16 % en 1968), que dans les catégories en forte expansion comme celles des techniciens et des cadres. Ce sont donc ces premières conséquences du décollage économique, telles qu'elles ont été vécues dans les années cinquante et soixante, qu'il nous faut examiner.

La "révolution silencieuse" des paysans

Cette formule a été lancée par Michel Debatisse, l'un des dirigeants du C.N.J.A. (Centre national des jeunes agriculteurs), pour attirer l'attention sur les transformations profondes, mais longtemps inaperçues, du milieu paysan. Depuis quelques années, cependant, cette révolution n'est plus silencieuse, bien au contraire. Les *manifestations paysannes* ont aujourd'hui forcé l'attention, non seulement des autorités responsables, mais, plus largement, de larges secteurs de l'opinion.

Les premières manifestations importantes eurent lieu en octobre 1953 : un Comité d'action, désigné par l'Assemblée des fédérations de syndicats d'exploitants agricoles de dix-huit départements du Centre et du Centre-Ouest, décidait de barrer les routes le 12 octobre, du lever au coucher du soleil, et d'arrêter toutes les transactions de produits agricoles. La « journée des barricades » fut un succès, et les organisateurs estimèrent, selon le communiqué qu'ils publièrent, « avoir atteint le premier des buts qu'ils s'étaient fixés : attirer l'attention du gouvernement et de l'opinion sur la situation réelle de l'agriculture française ».

Ce succès n'était en réalité qu'un échec. Le syndicalisme paysan s'était engagé dans un mouvement étroitement corporatiste, sans ouverture sur une conception d'ensemble des problèmes économiques et sociaux, se bornant à faire du problème des prix le seul objet des revendications. Mais ce fut un échec bénéfique, parce qu'il *réorienta le mouvement syndical* et l'obligea à sortir de ses étroitesses. Lorsque, huit ans plus tard, les grandes manifestations des paysans bretons ont à nouveau, et définitivement, attiré l'attention des citadins sur le malaise persistant des campagnes, le syndicalisme agraire, repris en main par des jeunes, formés le plus souvent par les mouvements catholiques, avait pris un nouveau visage, posé de nouveaux problèmes et imaginé de nouvelles solutions.

A l'origine des transformations récentes de la condition paysanne se situe la « révolution des tracteurs ». Au lendemain de la Libération, l'ouverture des caisses de crédit agricole et les besoins de l'expansion industrielle avaient amené une large diffusion des engins mécanisés. Une politique de motorisation individuelle fut préconisée par les directions départementales des services agricoles, soutenue par des campagnes de publicité organisées par les firmes de construction de matériel agricole et les entreprises pétrolières, et poussée à ses extrêmes conséquences par l'activité commerciale de multiples revendeurs. Le parc des tracteurs, qui ne comptait en 1946 que 46 000 unités, passait à 200 000 en 1953, 400 000 en 1956 et 630 000 en 1960. *Le tracteur semblait devoir être l'instrument de la libération paysanne*; il donnait l'illusion au petit paysan d'accroître la rentabilité de ses terres tout en lui permettant de conserver la variété de ses cultures. Son utilisation polyvalente sauverait la polyculture.

Très rapidement, le petit exploitant s'aperçut que l'achat d'un tracteur absorbait ses disponibilités financières, alors qu'il lui fallait acheter encore les nombreux instruments nécessaires à ses diverses cultures, généralement dispersées, d'ailleurs, en de nombreuses parcelles. Ayant investi, dans cet achat, ses réserves, ou contracté des emprunts, il se trouvait incapable de procéder à d'autres investissements. Il voyait alors se poser, d'une façon critique, le problème de la rentabilité de son exploitation.

Pourtant, le paysan ne pouvait se contenter de ce premier pas dans la voie du progrès technique. Contraint, pour faire face à la concurrence des agriculteurs plus évolués des pays étrangers, de moderniser sans cesse ses méthodes de production, il devait utiliser toujours davantage des produits industriels, engrais, aliments composés, outillage mécanique, et renouveler en permanence ses moyens de travail. C'est-à-dire qu'il lui fallait trouver des moyens financiers toujours plus importants.

Un autre facteur a puissamment contribué à modifier l'état d'esprit du paysan : la pression d'une société dans laquelle s'élèvent les niveaux de vie. *Les paysans ne veulent plus vivre de la même manière qu'autrefois.* L'eau sur l'évier, la machine à laver, une habitation confortable, un travail moins pénible, les vacances, deviennent des objectifs communs (M. Debatisse). Ces aspirations au mieux-être sont très vives chez les jeunes, et particulièrement chez les jeunes femmes. Pour les satisfaire, et faute de pouvoir disposer immédiatement de l'argent nécessaire, apparaît la solution du crédit. Le recours au crédit est devenu fréquent, non seulement pour améliorer l'habitat ou

obtenir quelques éléments du confort domestique, mais même pour acheter le matérie
d'exploitation, sinon les terres elles-mêmes.

Ce *recours au crédit*, tout comme la nécessité de disposer, en vue des investissements
de larges moyens financiers, ont bouleversé l'équilibre de la vie paysanne, fondée jadis,
en grande partie, sur l'autoconsommation et la commercialisation des seuls excédents.
Le paysan endetté doit respecter, aujourd'hui, des échéances rigoureuses; il n'a plus
la possibilité de réserver ses ventes; il lui faut vendre vite, et à n'importe quel prix,
la totalité de ses récoltes. Il entre donc de plain-pied dans le circuit des échanges,
mais il y entre sur la base de structures souvent archaïques. La prise de conscience de
la nécessité et des difficultés d'une adaptation à cette situation nouvelle a provoqué
la rénovation du syndicalisme agricole.

Le syndicalisme traditionnel faisait du problème des prix son principal cheval de
bataille. Son objectif était de faire fixer par l'État des *prix officiels garantis*, et si possible
indexés sur les prix industriels. Cet objectif convenait parfaitement aux gros exploitants
des régions riches, bien équipés pour produire beaucoup et pour vendre dans de bonnes
conditions, et aux dirigeants syndicaux, notables de la ville ou du bourg, politiciens
plus ou moins professionnels, liés étroitement aux milieux radicaux ou de droite, et
dont les sentiments conservateurs ou réactionnaires ne pouvaient s'accommoder que
de revendications ne mettant pas en cause les situations acquises. Mais il n'apportait
pas grand-chose aux petits exploitants, gênés par l'exiguïté de leurs exploitations,
empêtrés dans les problèmes du progrès technique, exposés aux aléas d'un marché
dont ils comprenaient mal les mécanismes et qu'ils étaient bien incapables de contrôler.

Le nouveau syndicalisme n'abandonne pas la revendication de la fixation par le
gouvernement de prix garantis, dans des conditions nouvelles, d'ailleurs, du fait de
l'élargissement en cours du marché au plan européen. Mais il considère qu'elle doit
s'inscrire dans une politique plus vaste tendant à *modifier les structures*, tant commerciales que foncières.

— *Les structures commerciales* en place jouent contre le producteur, exposé aux fluctuations d'un marché qui lui échappe. Or, le producteur qui a adopté les techniques
modernes de production ne peut poursuivre son expérience que s'il peut compter sur
la régularité des débouchés, que le système traditionnel de commercialisation, fondé
sur l'instabilité des prix des produits agricoles, est incapable de lui assurer. Le remède
est l'établissement d'une *politique à long terme des excédents agricoles* par la création
d'organismes contrôlés par l'État et la profession et qui, grâce à des fonds de soutien,
régulariseraient les prix et l'écoulement des produits. Les syndicats agricoles ont déjà
obtenu, dans cette voie, la création du F.O.R.M.A. (Fonds d'orientation et de
régularisation des marchés agricoles), dont l'objet est « d'assurer une organisation
satisfaisante des marchés des principaux produits agricoles » et la mission de « préparer
les décisions gouvernementales relatives aux interventions de l'État sur les marchés
agricoles, et de les exécuter ».

— *La réforme des structures foncières* que réclament les jeunes paysans est plus importante encore, du point de vue social. Ceux-ci semblent beaucoup moins attachés que leurs
pères à l'extension de leur patrimoine terrien; ils cherchent d'abord à organiser d'efficaces
unités de production : « La propriété est-elle indispensable au métier d'agriculteur?

Ce qui compte essentiellement, pour le paysan, c'est la sécurité. Hier, propriété était synonyme de sécurité. Demain, la notion de sécurité s'inscrira dans d'autres perspectives : statut du fermage renforcé, allocations familiales, dimensions plus importantes des exploitations, enseignement mieux adapté. A la propriété, il fallait substituer la notion d'un statut social de l'agriculture » (M. Debatisse). Dégagés du fétichisme du droit de propriété, les jeunes syndicalistes ont proposé la constitution de « *sociétés d'intervention foncières* », dans le but d'éviter le morcellement continu des terres par les successions, et de reconstituer, au moyen de rachat de parcelles hétéroclites, des unités rationnelles d'exploitation ; d'éviter le cumul des terres cultivables par des propriétaires non exploitants ou des groupements capitalistes fonciers ; d'éviter aussi la spéculation sur les terres, dont sont victimes les jeunes paysans qui veulent s'établir. Ces projets ont suscité une vive opposition des conservateurs, notables ruraux et syndicalistes traditionnels, qui y ont vu une menace de « nationalisation du sol » et ont prétendu qu'en touchant aux structures foncières, on allait « diviser les agriculteurs ». Cependant, la loi d'orientation agricole de 1960 a donné aux jeunes syndicalistes une première satisfaction par la création des S.A.F.E.R. (Société d'aménagement foncier et d'établissement rural), constituées « en vue d'acquérir des terres ou des exploitations agricoles librement mises en vente par leurs propriétaires, ainsi que des terres incultes, destinées à être rétrocédées, après aménagement éventuel. Elles ont pour but, notamment, d'améliorer les structures agraires, d'accroître la superficie de certaines exploitations agricoles et de faciliter la mise en culture du sol et l'installation d'agriculteurs à la terre ». Mais ces sociétés, pour être en mesure de bloquer le mécanisme de la spéculation foncière, doivent pouvoir se comporter autrement qu'en acquéreurs ordinaires : il leur faut recevoir un droit de préemption sur les terres mises en vente. Ce droit leur a été accordé, en principe, par la loi ; mais il a été assorti, sous la pression d'un Parlement réticent, de restrictions telles qu'elles en atténuent considérablement l'efficacité.

Les réformes proposées par le nouveau syndicalisme agricole apparaissent de considérable portée. A travers les mesures d'organisation des marchés, elles mettent en cause le profit commercial et la loi de l'offre et de la demande ; à travers les contrats annuels de production et les tentatives de planification, elles mettent en cause la libre entreprise ; par les modifications des structures foncières, la séparation de la propriété foncière et d'une « propriété d'exploitation », elles mettent en cause la rente foncière et le droit de propriété. Elles témoignent, d'autre part, d'un *changement de mentalité de certains milieux paysans*, qui cherchent à sortir d'un isolement traditionnel pour s'intégrer à la société, dans laquelle ils exigent une « parité » avec les autres groupes sociaux. Le paysan assisté, qui déléguait ses pouvoirs aux notables et n'attendait des gouvernements que des subventions, cède la place au producteur conscient de ses droits économiques et politiques et disposé à rechercher des alliances avec les autres producteurs : « L'agriculture ... n'a pas intérêt à demeurer un monde à part. On ne peut, simultanément, quand on est paysan, se plaindre d'être traité comme un paria et se complaire dans la ségrégation... Les agriculteurs ont les mêmes droits et les mêmes devoirs que les autres catégories de la population active. Les jeunes agriculteurs veulent sortir d'un isolement qui n'a rien de splendide. Ils veulent s'entendre avec les syndicalistes de l'industrie, connaître et pratiquer les circuits commerciaux, participer, avec tous les autres agents de la vie économique, à la planification concertée » (F. Bloch-Laîné, préface au livre de M. Debatisse).

L'EXPLOITATION DU SOL

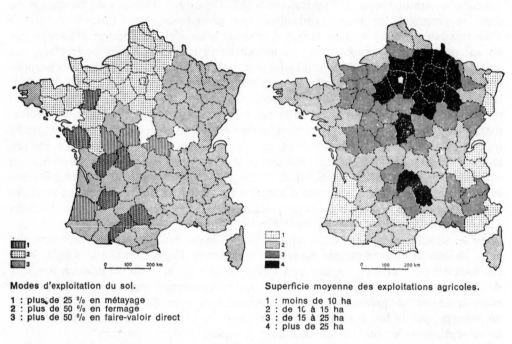

Modes d'exploitation du sol.

1 : plus de 25 % en métayage
2 : plus de 50 % en fermage
3 : plus de 50 % en faire-valoir direct

Superficie moyenne des exploitations agricoles.

1 : moins de 10 ha
2 : de 10 à 15 ha
3 : de 15 à 25 ha
4 : plus de 25 ha

Source : A. LABASTE, R. BLANCHON, R. OUDIN, *France et pays d'expression française*, A. Colin, 1963.

En définitive, la lutte menée par l'aile moderne du syndicalisme agricole tend, à partir du moment où elle s'organise sur le plan économique, à *faire éclater le mythe de* « *l'unité paysanne* », mythe soigneusement entretenu par les dirigeants du syndicalisme traditionnel, qui l'ont constamment utilisé pour couvrir la défense des intérêts des gros exploitants. Cette lutte débouche, au contraire, sur la formation d'une couche de paysans moyens, techniciens de l'agriculture, affranchis des vieilles sujétions et des scléroses, ouverts aux problèmes de l'économie moderne.

Le bilan de cette « révolution silencieuse » et de ce qu'on a appelé « la politique des structures » n'est pas aisé à dresser.

Positif est l'aspect « prise de conscience » des mouvements des jeunes agriculteurs; le milieu rural a réagi aux difficultés autrement que par une pure résistance passive, s'est montré capable de secréter des militants et des leaders, éveilleurs des masses. Mais les désillusions économiques n'ont pas tardé : les S.A.F.E.R. ont été cantonnées, faute de moyens, dans un rôle très marginal (après huit ans de fonctionnement, leurs opérations n'ont touché que 25 000 exploitations sur un total d'un million et demi), les coopératives n'ont pas toujours su, loin de là, s'adapter aux conditions rigoureuses d'une concurrence moderne ni garantir la qualité de leurs produits; par malheur, les exploitants les plus ouverts aux progrès, comme ceux par exemple qui se sont résolument tournés vers la production fruitière, ont été pénalisés par l'effondrement des prix. Plus souvent encore, les jeunes agriculteurs qui avaient cru réussir leur mutation se sont entendu dire que le type d'exploitation qu'ils ont créé était maintenant périmé, que la forme d'avenir serait la grande exploitation industrielle en articulation de plus en plus étroite avec l'industrie alimentaire, dont les grosses firmes sont seules capables de s'imposer sur les marchés et de « conditionner » les consommateurs. Quant aux agriculteurs traditionnels, leur désarroi les rend réceptifs à la démagogie de la défense à tout prix de « l'entreprise familiale » et à la revendication traditionnelle de la « garantie » des prix et des revenus.

La population agricole, vaste réservoir dans lequel ont largement puisé les autres secteurs, n'est plus guère, dans la France d'aujourd'hui, qu'une population « résiduelle », vieillie par surcroît. Il n'est pas douteux que, victime en quelque sorte de la croissance économique, elle soit en droit de réclamer une créance sur la nation, c'est-à-dire une aide efficace, selon des formes à définir, aux paysans que l'âge, l'absence de capacité ou de moyens matériels tiennent à l'écart du courant de prospérité qui entraîne les mieux placés et les plus entreprenants d'entre eux.

La "nouvelle classe ouvrière"

L'expression a été popularisée par les travaux de Serge Mallet, qui l'a forgée pour décrire les phénomènes nouveaux qui, depuis quelques années, ont profondément modifié les conditions de travail, la situation matérielle et les mentalités d'une partie de la classe ouvrière française.

D'une partie seulement, car la France d'aujourd'hui est encore « un musée de l'industrie ». Nombreuses sont les entreprises qui, par leur technique et leur organisation, restent proches des manufactures du XIXe siècle; plus nombreuses encore celles qui, par la rationalisation et le travail à la chaîne, restent du type qui a été introduit dans la période de l'entre-deux-guerres. Mais l'adoption d'une technologie révolutionnaire, l'automation, par les industries avancées, comme la pétroléochimie, la chimie de synthèse, l'énergie électrique, les télécommunications, la construction automobile, la grosse métallurgie, permet de confier à des machines non seulement les opérations effectuées jadis par la main de l'homme, mais aussi certaines fonctions, comme la correction des erreurs, réservées jadis au cerveau humain. Ce *bouleversement technologique* n'atteint encore qu'une faible partie des entreprises industrielles; mais ce sont souvent les plus puissantes, et il est probable que ce secteur avancé servira d'exemple, de modèle, aux autres, et que les changements ultérieurs iront dans le même sens.

L'automation ne fait pas appel à la même qualification ouvrière qu'autrefois. La connaissance du métier acquise par l'apprentissage, le « tour de main », ne sont plus utiles là où le travail est un travail de surveillance et de contrôle; ce sont les facultés intellectuelles (« les aptitudes à recevoir, transmettre ou émettre un certain nombre d'informations à une certaine vitesse et pendant une certaine durée ») qui sont appréciées. La formation professionnelle n'est plus acquise dans le cadre du métier, mais dans celui de l'entreprise. La spécialisation de l'entreprise est, en effet, de plus en plus grande. Chaque entreprise forgeant elle-même ou élaborant ses propres moyens de production, abandonne les machines universelles pour des machines spécialisées ; l'ouvrier affecté à la surveillance et au contrôle de ces machines acquiert, plus ou moins rapidement, une pratique qu'il ne peut exercer que dans le cadre de cette entreprise elle-même. La qualification était autrefois individuelle, et l'ouvrier possédait une autonomie professionnelle qui lui permettait de changer aisément de « boîte », comme il disait (l'emploi de ce terme montre qu'il attachait peu d'importance à l'entreprise dans laquelle il travaillait ; mais il en attachait beaucoup à sa propre qualification). L'ouvrier de l'entreprise automatisée perd sa qualification individuelle, qui dépend maintenant du poste qu'il occupe dans un ensemble technique. Il est étroitement lié à l'organisation technique de son entreprise, il est *intégré à la vie de l'entreprise elle-même.*

Cette intégration à l'entreprise ne se manifeste pas seulement dans le domaine de la formation professionnelle, mais aussi dans celui de la *structure du salaire.* Avec les mécanismes de production automatisés, l'appréciation du rendement individuel de l'ouvrier est presque impossible ; le salaire perçu n'est plus qu'une part d'une masse salariale globale, part distribuée non pas selon le rendement individuel mais selon le poste de travail auquel l'ouvrier est affecté. Il s'ensuit que le salaire est entièrement déterminé par la situation économique de l'entreprise, et non par le travail fourni. L'intégration de l'ouvrier à l'entreprise en est accrue.

Ajoutons que cette intégration de l'ouvrier est souhaitée, encouragée et facilitée par la direction de l'entreprise. Celle-ci a besoin, en effet, d'un personnel compétent, formé sur place, et qu'il est avantageux de conserver longtemps. La fluidité de la main-d'œuvre, que le patronat pouvait estimer souhaitable au temps où le travail à la chaîne permettait de remplacer immédiatement un ouvrier spécialisé (O.S.) par un autre O.S., et d'imposer des conditions de salaire draconiennes, est devenue dangereuse pour une gestion efficace de l'entreprise automatisée. Cette *évolution de l'attitude patronale* rencontre opportunément les préoccupations de l'ouvrier intégré, de plus en plus attaché à la stabilité de l'emploi ; elle a permis de réaliser des « accords d'entreprise », qui assurent à la direction une stabilité de la productivité, et au personnel la stabilité de l'emploi assortie d'une garantie d'augmentation lente et régulière des salaires. L'accueil favorable réservé par les ouvriers aux accords d'entreprise illustre bien la nouveauté et l'ampleur des aspirations ouvrières à la sécurité.

La tendance à l'intégration de l'ouvrier à l'entreprise, dans les secteurs industriels les plus avancés, comporte des conséquences notables sur les formes du mouvement ouvrier.

On constate d'abord que le *taux de syndicalisation*, dans ces entreprises, est généralement très élevé, beaucoup plus élevé, en tout cas, que dans les autres secteurs. C'est que le recrutement syndical est facilité par le haut niveau de qualification, la jeunesse de la plupart des ouvriers et techniciens, la relative sécurité de l'emploi, le travail en équipe. Le taux de syndicalisation dans les branches avancées de l'industrie se situe entre 50 et 90 %, alors qu'il dépasse rarement 15 à 20 % dans les usines classiques à base de travail non qualifié.

On constate aussi que l'organisation syndicale tend à prendre une forme nouvelle, *sur la base de l'entreprise*, c'est-à-dire de la firme, et non plus du métier, comme autrefois, ni même de l'industrie, comme au temps où se constituait la C.G.T. Cette nouvelle structure s'adapte d'ailleurs difficilement à celle des grandes centrales syndicales, C.G.T., C.G.T.F.O. ou C.F.D.T.

On constate enfin que les formes et les objectifs de l'action syndicale sont en voie de modification. Une *conception nouvelle de la grève* abandonne les aspects « romantiques » que revêtaient souvent les grèves du xixe siècle, où le mouvement partait spontanément de la « base », lorsque le « climat » de l'usine était favorable, et durait le plus longtemps possible, jusqu'à la capitulation du patron ou l'épuisement des ressources des grévistes, et y substitue une organisation rationnelle des mouvements de revendication, sous forme d'arrêts limités de travail déclenchés au moment opportun (c'est à-dire lorsque l'entreprise ne peut pas « tenir ») pour désorganiser systématiquement la production, sans qu'il en coûte trop cher aux grévistes. Pour qu'une telle conduite de la grève soit possible, il faut que la section syndicale d'entreprise soit forte, cohérente et bien dirigée; il faut aussi que les adhérents possèdent une bonne formation technique, et même une connaissance du mécanisme du marché et des réalités économiques.

Plus important encore est l'élargissement des objectifs de l'action revendicative. Le syndicalisme d'entreprise ne s'attache plus seulement aux revendications de salaires; il pose le *problème du contrôle de la gestion*. De plus en plus souvent, c'est la validité de la gestion exercée par les directions qui est mise en question. Dans certains accords d'entreprise, signés en 1960, ont été insérées des clauses garantissant le contrôle par l'organisation syndicale des promesses patronales (vérification des rapports entre la réduction des heures de travail sans diminution de salaire et le développement de la productivité, consultations pour tout changement apporté à l'organisation technique du travail). En revendiquant le contrôle de l'organisation de la production, c'est-à-dire le contrôle de la gestion de l'entreprise, la « nouvelle classe ouvrière » imprime au mouvement ouvrier une direction originale.

Ce faisant, elle rompt avec la pratique syndicale encore dominante, qui est celle de la revendication pure et simple, sans exigence de contrôle. Elle rompt en même temps avec la masse des ouvriers de fabrication, restés au stade du salaire horaire et de l'instabilité de l'emploi, qui ne s'intéressent qu'aux revendications catégorielles et auxquels les perspectives de contrôle ouvrier sur la gestion n'apportent rien de concret. Cette opposition d'intérêts et de conceptions ne se produit pas seulement entre secteurs avancés de l'industrie et secteurs moins évolués, mais, au sein même des entreprises du secteur avancé, entre ouvriers attachés au contrôle et à la surveillance des machines automatisées et ouvriers de fabrication; car une usine n'est que rarement complètement automatisée et ne voit pas disparaître tous ses ouvriers de fabrication. Il se pourrait alors qu'apparaisse une nouvelle scission du mouvement syndical, se superposant aux divisions entre grandes centrales, et opposant un *syndicalisme de revendication* adapté aux besoins des travailleurs horaires à un *syndicalisme de gestion*, convenant mieux aux travailleurs intégrés à l'entreprise. Encore ce syndicalisme de gestion devrat-il se dégager de la tentation du particularisme et comprendre que « toute orientation gestionnaire dans une entreprise débouche nécessairement, pour être efficace, sur une prise de position globale au niveau de l'économie tout entière » (S. Mallet).

Cette analyse, cependant, n'a pas été confirmée par les événements de mai-juin 1968 ; la « nouvelle classe ouvrière » n'y a joué aucun rôle déterminant, et ce sont les secteurs ouvriers traditionnels de la « vieille industrie » (métallurgie, bâtiment, mines, transports) qui ont été les moteurs des mouvements de grève. D'autre part, il se pourrait que les revendications gestionnaires aient perdu de leur virulence soit au profit d'une revendication, plus terre-à-terre, de l'accroissement pur et simple du temps de loisir, soit au profit de la recherche de la sécurité par le moyen, entre autres, de la mensualisation du salaire, forme nouvelle qui place les ouvriers, sur le plan de la dignité, au rang des employés et des cadres.

Les nouvelles classes moyennes

La notion de classe moyenne connut une assez grande faveur dans la période de l'entre-deux-guerres, au moment où les conflits sociaux s'exaspéraient et où les menaces révolutionnaires semblaient se préciser. La bourgeoisie était alors en quête d'auxiliaires qui fissent nombre, à ses côtés, devant le péril.

La composition de la classe moyenne, telle qu'on l'imaginait alors, reposait moins sur une observation des faits que sur une conception inspirée d'arrière-pensées politiques. On y trouvait rassemblées des catégories fondées sur la propriété des moyens de production, comme les patrons de la moyenne industrie, les propriétaires fonciers, le moyen commerce, qui devaient être, par définition, attachés au régime de la propriété privée et de la libre entreprise ; mais aussi des salariés, comme les ingénieurs, parce qu'on les supposait imprégnés de la même mentalité que les chefs d'entreprise avec lesquels ils travaillaient, et des fonctionnaires de rang moyen ou supérieur, proches, par leur mode de vie, des membres des professions libérales que leur aisance, leur formation intellectuelle, et leur conviction d'appartenir à une élite rattachaient à la bourgeoisie. Ce conglomérat ne pouvait être uni que dans la crainte, crainte d'un bouleversement des hiérarchies, crainte d'une déchéance sociale qui suivrait une victoire du mouvement ouvrier.

Les « nouvelles » classes moyennes sont nées d'une situation et d'une réalité économique différentes. Le progrès technique d'une part, la concentration industrielle, de l'autre, ont suscité des fonctions et des services nouveaux, de plus en plus différenciés et spécialisés, et exigé, dans l'entreprise, la constitution de hiérarchies fortement structurées. C'est pourquoi le *personnel d'encadrement* a pris, dans les sociétés modernes, une importance sans cesse croissante.

Le premier critère utilisable pour reconnaître ce personnel d'encadrement est un critère fonctionnel : sont considérés comme cadres les personnes « ayant une connaissance approfondie d'une profession ou d'un art et capables de diriger un groupe d'ouvriers ou d'employés » (cadres moyens) et les personnes « capables d'organiser et de prendre les responsabilités afférentes à la direction d'un service ou d'une entreprise » (cadres supérieurs). Mais, pour cette dernière catégorie surtout, le critère fonctionnel est insuffisant, car il ne permet pas de distinguer clairement le directeur du patron de l'entreprise. Le critère supplémentaire à retenir est celui du statut : les cadres ne sont pas des patrons, mais des salariés. Ce sont les salariés du niveau hiérarchique le plus élevé.

L'importance des cadres varie selon les industries. Les industries anciennes sont généralement à faible encadrement : le personnel « cadres » représente 3 % des effectifs salariés dans les mines, 4 % dans le travail des étoffes, 5 à 6 % dans les industries textiles, du bois et de l'ameublement, des cuirs et peaux. Cette proportion s'élève à 12 % dans les industries mécaniques et les industries chimiques, à 18 % dans les industries du gaz et de l'électricité, à 19 % dans celle du pétrole. Ainsi, non seulement les effectifs des cadres ont augmenté en même temps que se développait l'industrie, mais cette croissance a été d'autant plus rapide que les industries en expansion sont celles qui en emploient, proportionnellement, le plus grand nombre.

A ces cadres du secteur privé viennent se joindre ceux du secteur public et du secteur semi-public, dont le nombre n'a cessé de croître avec le développement des services et des administrations. Dans ces secteurs, l'importance du personnel d'encadrement est très forte; on l'estime à 18 % dans les banques et les assurances, et s'il est impossible de calculer un pourcentage précis pour la plupart des administrations publiques, on admet généralement que tous les professeurs de l'enseignement secondaire, par exemple, relèvent de la catégorie des cadres.

Comment évaluer l'*importance numérique de ces nouvelles classes moyennes* que sont les cadres? Si l'on considère ce qu'il est convenu d'appeler l'échelle sociale, la limite supérieure apparaît assez nettement : les patrons, nous l'avons vu, étant exclus, c'est le salariat. Mais à mesure que l'on descend les échelons de la hiérarchie professionnelle, l'on se heurte à des difficultés croissantes; au niveau le plus élevé, il y a souvent osmose, par le « pantouflage », entre hauts cadres du secteur public et hauts cadres du secteur privé; au niveau des techniciens, la ventilation en « cadres » et « ouvriers » est presque impossible. D'où l'utilisation par certains auteurs, d'un critère nouveau, l'importance du revenu (revenu du travail, bien entendu) : la limite inférieure serait la disposition d'un revenu « qui correspondrait au minimum social au-dessous auquel ne pourrait plus être assuré le niveau de vie correspondant à la conception des classes moyennes ». Il est évident que pour mesurer ces réalités sociales, on ne disposera jamais de critères parfaitement objectifs, et qu'il faut admettre que les délimitations tranchées sont impossibles.

Si l'on admet l'estimation des statisticiens qui définissent (définition très large, il

TABLEAU 13

	Chiffres bruts	% de la population active
1954	1 684 000	8,7
1962	2 387 140	12,4
1968	3 172 560	15,5

est vrai) les cadres comme toutes les personnes qui font partie du « personnel d'encadrement », on constate que les effectifs de ce personnel d'encadrement ont évolué comme ci-dessus (tableau 13). En quatorze ans, la proportion des cadres dans la population active aurait presque doublé, en même temps que doublaient presque leurs effectifs qui sont, aujourd'hui, largement supérieurs à ceux des patrons de l'industrie et du commerce, et même à ceux des agriculteurs exploitants.

Les caractères démographiques de ce groupe social sont originaux. La répartition par sexe montre une *prédominance écrasante des hommes* : alors qu'au sein de la population active française on compte deux hommes pour une femme, la proportion est de cinq hommes pour une femme dans les cadres supérieurs. La répartition géographique est en corrélation étroite, naturellement, avec celle de l'activité économique en général, et plus particulièrement de l'activité industrielle : les communes rurales groupent près de la moitié de la population, mais moins du dixième des cadres ; inversement, la moitié des cadres environ habitent la région parisienne. Le niveau d'instruction enfin, est beaucoup plus élevé que la moyenne nationale : les trois cinquièmes des cadres supérieurs sont titulaires du baccalauréat, près de la moitié d'un diplôme de l'enseignement supérieur.

Le *style de vie du cadre* le distingue nettement des autres catégories sociales. Vivant d'un salaire, parfois très élevé (le rapport entre le salaire d'un ouvrier et celui d'un cadre supérieur est en moyenne de un à quatre), il attache beaucoup plus d'importance au revenu qu'à la fortune, ce qui le différencie très nettement du bourgeois. Il aspire vivement au confort matériel : le cadre subalterne dépense annuellement une fois et demi plus, le cadre supérieur deux fois et demi plus que la moyenne des Français. Ses dépenses alimentaires, bien qu'étant parmi les plus élevées en valeur absolue, ne représentent qu'un quart de son budget annuel, alors que la part de l'alimentation est de 31 % pour l'ensemble des ménages. En revanche, les dépenses de transport, de vacances, de loisirs, de culture, tiennent une place importante dans son budget. Il ne semble pas qu'il soit porté à épargner : « L'attachement aux biens matériels, qui s'exprimait chez le bourgeois par le désir de la conservation, se manifeste chez lui par le plaisir de la consommation » (P. Bleton).

Ce style de vie s'explique moins, sans doute, par le niveau des rémunérations que par le *sentiment de sécurité* qui caractérise la vie professionnelle du cadre. Fonctionnaire ou attaché à une entreprise nationalisée, il bénéficie d'un statut qui le protège contre l'arbitraire. Dans le secteur privé, cette sécurité est moins grande, car les entreprises qui l'emploient peuvent connaître des fortunes diverses; mais sa valeur technique est une garantie sérieuse. C'est cette valeur technique qui lui donne, avec la sécurité, l'indépendance.

Dans leur comportement social, outre la recherche d'un genre de vie particulier fondé sur l'usage de certains biens de confort, les cadres se caractérisent par leur individualisme, leur *désir de promotion individuelle*, et leur réticence à l'égard de l'engagement politique et plus spécialement à l'égard de la forme partisane et électorale de cet engagement. Leur « résistance à l'idéologie » a été souvent signalée. Encore conviendrait-il de distinguer entre les cadres de formation scientifique, plus préoccupés d'efficacité que de systèmes, plus attirés par la maîtrise effective des rouages essentiels de l'économie que par les options politiques, et les cadres de formation littéraire, philosophique ou juridique, plus aptes à manier les notions abstraites, plus attachés à certaines valeurs.

Les uns et les autres manifestent peu, cependant, d'*activité syndicale*. La plupart d'entre eux ne se sont jamais posé la question de l'affiliation syndicale et restent tout à fait étrangers à des préoccupations de promotion collective. Les autres se partagent entre adhérents à la Confédération générale des cadres, qui se considère comme une troisième force entre le patronat et la classe ouvrière, adhérents à divers syndicats autonomes, comme ceux de l'enseignement, et adhérents aux grandes centrales ouvrières (Fédération des cadres de la C.F.D.T., Fédération des cadres Force ouvrière, Union générale des ingénieurs et cadres supérieurs de la C.G.T.). Le syndicalisme des cadres se trouve soumis à une double attraction, vers le syndicalisme ouvrier, en raison de leur appartenance au salariat, vers la bourgeoisie, en raison de leur formation, de leurs responsabilités professionnelles et de leur niveau de vie. Ils sont bien, en cela, les représentants de toute classe moyenne, perpétuellement tiraillés entre des aspirations contradictoires, et victimes de l'ambiguïté de leur position dans la société.

Leur attitude, lors de la crise de mai 1968, est restée souvent indécise; mais un certain nombre d'entre eux se sont dressés contre une hiérarchie qui tendait à les ignorer. Ceux-là ont montré qu'ils étaient favorables à la revendication d'une participation accrue à la gestion des entreprises.

4. CONCLUSION : UNE SOCIETE CONTESTEE

Les progrès réalisés depuis vingt ans posent, nous l'avons vu, la question de savoir si le véritable « décollage » de l'économie française ne peut être situé, avec quelque vraisemblance, aux environs de 1950. Quoi qu'il en soit de cette hypothèse, il est certain que la société française des années soixante et soixante-dix se présente comme une société prospère, une « affluent society ». Mais il faut immédiatement ajouter que cette prospérité est mal acceptée de certains, qui y voient la source de bien des maux. Comme les rapports sociaux y restent difficiles (« société bloquée ») et que ses rouages grincent souvent, il n'est pas très surprenant qu'une explosion soudaine, celle de mai 1968, ait failli la mettre à mal. Elle s'est révélée, cependant, infiniment plus solide que ne le pensaient ses contempteurs.

Société prospère, en effet, que celle que vingt années de croissance ininterrompue ont bâtie sous nos yeux. Les signes extérieurs de la richesse sont là, éclatants. Le revenu national, calculé en francs constants, c'est-à-dire compte tenu de l'inflation et de l'érosion monétaire, a très exactement *triplé* de 1950 à 1970; phénomène absolument sans précédent dans notre histoire. Le salaire ouvrier, exprimé en pouvoir d'achat, est passé de l'indice 100 en 1949 aux indices 173 pour le père de famille parisien, 210 pour le célibataire de la même origine, 226 pour le célibataire de province (1968). Mesure plus objective encore, celle de l'accroissement des consommations est révélatrice; calculée en indices sur la base 100 en 1956 seulement, première année pour laquelle nous disposons de données solides, et compte tenu, toujours, de la dépréciation monétaire et des hausses de prix, c'est-à-dire exprimée en consommation « réelle », elle fait apparaître, en 1969, les progrès suivants :

TABLEAU 14

PROGRESSION DE LA CONSOMMATION DES MENAGES DE 1956 A 1969 (INDICE BASE 100 EN 1956, DEFLATÉ)

	Consommation alimentaire	Consommation non aliment.	Consommation totale
Industriels, professions libérales	115	147	139
Cadres moyens	122	160	144
Ouvriers de l'industrie	120	180	150
Exploitants agricoles	148	176	160
Salariés agricoles	164	**194**	176

La progression est inversement proportionnelle à la place occupée dans la hiérarchie sociale. Les catégories ouvrières ont augmenté leur consommation globale, en 13 ans, de la moitié ou des trois quarts, alors qu'au sommet de la pyramide sociale la progression n'est que du tiers. Dans ce domaine au moins, les écarts sociaux tendent nettement à s'atténuer, tout en restant encore considérables (la consommation brute d'un ménage d'industriel ou de grand commerçant est le double de celle du ménage de salarié agricole). Les progrès les plus remarquables apparaissent non dans la consommation alimentaire (bien que les ruraux aient, en ce domaine, considérablement amélioré leur situation), mais dans les consommations considérées longtemps comme des consommations de luxe (logement, habillement, hygiène et soins personnels, culture et loisirs).

C'est dans ce dernier poste, celui des dépenses de loisir, que les progrès les plus spectaculaires ont eu lieu ces dernières années. Aujourd'hui, les spécialistes s'accordent généralement à considérer qu'elles représentent, en moyenne, près de 20 % des dépenses des ménages. Cette remarquable croissance est due, avant tout, à l'allongement du temps des loisirs. Bien que la durée hebdomadaire du travail ait légèrement augmenté de 1953 à 1970, passant de 45 heures environ à 46, la pratique du week-end complet s'est étendue et la durée des congés annuels a, pour la majorité des salariés urbains, doublé en six ans (1957-1963), passant de 18 à 30 jours. En pratique, tout se passe comme si les Français avaient décidé de faire porter leur préférence sur le congé annuel et non sur le congé hebdomadaire auquel d'autres peuples, anglo-saxons notamment, attachent tant d'importance. Aussi, l'ampleur des migrations estivales est-elle plus accentuée en France qu'en n'importe quel autre pays; on calcule que près de vingt millions de Français, non compris les enfants de moins de quatorze ans, partent en vacances d'été.

Comme le loisir est la période par excellence pendant laquelle l'adulte peut consommer des biens et services culturels, ce problème retient de plus en plus l'attention des organisations privées et des pouvoirs publics. On en vient à parler d'une politique de « développement des loisirs culturels », tandis qu'au contraire certains déplorent une « massification de la culture », entendant par là que la culture populaire apparaît menacée par une vulgarité et une médiocrité envahissantes.

Ainsi, au moment où les exigences matérielles commencent à être plus largement satisfaites au niveau du plus grand nombre, commence-t-on à s'interroger sur la qualité de la vie et bientôt sur l'art de vivre. Comme il est d'observation courante que, dans la partie la moins favorisée de la société, un début de prospérité rend plus exigeant, et souvent plus agressif, que la misère, et qu'à tous les niveaux les processus de modernisation provoquent souvent ressentiments, griefs et frustrations, un terrain favorable s'est constitué pour accueillir les critiques, la mise en cause, la « contestation » de la société qu'à développées, au même moment, l'intelligentsia française et particulièrement l'intelligentsia parisienne.

Celle-ci se complaît, en effet, à analyser les maux engendrés par l'opulence des sociétés contemporaines. Les jugements sont, généralement, péremptoires : « prétendue civilisation », « civilisation sans âme », « société répressive et absurde »; on dénonce l'absence de qualité de la vie moderne, l'angoisse qu'elle suscite, les menaces qu'elle fait surgir contre la liberté. On fait le procès de la « technocratie », ou de la « techno-bureaucratie » qui « manipule » la société et parvient à « conditionner » l'individu et à provoquer la « crise d'identité de l'homme de la société de masse ». Finalement, ce sont toutes les valeurs admises par la société industrielle qui sont mises en question ou en accusation.

Cette ardeur de contestation dissimule peut-être, chez les intellectuels, le furieux dépit qu'ils éprouvent à constater que la société industrielle ne leur accorde ni la place ni la considération qu'ils estiment mériter. Il est clair en effet que le poids de l'intelligentsia, considérable dans la société française de la fin du XIXᵉ siècle, s'est beaucoup allégé dans un monde où le technicien, l'entrepreneur et l'homme d'affaires tiennent fréquemment le devant de la scène. Leur vanité blessée les pousse à refuser une société qui les tient en piètre considération et à laquelle ils se sentent étrangers; d'où la qualification de « société de consommation » attribuée à la société d'aujourd'hui, qualification qui se veut, pour des esprits distingués, définitivement péjorative. Il se mêle d'ailleurs à cette attitude une aspiration confuse, un souhait inavoué ou inconscient, celui d'une régression, sinon d'une apocalypse, qui restaurerait la pureté des temps difficiles.

Ce comportement des intellectuels français n'est pas si nouveau. Il n'est que d'évoquer le fameux « esprit des années trente » que Jean Touchard, le premier, avait si remarquablement analysé, pour retrouver bien des thèmes qui nous sont devenus familiers. Anticapitalisme, antilibéralisme, antimatérialisme, antirationalisme, et surtout ce refus désespéré du « désordre établi » que clamaient un Arnaud Dandieu et un Emmanuel Mounier ne sont pas des formules nées, comme on le croit parfois, de la crise de 1929; elles la précèdent et sont filles de la prospérité Poincaré-Tardieu. La différence fondamentale, entre les deux périodes est que la contestation des années trente a été « récupérée » par les vieilles formations politiques au moment où la tragédie est descendue dans la rue. Mounier l'avait bien compris, qui stigmatisait la « sale petite émeute néfaste » du 6 février 1934, car elle avait « crispé les forces vivantes apparentées à la droite sur l'aventure décevante des Ligues ... enlisé les forces vivantes apparentées à la gauche dans le marais du Front Populaire parlementaire et politicien ». Lorsqu'en

1968, au contraire, l'agitation descend dans la rue, les forces politiques sont tellement déconsidérées qu'elles se révèlent incapables de « récupérer » la contestation intellectuelle triomphante.

Société contestée donc que celle des années soixante. Contestée et vulnérable parce que, comme l'a fort bien montré Michel Crozier, « société bloquée », dans ses formes d'organisation et dans son style d'action. Cette société bloquée est fondée sur la peur du face à face d'une part, une conception très hiérarchique de l'autorité de l'autre. Si bien que les Français sont incapables de supporter une autorité qu'ils jugent pourtant indispensable. Pour résoudre cette contradiction, ils ont développé un système par lequel « l'autorité absolue et arbitraire ... est rendue inoffensive par la centralisation qui l'éloigne et la stratification qui protège l'individu contre elle ». Malheureusement, un tel système « s'accompagne de l'existence d'un fossé entre dirigeants et exécutants, d'un style rigide de relations entre groupes humains, d'un modèle contraignant de jeu fondé sur la défense et la protection et d'une passion générale de tous les individus pour la sécurité ». Dans ces conditions, l'adaptation aux changements ne peut se faire, ou se fait très mal et très lentement. Les rigidités ne peuvent être surmontées en temps normal; lorsque la nécessité d'un changement se fait impérieuse, le seul moyen d'y parvenir est la crise : « La crise, comme moyen privilégié de changement, constitue le trait culturel essentiel qui conditionne le style d'action collective auquel sont attachés les Français. »

Aussi Michel Crozier a-t-il reconnu, dans les événements de Mai 1968, la crise ainsi prédite, « une révolte instinctive contre ... la société bloquée ». Mais Raymond Aron y a vu, lui, une « révolution introuvable ». Il est vrai que l'analyse de ces événements n'est pas aisée. Commentant les très nombreuses publications qu'ils ont suscitées, Jean Touchard a pu recenser « huit types d'interprétation » de la crise. Encore n'est-il pas interdit de penser que Mai 68 n'a été qu'un accident, un événement sans rationalité, l'explosion d'un hasard, ou un « accès de fièvre sans objectifs définis », un « accès extrémiste sans ressort majeur », voire un psychodrame, une tragi-comédie, un immense défoulement collectif. Quel qu'ait été le détonateur, le mouvement s'est étendu par contagion chez les jeunes (l'angoisse des étudiants devant les examens, seul et premier obstacle qu'ils aient rencontré dans une société « permissive », a pu aisément en mettre un grand nombre en mouvement) et surtout chez les intellectuels, ravis de succomber aux délices du délire verbal : « Entre le rêve éveillé, le spectacle du rêve et le rêve de la société spectacle, note Michel Crozier, le monde intellectuel parisien a pour un temps, qui pour certains se prolonge encore, complètement perdu la mesure de la réalité. » Bientôt l'agitation s'est transformée en action révolutionnaire ayant pour objectif le renversement par l'émeute du régime. Mais elle a été contenue par un parti communiste qui a visiblement cherché à reprendre le contrôle du mouvement en l'amplifiant et en le déviant vers des revendications purement matérielles. Finalement, le discours du 30 mai du général de Gaulle retournait la situation : « il suffisait d'un discours pour faire tomber une fièvre que l'on appelait révolutionnaire » (Raymond Aron).

Les conséquences de la crise de Mai n'ont évidemment pas été ce qu'attendaient les contestataires. De révolution, point; de réformes de structures, pas plus; de changement politique, à peine. Mais deux sortes de révélations. Révélation, d'abord, de la faiblesse des forces politiques traditionnelles qui n'ont pas pu reprendre en main, comme en 1934-1935, la situation : la perspective d'un retour au pouvoir d'un gouvernement de gauche « était totalement dépourvue de crédibilité pour la plus large part de l'opinion publique » (Jean Touchard). Révélation de la sagesse, disent les uns, de l'apathie, pensent les autres, de la classe ouvrière, qui a refusé de généraliser l'émeute et a « préféré sans ambages les urnes aux barricades ». Certains y ont vu le signe d'une intégration, encore timide, mais décisive : « Les syndicats et le seul puissant parti ouvrier ont montré que le déterminisme historique les avait insidieusement amenés, sinon contre leur gré, du moins sans leur consentement conscient, à adhérer à la société dite de consommation » (Roger Caillois).

C'est peut-être le pari qu'a pris, après la liquidation des conséquences matérielles immédiates de la crise, le nouveau Premier ministre, forgeant à la suite de la « Nouvelle Frontière » du président Kennedy et de la « Grande Société » du président Johnson, la formule de la « Nouvelle Société », remède à « l'archaïsme et au conservatisme de nos structures sociales », et définie comme une « société prospère, jeune, généreuse et libérée ». En attendant la réalisation, forcément lointaine, de ce vaste dessein, l'action gouvernementale se fait de plus en plus discrète, tandis que la pratique quotidienne paraît orientée vers le désamorçage systématique de tout conflit social et la satisfaction immédiate des revendications des diverses catégories sociales dès qu'elles se font impérieuses ou bruyantes. Cette volonté d'apaisement, cette tactique de l'édredon, cette discrétion systématique qui tendent à imposer le mythe d'une société sans conflits majeurs et d'un pouvoir sans autorité finissent par donner des pouvoirs publics et de l'État une image que le philosophe Alain n'aurait sans doute pas désavouée. L'idéologie radicale-socialiste serait-elle le dernier avatar de la crise de Mai ?

LECTURES COMPLEMENTAIRES

Pour l'ensemble de la période, on se reportera à :

○ SORLIN (Pierre), *La Société française*, tome II, *1914-1968*. Paris, Arthaud, 1971.

La France de 1914-1939

Un tableau général de l'évolution économique et sociale de la France de 1914 à 1939 a été dressé, dans le numéro spécial de la

○ *Revue d'économie politique* du premier trimestre de 1939, par divers auteurs, sous le titre : « De la France d'avant-guerre à la France d'aujourd'hui. »

Mais on lira surtout :

○ SAUVY (Alfred), *Histoire économique de la France entre les deux guerres*, Paris, Fayard, tomes I (1918-1931) et 2 (1931-1939).

La crise des années 1930

Pour une étude de la crise économique des années 1930, se reporter à

○ *Mouvement économique en France de 1929 à 1939*, publié par le ministère des Finances, Service national des statistiques, Paris, Imp. nationale, 1941.

Les problèmes sociaux 1918-1944

Certains problèmes sociaux de l'entre-deux-guerres et de l'époque de Vichy sont traités par :

○ DANOS (Jacques), GIBELIN (Marcel), *Juin 36*, Paris, Les Éditions Ouvrières, 1952, dont on peut contester les conclusions, mais qui apportent une riche moisson d'informations.

○ EHRMANN (Henri-W.), *La Politique du patronat français*, *1936-1955*, Paris, A. Colin, 1959.

○ KRIEGEL (Annie), *Aux origines du communisme français (1914-1920)*, 2 vol., Paris, Mouton et Cᴵᵉ, 1964.

○ PROST (Antoine), *Les Effectifs de la C.G.T. à l'époque du Front Populaire (1934-1939)*, A. Colin, 1964 (Cahiers de la Fondation nationale des Sciences politiques, n° 129).

○ SIEGFRIED (André), *De la IIIᵉ à la IVᵉ République*, Paris, Grasset, 1956.

○ LAROQUE (Pierre), et ses collaborateurs dressent un bilan des *Succès et faiblesses de l'effort social français*, Paris, A. Colin, 1962.

La période contemporaine

○ SAUVY (Alfred), RICŒUR (Paul), *Bilan de la France, 1945-1970*, Colloque de l'Association de la presse étrangère, Paris, Plon, 1971.

○ CARRÉ (J.-J.) et *al.*, *La Croissance française, un essai d'analyse économique causale de l'après-guerre*, Paris, Le Seuil, 1972.

La « révolution silencieuse des paysans »

○ DEBATISSE (Michel), *La Révolution silencieuse. Le Combat des paysans*, Paris, Calmann-Lévy, 1963.

○ MEYNAUD (Jean), *La Révolte paysanne*, Paris, Payot, 1963.

○ MALLET (Serge), *Les Paysans contre le passé*, Paris, Le Seuil, 1963.

○ BARRAL (Pierre), *Les Agrariens français de Méline à Pisani*, Paris, A. Colin, 1968.

La nouvelle classe ouvrière

a été décrite par :

MALLET (Serge), dans le livre qui porte ce titre (Éditions du Seuil, 1963).

On ajoutera :

○ La revue *Arguments* du premier trimestre

de 1959 : « Qu'est-ce que la classe ouvrière française ? », ainsi que

○ ANDRIEUX (Andrée), LIGNON (Jean), *L'Ouvrier d'aujourd'hui. Sur les changements dans la condition et la conscience ouvrières*, Paris, M. Rivière et Co. 1960.

○ HAMON (Léo), éd. *Les Nouveaux Comportements politiques de la classe ouvrière*, Paris, P.U.F., 1962.

Sur les cadres

○ ANTOINE (Jacques), « Les nouvelles classes moyennes », in *L'Univers économique et social*, tome IX de l'*Encyclopédie Française*, Paris, Société de l'Encyclopédie française, 1960.

○ BLETON (Pierre), *Les Hommes des temps qui viennent*, Paris, les Éditions Ouvrières, 1956.

○ CHEVERNY (Julien), *Les Cadres. Essai sur les nouveaux prolétaires*, Paris, Julliard, 1967.

○ DUBOIS (Jean), *Les Cadres dans la société de consommation*, Paris, Éditions du Cerf, 1969.

Mai 1968

Pour se retrouver dans la masse des publications consacrées aux événements de 68, on lira :

○ BENETON (Philippe), TOUCHARD (Jean), « Les interprétations de la crise de mai-juin

1968 », *Revue Française de Science Politique*, juin 1970.

Un excellent résumé des événements :

○ DANSETTE (Adrien), *Mai 1968*, Paris, Plon, 1971, avec des textes et une bibliographie.

On ne négligera pas l'interprétation de :

○ ARON (Raymond), *La Révolution introuvable. réflexions sur la révolution de Mai*, Paris, Fayard, 1968.

La société de consommation

Certains de ses aspects sont décrits par

○ MORIN (Egdard), *L'Esprit du temps*, Paris, Grasset, 1962.

Enfin, on ne manquera pas de se reporter, pour toute étude de la société d'aujourd'hui, aux très importants ouvrages de :

○ HOFFMANN (Stanley), KINDLEBERGER (Ch.-P.) et *al.*, *A la recherche de la France*, Paris, Éditions du Seuil, 1963.

○ CROZIER (Michel), *La Société bloquée*, Paris, Éditions du Seuil, 1970.

○ DARRAS, *Le Partage des bénéfices*, Paris, Éditions de Minuit, 1966.

○ REYNAUD (J.-D) (sous la direction de), *Tendances et volontés de la société française*, S.E.D.E.I.S., Paris, Collection Futurible, 1968.

42. INDICES GENERAUX DE PRIX ET DE SALAIRES (1905-1959)

	1	2	3	4
1905	83	83		
1906	88	83	97	96
1907	92	85		
1908	86	87		
1909	86	—		
1910	92	89		
1911	96	98	100	100
1912	100	97		
1913	98	100		
1914	100	100		
1915	137	119		
1916	185	134	118	
1917	256	160		
1918	332	207		
1919	349	259		
1920	499	357		
1921	338	312	401	502
1922	320	300		
1923	410	333		
1924	479	380	440	563
1925	539	407	472	607
1926	688	530	580	700
1927	604	553	582	720
1928	607	552	597	750
1929	598	586	693	833
1930	521	590	755	883
1931	443	567	751	883
1932	391	517	721	868
1933	373	500	721	846
1934	352	479	721	846
1935	333	439	710	820
1936	388	471	802	961
1937	541	593		1 217
1938	614	673	1 212	1 341
1939	645	717	1 242	1 368
1940	847	851	1 239	1 378
1941	1 038	998	1 376	1 559
1942	1 216	1 199	1 397	1 787
1943	1 412	1 489	1 447	1 974
1944	1 590	1 820	2 552	3 452
1945	2 247	2 700	3 876	5 960
1946	3 874	4 119	5 423	8 060
1947	5 894	6 145	6 590	9 555
1948	10 162	9 752	10 140	15 310

	1	2	3	4
1949	11 341	11 037	10 580	15 890
1950	12 282	12 141	11 950	17 050
1951	15 685	14 116	17 250	24 850
1952	16 433	15 794	17 930	26 000
1953	15 685	15 529		
1954	15 412	15 595		
1955	15 390	15 739		
1956	16 059	16 401		
1957	16 977	16 897		
1958	18 928	19 448		
1959	19 835	20 643		

Indice des prix (base 100 en 1914)
1. de gros
2. de détail

Salaires horaires moyens d'ouvriers (base 100 en 1911)
3. dans la région parisienne
4. en province

Source : Annuaire statistique, 1961.

43. SALAIRES MENSUELS NETS DE 1938 A 1959

	CELIBATAIRE		PERE DE FAMILLE (2 enfants	
	Paris	Province	Paris	Province
1938 — octobre	1 605	1 011	1 793	1 124
1939 — —	1 749	1 077	2 015	1 245
1940 — —				
1941 — —	1 765	1 152	2 326	1 515
1942 — —	1 905	1 328	2 557	1 812
1943 — —	2 169	1 548	2 895	2 039
1944 — —	3 050	2 376	4 528	3 396
1945 — —	4 771	4 222	6 714	5 596
1946 — —	7 124	6 070	11 067	8 793
1947 — —	9 856	8 083	14 330	11 762
1948 — —	16 034	13 108	24 363	20 084
1949 — —	17 206	13 985	25 555	21 388
1949 — moyenne	17 103	13 937	25 445	21 337
1950 — —	19 843	15 608	28 412	23 106
1951 — —	24 822	19 863	35 614	29 239
1952 — —	28 823	22 884	41 190	33 690
1953 — —	30 507	23 775	42 223	34 074
1954 — —	32 567	25 342	44 794	36 031
1955 — —	34 819	27 250	47 455	38 487
1956 — —	37 109	29 260	49 594	40 694
1957 — —	41 183	31 880	54 044	43 572
1958 — —	44 976	35 221	58 740	47 520
1959 — —	46 964	37 114	61 384	49 778

Source : Annuaire statistique, 1961.

Ces salaires mensuels nets sont calculés à partir des taux de salaires recueillis par le Ministère du travail, compte tenu de la durée hebdomadaire du travail, des majorations pour heures supplémentaires, des prestations familiales (éventuellement), déduction faite des retenues pour la Sécurité sociale et de la surtaxe progressive. Ils ne tiennent pas compte des primes de rendement et autres primes analogues.

44. INDICE DU REVENU MENSUEL NET DES OUVRIERS
(base 100 au 1ᵉʳ janvier 1956)

Date	Célibataire		Père de famille de deux enfants	
	Zone 0 %	Zone 4 %	Zone 0 %	Zone 4 %
1ᵉʳ janvier 1956	100,0	100,0	100,0	100,0
1ᵉʳ janvier 1957	111,8	109,1	108,7	107,2
1ᵉʳ janvier 1958	125,1	121,4	120,5	117,8
1ᵉʳ janvier 1959	129,5	127,3	124,6	122,3
1ᵉʳ janvier 1960	139,5	138,0	133,8	131,6
1ᵉʳ janvier 1961	153,1	149,3	144,6	140,6
1ᵉʳ janvier 1962	166,3	163,1	156,7	152,9
1ᵉʳ janvier 1963	181,5	179,6	169,5	167,1
1ᵉʳ janvier 1964	193,8	193,7	180,3	178,7
1ᵉʳ janvier 1965	202,0	203,0	188,2	187,3
1ᵉʳ janvier 1966	215,4	216,3	199,2	197,8
1ᵉʳ janvier 1967	226,5	229,0	208,0	207,2
1ᵉʳ janvier 1968	236,6	238,7	214,9	213,5
1ᵉʳ janvier 1969	266,9	274,2	241,0	243,0
1ᵉʳ janvier 1970	283,0	293,3	257,2	262,0
1ᵉʳ janvier 1971	308,8	321,9	278,4	284,1

Source : Ministère du Travail, Statistiques Sociales.

45. DEPENSES ANNUELLES DE FAMILLES OUVRIERES PARISIENNES EN 1906 ET EN 1936-37

	1906 [1]	1936/37 [2]
Nourriture	1 460	11 620
Logement	370	1 480
Chauffage et éclairage	125	1 580
Vêtements	183	2 370
Mobilier	65	745
Médicaments	20	387
Médecin		999
Dentiste		432
Soins personnels	17	492
Tabac	26	209
Transports	42	730
Journaux, revues, livres	8	225
Cotisations (syndicat, mutuelle)	13	126
Distractions, spectacles		154
Divers	24	781
Total	2 353	22 330

1. Moyenne de 5 familles en anciens francs.
2. Moyenne de 4 familles en anciens francs.

46. DEPENSES ANNUELLES DE FAMILLES OUVRIERES PARISIENNES EN 1906 ET EN 1936-37
Détail des dépenses de nourriture

	QUANTITES CONSOMMEES [1]		Dépenses en francs	
	1906	1936/37	1906	1936/37
Pain	900	600	243	1 220
Viande	128	262	351	2 480
Charcuterie	12,4	49,5	39,5	570
Poisson	8,5	40	13,8	325
Beurre	52,8	23,5	52,8	515
Œufs	440 pièces	629 pièces	66	407
Sucre	75	59,5	54	229
Epicerie	—	90,5	6	270
Riz	8	5,7	5	24
Pâtes	4	36,6	6	186
Fromage	20	43,6	56,5	508
Lait	280 litres	490 litres	109	720
Pommes de terre	190	297	28,3	271
Haricots secs	30	25,2	30	156
Fruits	—	211	—	628
Café	9,3	14,6	53	284
Chocolat	4,75	12,9	18,9	189
Vin	910 litres	730 litres	204	1 440
Divers	—	—	123,2	1 198
TOTAL			1 460	11 620

1. En kg.
D'après HALBWACHS (M.), « Genre de vie », *Revue d'économie politique*, 1939, pp. 438-455.

47. CONSOMMATION DES MENAGES EN 1969

	1	2	3	4	5
Produits à base de céréales	957	766	896	710	766
Légumes	839	742	866	712	708
Fruits	382	318	579	501	425
Viande, œufs, poisson	3 374	2 917	3 554	2 894	2 722
Lait, fromage	753	634	706	720	690
Corps gras	617	469	416	393	428
Divers	326	314	348	324	279
Boissons	1 030	1 025	1 308	1 090	1 030
Autoconsommation	2 990	1 277	378	219	365
Consommation hors du domicile	527	596	1 446	1 323	861
TOTAL ALIMENTATION	11 795	9 058	10 497	8 886	8 274
Habillement	1 848	1 597	3 313	2 934	1 970
Logement	2 799	1 766	5 805	5 246	3 845
Hygiène et soins personnels	1 539	1 115	1 785	2 065	1 506
Transports et télécommunications	2 175	1 466	5 911	4 139	2 247
Culture et loisirs	918	708	2 764	2 066	1 164
Dépenses diverses	2 014	893	4 711	2 992	1 510
TOTAL NON ALIMENTAIRE	11 293	7 545	24 289	19 442	12 242
CONSOMMATION TOTALE	23 088	16 603	34 786	28 328	20 516
Rappel des consommations en 1956					
TOTAL ALIMENTATION	4 777	3 241	5 318	4 277	4 083
TOTAL NON ALIMENTAIRE	3 783	2 300	9 582	7 295	3 993
CONSOMMATION TOTALE	8 560	5 541	14 900	11 572	8 076

Moyennes, par ménage, en nouveaux francs par an, suivant la catégorie socio-professionnelle du chef de ménage :

1. Agricuteurs exploitants
2. Salariés agricoles
3. Industriels, gros commerçants et professions libérales
4. Cadres moyens
5. Ouvriers

48. LES SOURCES DE REVENU

Répartition en pourcentage du revenu total des particuliers en 1954.

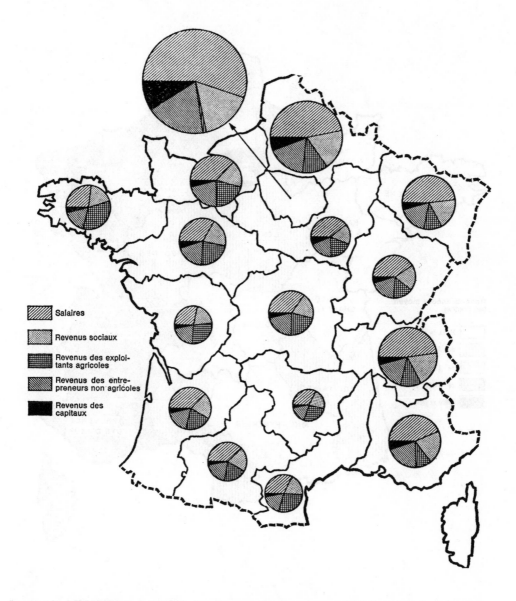

Salaires

Revenus sociaux

Revenus des exploi-
tants agricoles

Revenus des entre-
preneurs non agricoles

Revenus des
capitaux

Source : N. DELEFORTRIE, J. MORICE, *Les Revenus départementaux en 1864 et en 1954*, A. Colin, 1959.

49. LE REVENU MOYEN PAR MENAGE ET PAR REGION EN 1965

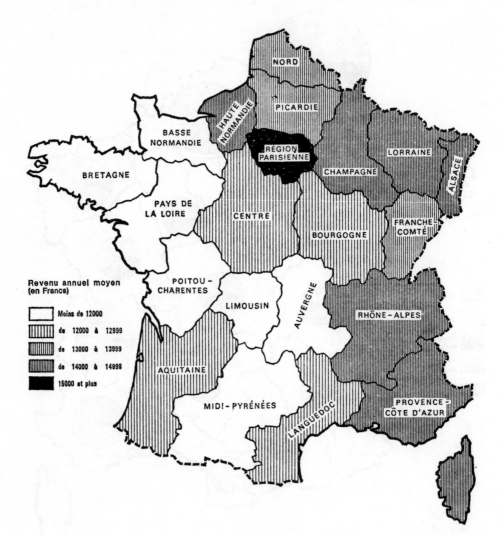

50. L'INEGALITE DES REVENUS DANS LA FRANCE DE 1960

Revenus mensuels, par ménage, en nouveaux francs, d'après les statistiques fiscales.

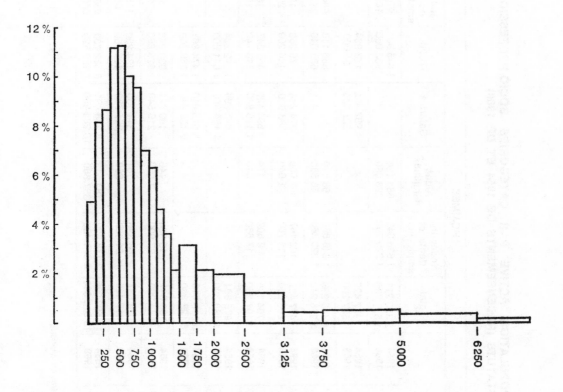

Source : *Le Monde*, 19 août 1961.

51. POPULATION ACTIVE PAR CATEGORIES SOCIO-PROFESSIONNELLES ET STATUTS (RECENSEMENTS DE 1954 ET DE 1968)

		HOMMES				FEMMES			
		Total	Indépendants et employeurs	Aides familiaux	Salariés	Total	Indépendants et employeurs	Aides familiaux	Salariés
Agriculteurs exploitants	1954	2 320 211	1 636 045	684 166		1 645 804	279 519	1 366 285	
	1968	1 527 780	1 229 700	298 080		932 060	169 140	762 920	
Salariés agricoles	1954	987 422			987 422	173 934			173 934
	1968	527 200			527 200	61 000			61 000
Patrons de l'industrie et du commerce	1954	1 445 298	1 346 688	98 610		856 118	504 255	351 863	
	1968	1 276 940	1 220 360	56 580		685 040	381 360	303 680	
Professions libérales et cadres supérieurs	1954	477 467	102 167	1 056	374 244	76 252	13 149	7 263	55 840
	1968	806 600	116 700	1 040	688 860	186 200	20 800	8 540	156 860
Cadres moyens	1954	704 196	9 602	174	694 420	408 347	16 290	760	391 297
	1968	1 197 360	17 680	840	1 178 840	816 740	16 900	1 780	798 060
Employés	1954	975 894			975 894	1 092 224			1 092 224
	1968	1 188 300			1 188 300	1 841 600			1 841 600
Ouvriers	1954	5 015 010			5 015 010	1 474 861			1 474 861
	1968	6 128 840			6 128 840	1 569 760			1 569 760
Personnels de service	1954	196 841	15 924	146	180 771	820 948	9 478	397	811 073
	1968	245 200	27 600	1 060	216 540	925 860	2 500	2 480	920 880
Autres catégories (clergé, armée...)	1954	379 687	68 396	161	311 130	134 250	115 898	436	17 916
	1968	417 420	61 380	260	355 780	105 260	85 040	600	19 620
TOTAL	1954	12 502 026	3 178 822	784 313	8 538 891	6 682 738	938 589	1 727 004	4 017 145
	1968	13 315 640	2 673 420	357 860	10 284 360	7 123 520	675 740	1 080 000	5 367 780

Source : *Bulletin hebdomadaire de statistique.*

52. TYPE ANCIEN DE VIE PAYSANNE

Une jeune fille d'une commune rurale de l'Isère fait le récit de la vie quotidienne de sa famille :

« J'ai vingt ans et je n'ai pas d'amie. J'habite un petit village de l'Isère. Je travaille avec mon père et ma mère, mon frère et une tante sur une exploitation de neuf hectares.

« Ma vie est tracée depuis l'enfance. Une seule date mémorable : le jour de mon certificat d'études; ce fut dans mon existence un tournant brutal. Je l'ai très fortement ressenti alors. Livres et cahiers fermés à jamais, je restais sur ma faim d'apprendre. Plus d'école, et pourtant j'aimais l'école : c'était la fin d'une étape heureuse.

« Pour mes parents, c'était la fin d'une étape où je n'avais servi à rien. Maintenant, j'étais utilisable. Mes deux bras allaient soulager les autres bras. Nous serions quatre désormais, à travailler sur la ferme. L'année suivante, mon frère, pourvu lui aussi de son certificat d'études, prendrait place à nos côtés.

« Je me revois, au lendemain de l'examen. C'est l'heure de l'étude. Mais il n'y a plus de leçons à apprendre. Les livres sont rangés dans un placard. Ils n'en sortiront plus. Je dois aller traire. Je mets un vieux chapeau, comme mes parents, je passe le tablier pendu à un clou. Je m'assieds sous la Roussette, la troisième vache de la rangée de six laitières; c'est la plus sage. Elle donne moins de coups de pied que les autres. C'est la plus petite, la plus facile. Elle n'a pas beaucoup de lait, huit litres seulement les meilleurs jours, mais il est le plus gras.

« Quand ma mère veut un peu de crème, c'est ce lait qu'elle garde. J'ai l'impression d'avoir toujours vu la Roussette chez nous. Je me rappelle que le jour où nous nous sommes enfin décidés à la vendre, elle était si vieille qu'elle ne pouvait plus marcher.

« Je ne m'ennuie pas. J'ai trop à faire. Nous cultivons de tout sur nos neuf hectares. Notre grand souci, c'est d'acheter le moins possible. Cultiver de tout, cela signifie une grande dispersion d'efforts.

« Le laitier passe tôt le matin. Il commence sa tournée chez nous. Son vieux cheval se traîne sur les chemins. La carriole tient comme elle peut. Pourtant, le laitier collecte ses 5 ou 600 litres de lait par jour, bon an, mal an. Il fait aussi fonction de gazette. Il colporte les histoires du pays. Il est le seul qui vienne dans les fermes. C'est dire qu'on l'apprécie. On est ravi de l'écouter. On le retient. L'hiver, quand il neige ou que le verglas rend les routes glissantes, il ne passe que tous les deux jours. Il faut alors surveiller le lait pour qu'il se conserve en bon état.

« Après la traite, on nourrit les bêtes; cela prend une bonne partie de la journée. L'été, on les garde aux champs pendant de longues heures. L'hiver, c'est plus compliqué. Il faut grimper sur un fenil pour tirer un peu de luzerne sèche, puis sur un autre, pour prélever du foin. Ce foin provient des prairies permanentes dont on a coupé l'herbe très mûre. Il est en partie réservé aux chevaux. Le reste est destiné aux vaches. Elles n'en sont pas friandes. C'est pourquoi il faut le mélanger soigneusement à la luzerne pour qu'elles l'acceptent.

« On s'épuise en va-et-vient. La paille est entassée dans un verger à cinquante mètres de la maison. Chaque jour, matin et soir, qu'il pleuve, neige ou vente, je transporte la litière à pleines fourches du verger à l'étable. On conserve les betteraves pour les vaches dans un vieux bâtiment abandonné, situé à cent mètres de la maison. On y met aussi le grain des poules. Le puits, lui, se trouve à l'autre bout de la cour. Je pousse les betteraves du hangar à l'étable à pleines brouettes, je traîne les seaux d'eau du puits à la maison. J'ai encore dans les bras et les jambes des kilomètres de fatigue. Si nous avions songé — mais cela ne venait à l'idée de personne — à établir un tableau des charges pour chaque travailleur, il aurait été ahurissant.

« Au printemps, on taille les arbres fruitiers et la vigne, quelque vingt ares qui, les bonnes années, fournissent environ dix hectolitres de vin acide pour notre consommation et dont nous cédons une partie à quelques voisins. C'est au printemps également que nous semons l'orge et l'avoine pour les poulets et les chevaux. Dans le blé d'automne, on met un peu de trèfle, de luzerne ou de lottier, une fois sur deux en pure perte malheureusement. A cette saison-là, on plante aussi un carré de pommes de terre pour satisfaire aux besoins de toute l'année. Nous en consommons énormément. Nous vendons les plus belles. Nous en donnons aux porcs, aux vaches, aux volailles.

« Suivent les semis de betteraves, de quelques rangées de maïs qui fourniront des grains pour produire, plus tard, en abondance, une récolte de maïs-fourrage, nourriture providentielle pour le bétail quand les prairies sont tondues à la fin de l'été. La surface ensemencée en betteraves et en maïs est déterminée de manière à laisser la place à des haricots, des navets et des choux. A peine avons-nous planté les choux que nous récoltons le colza. La graine, traitée par un huilier du pays, fournit notre consommation d'huile pour l'année.

« Arrive le temps des fenaisons. Pour venir à bout de tous les prés, des luzernes aux prairies permanentes, il faut plusieurs semaines. On laisse mûrir pour que les graines donnent sur place de nouvelles herbes, ou bien on les recueille et elles servent à réensemencer d'autres prairies.

« On moissonne le seigle, et puis on moissonne le blé. Le seigle sert à faire de la paille. Du blé, on retire les plus belles gerbes pour recueillir la semence. La moisson terminée, vite, on laboure une parcelle de chaumes pour y faire du sarrazin qui sera mûr en octobre.

« Toute la famille est attelée à la tâche. Les femmes mènent de front le travail des champs et celui de la maison. Les voisins disent que nous avons bien de la chance de nous débrouiller seuls sans avoir recours aux autres. En effet, nous faisons face à tout. De temps en temps, pourtant un voisin vient donner un coup de main en échange d'une journée de cheval. Pour le battage, nous demandons de l'aide. Ce jour-là, les femmes restent confinées à la cuisine, après les soins aux bêtes.

« On vend un peu de blé. Vingt quintaux environ, après divers prélèvements pour les semences, pour l'échange contre du pain, la provision de grains destinés aux poules. La vente de ces 20 quintaux cédés à un commerçant du bourg voisin, celle des quelque 10 à 15 000 litres de lait, et cinq ou six veaux, nous procurent à peu près le seul argent qui nous passe dans les mains.

« On le met soigneusement de côté; il est destiné à acheter une parcelle de terrain, un peu de matériel, une faucheuse neuve, pour remplacer l'ancienne, ou encore une herse ou une charrue.

« Quand, à toute extrémité, il faut renouveler un vêtement, on prélève une petite somme sur la vente des fromages, des œufs et de la volaille. Mais on fait en sorte de ne pas se trouver à court d'argent pour les achats d'épicerie.

« Les vieilles poules, quelques lapins, agrémentent nos repas du dimanche. A de rares occasions, par exemple lorsque nous vendons un veau, nous ramenons un peu de viande de boucherie. Normalement, nous consommons du porc salé servi avec des légumes du jardin et, le plus souvent, des pommes de terre. Jamais de viande rouge. Le bifteck nous est inconnu. C'est trop cher. On coupe l'appétit avec du pain et les quelques fromages de chèvre qu'on ne vend pas. Parfois, ma mère rapporte du marché, quand les poulets se sont bien écoulés, un peu de charcuterie et quelques fruits.

« Un boulanger des environs vient deux fois par semaine vendre son pain sur la place du village. Un épicier passe deux fois par mois. On lui prend du sucre, du café, du riz, des pâtes. Il nous achète des œufs, des fromages de chèvre; il s'installe pour bavarder.

« Nous sommes sevrés de nouvelles. Nous n'avons ni radio ni journaux. Presque personne ne vient chez nous car nous sommes loin de tout.

« Au bourg les jeunes filles plus âgées que moi sont mariées ou parties pour la ville. Ma seule camarade de classe qui reste habite à l'autre bout du village et travaille à l'usine. Elle gagne un peu d'argent et dispose, comme elle l'entend, d'une partie de son salaire. Ses parents cultivateurs, disent bien haut qu'ils ne veulent pas que leur fille fasse comme eux : « se crever d'un bout de l'année à l'autre pour ne rien gagner ». Un sale métier. Chaque été, elle s'achète une robe neuve. Elle va au cinéma, au bal, lit des magazines, rencontre des amis, dispose de son temps le dimanche. Je ne sors jamais, sauf pour quelques courses indispensables. Je suis allée trois fois au cinéma en tout. Je ne lis jamais de journal. Les dimanches sont semblables aux autres jours.

« Dans notre vie, il rôde une sorte de peur permanente. Une inquiétude latente plane sur la maison. On redoute un malheur éventuel : la maladie, une mauvaise récolte, la grêle, la mort d'une bête, la roublardise d'un acheteur. Aucune assurance. Que l'un de nous tombe malade, avec quel argent le soignera-t-on? L'angoisse du lendemain s'ajoute à la fatigue. La solitude aggrave notre malaise. Nous formons un petit monde isolé, enfermé dans le cercle étroit de ses habitudes, condamné aux mêmes gestes cent fois répétés, verrouillé entre les horizons toujours les mêmes. Ma

mère n'est jamais allée au chef-lieu du département à 60 kilomètres.

« Voilà, trait pour trait, le récit de ma vie jusqu'à vingt-deux ans. Dire que je souffrais de cette situation serait faux. C'était pire : j'étais habituée, j'aimais ma vie, je ne voulais pas en sortir. Je refusais les occasions de voir du monde, de partir, même pour quelques heures. Je subissais mon sort. J'avais appris à tout accepter de mes parents, à me plier à la besogne. Il ne me venait pas à l'idée que tout cela pouvait être remis en question. J'étais bien partie pour une existence rétrécie. Toute mon énergie, je l'avais mobilisée dans ce seul but : accomplir cette somme considérable de geste quotidiens : mon travail. »

DEBATISSE (M.), *La Révolution silencieuse. Le combat des paysans*, Calmann-Lévy, 1963, pp. 21-27.

53. LA REVOLUTION AGRICOLE EN AQUITAINE

On pouvait encore douter, vers 1950-1952, qu'il fût raisonnable d'envisager une modernisation de l'agriculture en Aquitaine. Les structures anciennes n'avaient à peu près pas bougé, en dépit de la nouvelle législation sur le métayage (1946), les échanges fonciers restaient limités, et la population rurale, peu mobile, s'était accrue depuis 1940. Cependant on vivait, tant bien que mal, dans les campagnes. En raison de la pénurie des denrées sur le marché national, les revenus de la terre étaient relativement élevés, bien que la production fût médiocre. On employait peu d'engrais, et la motorisation était à peine amorcée. Les investissements étaient réduits à l'extrême, et on ne percevait aucun signe de renouveau dans l'habitat.

Les symptômes d'une évolution n'étaient pas encore directement perceptibles. Des disponibilités financières existaient, conséquence du « marché noir » qui, pendant la guerre et jusqu'en 1949, avait fourni de l'argent à un grand nombre d'agriculteurs. Mais on ne savait à quel usage employer les billets, dont la dévaluation en cours réduisait le pouvoir d'achat. Il n'était pas question de les déposer dans les banques, car les ruraux

n'avaient pas perdu le souvenir des faillites de 1931.

Il fallait pourtant trouver quelque emploi à ces réserves. La panique qui se répandit dans les villages et dans les fermes à l'époque de l'échange des « billets de 5 000 » eut pour effet de déclencher une sorte de frénésie d'achats à tout prix. Mais les biens de consommation ordinaire étaient de qualité médiocre, et on n'avait pas l'habitude de les acheter d'avance. On aurait aimé construire, mais il y avait pénurie de fer et de ciment, si bien que les équipes d'ouvriers ne s'étaient pas reconstituées. Bon gré mal gré, on se jeta sur les tracteurs : offerts sur le marché en petit nombre, ils représentaient un investissement d'avenir. Il fallait seulement constituer des sortes de coopératives — d'ailleurs fictives — pour passer commande. Ainsi fut amorcée une motorisation qui aurait été plus lente à s'imposer en temps ordinaire. Certes, quelques-uns de ces tracteurs restèrent inactifs sous les hangars. Cependant, le plus grand nombre entra en service, et, peu à peu, une expérimentation se fit. L'émulation aidant, les achats se multiplièrent, d'autant plus que les bons d'achat d'essence, à tarif réduit, présentaient un avantage non négligeable.

L'engouement fut tel que l'on vit, ici et là, les services agricoles se faire l'écho, dès 1955, d'une rumeur qui tendait à faire croire que les petits exploitants agricoles étaient en train de se suréquiper. On mesura dix ans plus tard, quand le nombre de tracteurs eut doublé ou triplé, le peu de fondement de cette opinion. Dans le Lot-et-Garonne, par exemple, en 1945, les 28 000 exploitants agricoles avaient un millier de tracteurs, vieilles machines pour la plupart et qui n'assuraient qu'un service réduit; en 1952, le parc s'est rajeuni, et il y avait 3 300 tracteurs dans le département; en 1955, on en dénombrait 5 437; il y en avait plus de 11 000 en 1960.

On ne peut d'ailleurs pas faire de la motorisation une panacée. Il faut mesurer son action révolutionnaire en fonction des données particulières du milieu rural aquitain. Dans la Gascogne gersoise, sur les terreforts des coteaux, grâce au tracteur — à vrai dire le gros tracteur à gas-oil et non le petit tracteur à essence des débuts — on effectua, pour la première fois dans l'histoire, des labours profonds, ceux-là même qui régénèrent les fonds. L'ancien pelleversage, qui réalisait à la main une fertilisation périodique des sols et que l'on avait abandonné à la fin du XIXe siècle, faute de main-d'œuvre, fut ainsi repris dans les meilleures conditions. De plus, avec le tracteur, on pouvait « saisir » les sols compacts des terreforts au bon moment : trop mouillés, ils deviennent impraticables, trop secs, ils exigent une force de travail démesurée. Au pas lent des bœufs, on n'arrivait jmais à faire les labours en temps utile. Avec le tracteur, on pouvait les exécuter dans la meilleure « saison ». Rapidité, moment propice, profondeur du sillon et enrichissement des terreforts, ce travail parfait de la terre gasconne, le tracteur lourd pouvait le mener à bien en se jouant.

Encore fallait-il qu'il fût rentable. Les attelages de bœufs, gros mangeurs de fourrage, ne l'étaient plus parce qu'ils réduisaient la capacité productrice de la métairie en prélevant une partie des récoltes pour eux-mêmes. En les remplaçant par le tracteur, on pouvait consacrer les ressources fourragères — d'ailleurs accrues — à la production des veaux de boucherie. Le tracteur avait un autre mérite, celui d'exiger un gros investissement et de mettre en train une comptabilité élémentaire. En s'y livrant, l'exploitant calcule sa rentabilité, ce qu'il ne faisait pas auparavant. L'idée faisant son chemin, il prend conscience de la nécessité d'accroître ses rendements, ce que permet le tracteur, à condition d'ajouter à la terre des engrais chimiques et d'utiliser les nouvelles semences qui viennent d'entrer dans le commerce, en particulier, pour le blé, la célèbre Étoile de Choisy. Première de la grande lignée des blés à hauts rendements, elle pouvait donner, sans verser, 30 à 40 quintaux à l'hectare au lieu des 10 à 12 quintaux fournis par les anciennes variétés.

Ce fut là un succès sans précédent. L'infériorité de l'agriculture céréalière des pays aquitains, qui, depuis un siècle, ne pouvait, à aucun moment, se comparer avec celle du Bassin parisien, se trouvait peu à peu effacée. Il devint courant de récolter 50 quintaux à l'hectare. De plus, on éliminait les années creuses. Grâce aux engrais et aux labours profonds, on réduisait au minimum les méfaits des variations annuelles du climat qui, une année sur deux, trop humide en hiver ou trop sec en été, amenuisait les récoltes.

Dans le même temps, une autre difficulté était surmontée. Les chemins d'accès aux fermes des pays de molasse étaient impraticables après de fortes pluies. On commença d'améliorer les chemins, dès 1945, en utilisant les prisonniers de guerre allemands. Puis les Ponts et Chaussées disposèrent de crédits et de matériel lourd, ce qui leur permit, les communes aidant, d'élargir et de goudronner les grandes et les petites routes de desserte rurale. Sans doute s'agit-il là d'une œuvre réalisée partout en France, mais, dans les coteaux aquitains, l'avantage était plus grand qu'ailleurs, en raison de la nature des sols et de la pente des versants. Tout comme le tracteur lourd, le chemin d'accès goudronné a sauvé de la décrépitude les métairies gersoises et agenaises, à l'heure où l'Étoile de Choisy restaurait leur rentabilité. Allons plus loin : aurait-on vu des gens repliés d'Afrique du Nord entreprendre des regroupements de métairies afin de constituer de grands domaines céréaliers s'ils n'avaient été assurés d'y avoir accès avec leurs gros tracteurs et leurs camions? De ce point de vue, le nouveau réseau routier rural a bien été, en Gascogne gersoise, l'un des facteurs décisifs de la révolution agricole qui changea la vie du pays vers 1955-1965.

Une autre s'est produite dans les pays de l'Adour, où le maïs hybride a amorcé le cycle des transformations. Aux États-Unis, pays de grande production du maïs, de nouvelles variétés, à la fois homogènes dans leurs caractères spécifiques et grosses productrices, avaient été mises au point au cours des années 1930-1940 par les méthodes d'hybridation. Le but recherché était de faciliter la mécanisation de la récolte en obtenant une égale stature des plants de maïs. On constata alors que, dans cette voie, on obtenait de meilleurs résultats en forçant la plante par des engrais. Le double avantage ainsi réalisé fut vite reconnu de tous les exploitants américains. Informés dès 1945, les spécialistes français s'intéressèrent aux hybrides, qui

étaient, pour eux, synonymes de maïs à hauts rendements. Dans les pays de l'Adour, les premiers essais de culture de maïs hybrides américains eurent lieu en 1948, et le succès fut immédiat. En 1949, dans les Basses-Pyrénées, on semait déjà 3 000 ha d'hybrides sur une surface totale de 41 000 ha de maïs; en 1955 tout près de la moitié des producteurs de maïs les avaient adoptés. Dans les Landes, où le progrès fut plus lent, ils couvraient le tiers des surfaces en production. En 1960, la partie était gagnée, et il ne restait plus aux maïs indigènes que des positions résiduelles.

Cet étonnant succès obtenu dans un pays traditionaliste, où les conservateurs juraient — après boire, il est vrai — que jamais, eux vivants, « ces saletés américaines » ne pénétreraient dans leurs terres, fut l'œuvre commune des services agricoles et des jeunes agriculteurs.

ENJALBERT, *Histoire d'Aquitaine*, Toulouse, Privat, 1971.

54. DEMORALISATION OUVRIERE

Comme nous le disait un ouvrier espagnol combattant de l'armée républicaine du temps de la guerre civile de 1936 à 1938 : « Nous (les ouvriers) nous sommes la couche de ceux qui seront toujours en bas, nous l'avons été dans la guerre civile, puis dans l'émigration, que ce fût dans les camps ou dans la liberté, en France ou au Mexique, nous le sommes dans les usines aujourd'hui, comme nous l'étions hier. Nous le sommes dans le syndicat et dans le parti, nous le sommes dans la société, et il n'en sera jamais autrement. Quand je me suis engagé dans les milices, je pensais que cela pourrait changer un jour... »
— Dans une discussion théorique ou polémique, ce même ouvrier vous dira cependant que dans le socialisme, ce seront les ouvriers qui dirigeront l'entreprise puisque c'est leur parti qui aura le pouvoir. Ici encore, nous avons devant nous, d'une part, la conviction intime qui anime l'ouvrier, mais de l'autre, la récitation d'une leçon apprise dont on ne réalise même pas le sens.

Il arrive aussi, rarement, qu'un ouvrier ne

s'enivre plus ni de réminiscences ni de mots d'ordre creux, mais qu'il juge les choses en toute sobriété; il le fait alors en homme désabusé :

« Quand j'étais jeune, j'ai pensé que cela pourrait changer, je pensais que l'ouvrier pourrait être un Dieu pour la société. Plus je deviens vieux plus je suis déçu. » (Ajusteur de métier, travaillant actuellement comme O.S. 2 sur tour, dans l'usine A.)

Est-il déçu de la marche des événements, tout en demeurant fidèle à ses idées syndicalistes? Le mouvement passerait seulement par une période de crise... Non. Cette position-là appartient également déjà, elle aussi, au passé :

« Arrivé à ma trentième année, je pensais que les hommes avaient trahi et qu'il faudrait tout refaire... Finalement j'ai conclu à l'impossibilité. L'idée des syndicalistes était que par la révolution on se libérerait des chaînes. Mais il faudra toujours des chaînes. L'égalité des salaires elle-même ne peut pas s'appliquer, l'égalité ne peut pas se réaliser, les anarcho-syndicalistes sont des rêveurs. »

Ainsi, tous ces vieux militants sont d'accord. Tous les ouvriers sont convaincus, à l'heure actuelle, qu'il faudra toujours une hiérarchie administrative se prolongeant par la force des choses en une hiérarchie des statuts sociaux, et que dans cette échelle des situations, celui qui effectue le travail productif se trouve placé, parce qu'il fait ce travail, à l'échelon le plus bas, alors que ceux qui ne travaillent pas, mais qui dirigent, ont et auront toujours sur l'ouvrier des avantages de tous ordres.

Dès son entrée en usine, Lignon a dû constater que la quasi-totalité des ouvriers en sont venus à penser que celui qui fait son boulot à la machine ne pourra jamais être, dans l'entreprise comme dans la société, qu'un exécutant d'ordres reçus par d'autres hommes qui sont ses supérieurs. Tout le reste de ce que vous racontent encore les ouvriers sur ce sujet, n'est rien d'autre que du langage inconsistant.

Cela revient à dire que pour l'ouvrier d'aujourd'hui le travail a cessé d'être l'activité libératrice qu'avait vue en lui le militant d'autrefois, et est redevenu une malédiction, comme il l'avait été aux yeux des hommes qui conçurent les mythes de la Bible. Sauf qu'il n'est plus la malédiction du genre humain, mais seulement des hommes qui font le travail productif dans l'industrie, et qui le font, naturellement, au grand profit des autres. Le travail se voit attribuer la faculté de pousser « en bas » le travailleur. Le travail a perdu pour l'ouvrier la signification sociale qui lui appartenait dans l'élite ouvrière il y a cinquante ans. C'est là l'essentiel du changement qui s'est produit dans l'attitude ouvrière vis-à-vis du travail.

ANDRIEUX (A.), LIGNON (J.), *L'Ouvrier d'aujourd'hui*, pp. 66-67, M. Rivière, 1960.

55. STYLE DE VIE ET ATTITUDE POLITIQUE DES TRAVAILLEURS

Bien entendu, il ne s'agit ici que d'essayer de saisir les grandes tendances de l'évolution du comportement des salariés. Le prolétariat n'a pas disparu mais tend à se résorber; ce mot n'a plus tout à fait le même sens qu'à l'origine (bien qu'en dehors de la définition marxiste, ce terme soit assez équivoque). Tous les travailleurs ne vivent pas bourgeoisement, mais un grand nombre de salariés s'intègrent dans une société où fait prime la recherche du confort et du bien-être. La combativité ouvrière n'a pas disparu, mais le sens critique qui la soutient et l'alimente tend à s'atténuer.

Si, à une époque antérieure à 1950, on pouvait considérer qu'un glissement s'opérait, autour de la quarantaine, chez les travailleurs assez bien rémunérés, vers un style de vie, que pour la commodité nous qualifierons de « bourgeois », il faut aujourd'hui constater que ce glissement s'effectue vers les 30 ans et que le nombre des travailleurs qui entre dans ce courant est toujours plus élevé.

Il y a 10, 20 ou 30 ans un travailleur pouvait, après une vie active de 20 ans, penser à se « laisser un peu vivre à partir de 40 ans », c'est-à-dire penser à sa situation, à sa famille, à la perspective de ses vieux jours. Aujourd'hui la civilisation a réduit de 10 ans la part active réservée à la vie militante, tant au plan politique que syndical.

Cette situation tient à la fois à l'élévation du niveau de vie et à une promotion plus rapide et assez automatique dans le travail (un travailleur connaît maintenant assez tôt le poste terminal de sa carrière). La sécurité dans le travail a été renforcée et les régimes complémentaires de retraites offrent une perspective plus rassurante pour le temps où la cessation de l'activité s'imposera.

La société industrielle d'aujourd'hui crée un climat psychologique qui tend à réduire le passage à l'état de jeunesse à la vie adulte surtout chez l'homme. On se sent déjà pleinement un homme à 20 ans puisque l'on gagne déjà bien sa vie. Au retour du service militaire le mariage suit presque immédiatement (quand il ne précède pas).

Il est maintenant couramment admis que le travail de la femme est nécessaire, ce deuxième salaire est bien souvent utilisé à la possession de ce que l'on pourrait appeler les « signes de bonheur moyen », signes qu'il faut se procurer *très tôt*, c'est-à-dire avant que plusieurs naissances n'obligent l'épouse à rester temporairement à la maison; c'est pourquoi le décor propice à « l'embourgeoisement » se met en place dès les premières années de mariage et non après 10 ou 20 ans de vie commune comme c'était fréquemment le cas en France avant la deuxième guerre mondiale.

Ne pas avoir *vers la trentaine* un équipement électro-ménager qui « classe » un ménage (c'est un signe de confort psychologiquement important), sa voiture ou la télévision, c'est se classer à un niveau social considéré comme inférieur. La civilisation industrielle basée sur une savante propagande crée des exigences dites de « standing ». C'est ce qui explique pourquoi, par exemple, des travailleurs achètent une voiture pour rouler deux mois par an.

Bien entendu, ces différents signes de « bonheur moyen » ont leurs servitudes :
— la voiture *oblige* à sortir la famille le dimanche;
— la télévision diminue l'effort de réflexion, elle *dispose* à la facilité et *mobilise* les soirées;
— l'équipement électro-ménager *entretient* les achats à crédit par la recherche du confort et le *désir d'acquérir* les dernières nouveautés.

L'attitude tant politique que syndicale des travailleurs se trouve modifiée par l'introduction de ces différents facteurs dans leur vie. La première conséquence, c'est que le terme de « militant » va aller en s'atténuant pour faire place au terme de « responsable », et encore en ne donnant pas à ce mot un sens large et précis.

Le mot « militant » implique une générosité et des sacrifices peu compatibles avec l'amollissement des volontés que favorise et entretient la vie moderne. Si le militant lutte et combat pour un idéal, le terme de « responsable » convient mieux à notre époque, il n'implique pas une mobilisation totale au service de l'idéal. Le « responsable » limite son intérêt à certains problèmes, son engagement n'est

que partiel, son action est plus spécialisée et sélectionnée.

Le drame — à mon avis — de la gauche en France est d'avoir, volontairement ou non, sous-estimé ce glissement d'une vie pleine d'exigences (physique, norale, intellectuelle) à un engagement limité, plus opportuniste et pratique qu'idéologique.

A côté de l'équipement électro-ménager, de la radio, de la télévision et des moyens de locomotion, il y a un autre phénomène tout aussi important : les *loisirs* et plus particulièrement les *congés payés*.

Le travailleur français est sans doute celui qui consacre le plus d'argent à ses vacances. Pendant une moyenne de six mois les congés de l'été occupent une assez large part dans le budget des familles. Le repos annuel, qui s'étend pratiquement sur un mois, est considéré comme sacré, à tel point que l'on peut se demander si un coup d'État, quel qu'il soit, entre juin et septembre, secouerait beaucoup, à cette époque de l'année, l'indifférence à l'égard des grands problèmes de politique intérieure ou extérieure de la grande masse, non seulement des travailleurs, mais aussi des citoyens.

Ce sont là des réalités qu'il faut avoir le courage de regarder bien en face; elles mériteraient d'ailleurs une analyse plus approfondie.

Il faut tenir pour l'essentiel que les facteurs suivants agissent directement ou indirectement sur l'attitude politique des travailleurs :
— le développement du crédit;
— la place toujours importante de la radio et de la télévision (aujourd'hui le son — T.S.F. — et l'image — télévision, bandes dessinées — se sont installées partiellement ou totalement dans presque tous les foyers. Des moyens considérables de propagande enserrent de toute part l'homme moyen moderne qui n'a pas, bien souvent, l'éducation et la culture nécessaire pour faire le tri indispensable qui lui permettrait de se faire une opinion par lui-même sur les flots d'images et de sons qui pénètrent journellement chez lui);
— les moyens de locomotion qui appellent à l'évasion au grand air et neutralisent les fins de semaines;

— la recherche d'un confort intérieur qui incline aux « veillées » familiales. Dans le milieu syndical les réunions le soir après 20 heures sont de plus en plus désertées. De ce fait les moyens traditionnels de propagande offrent de moins en moins de prise.

L'embourgeoisement d'un nombre toujours plus important de travailleurs les rend plus vulnérables à la propagande de certains courants politiques. Aujourd'hui l'aventure révolutionnaire, la rigueur idéologique, l'opposition purement négative, n'intéressent guère, ce qui compte c'est avant tout les *signes* économiques et la possibilité pour certaines formations politiques d'agir sur ces signes (emploi, coût de la vie, expansion économique, tranquillité intérieure, etc.).

Si les partis de gauche n'étudient la sociologie sociale (pas assez d'ailleurs) que pour essayer de plier certains faits à leurs théories, la droite en retire des renseignements utiles pour aménager sa plage de propagande en fonction des opinions moyennes qui se dégagent des enquêtes et des statistiques.

Alors que la droite *axe* sa politique sur ces signes en raison de leur intérêt évident au niveau du peuple, la gauche [1] les néglige pour ne s'intéresser qu'à des réformes de structures indispensables, certes, mais présentées avec un vocabulaire tel que seuls les militants en connaissent la signification profonde. Ajoutons que la gauche n'a même plus le bénéfice des réformes au plan économique étant donné qu'une certaine droite a su prendre l'offensive sur plusieurs points (promotion sociale, tentative d'associer des représentants des travailleurs dans les conseils d'administration des sociétés anonymes, etc.). Pourquoi le gouvernement issu des élections du 2 janvier 1956 n'a-t-il pas pensé à ces réformes qui ne coûtent rien à l'économie ? On peut discuter l'esprit ou l'opportunisme de ces réformes, il n'empêche qu'elles existent et qu'elles survivront au régime actuel.

Il faut se rendre à cette évidence que la consommation ouvrière avec ses choix, ses options, son orientation vers telle ou telle dépense considérée comme prioritaire, aboutit à un certain sens pratique. Du maigre budget qui assurait la stricte subsistance à un budget plus substantiel où les dépenses de standing et de confort occupent une place importante,

on comprend aisément que l'attitude politique des travailleurs se trouve de plus en plus conditionnée par le réalisme des situations et le sens pratique au plan politique.

Le budget d'un ménage est à une petite échelle l'image du budget de la Nation : affaires courantes (subsistance, vêtements), investissements (confort intérieur, aménagements), standing extérieur (voiture, vacances), d'ailleurs la publicité n'a pas manqué de faire ce rapprochement. Si les travailleurs sont assez ignorants des grands problèmes économiques, ils connaissent parfaitement les principes d'une économie élémentaire, et de là parviennent aisément à se faire une idée à peu près précise des questions budgétaires qui intéressent le pays. De ce fait, la démagogie, le manque de réalisme et les grandes déclarations révolutionnaires ont de moins en moins de prise sur des masses ayant déjà acquis un certain sens pratique des affaires.

Ces quelques réflexions ne font qu'introduire un sujet qui mériterait des études précises et sérieuses, non seulement statistiques mais également psychologiques : pourquoi par exemple, tel achat est prioritaire sur tel autre, quel rôle exact joue la publicité dans les choix, l'importance réelle du crédit et sa durée moyenne, etc.

L'essentiel est d'abord de saisir et d'analyser les grandes masses de consommation ouvrière, de rechercher pourquoi elles agissent peu ou beaucoup sur le comportement politique des travailleurs. Il ne s'agit pas de regretter l'évolution de notre société parce qu'elle aboutit à la disparition d'un type d'homme qui nous est cher mais bien d'orienter ce grand courant moderne vers un idéal de vie où le bien-être ne sera *qu'un élément* d'une société vraiment à la dimension de l'homme.

DÉTRAZ (A.), « Consommation ouvrière et attitude politique » in HAMON (L.), *Les Nouveaux Comportements politiques de la classe ouvrière*, pp. 248-252, P.U.F., 1962.

---

1. Et trop souvent aussi les syndicats.

56. LA MENTALITE DES CADRES

Produit de l'éducation technique moderne, lancé dans la course à l'avancement, la psychologie du « cadre » est mystérieusement apparentée à celle de Paris. Paris, centre des grandes écoles et des concours, siège des conseils d'administration et de tous les pouvoirs, petit univers où les familles et les traditions se dissolvent et où chacun se bat seul. La province imposait son horizon limité, son rythme de vie, ses tabous. Tout y allait son pas et n'arrivait qu'en son temps. Paris a changé tout cela, et il n'est pas besoin d'y résider pour que le cinéma, la radio, la littérature qui en débordent ne le rendent présent dans toute la France.

Au grand scandale du bourgeois *survivant*, le cadre veut profiter de la vie, tout de suite, et il comprend que les autres aient la même envie. Cela ne l'empêche pas, par ambition, d'écraser avec sans-gêne quelques concurrents dans la course à l'avancement. Fort égoïste sur ce plan, il saura être généreux sur d'autres. L'attachement aux biens matériels qui s'exprimait chez le bourgeois par le désir de la conservation, se manifeste chez lui par le plaisir de la consommation. A ne plus se soucier d'économiser et à ne guère songer calculer le cadre gagne un air de liberté.

Il n'a pas peur, lui, des signes extérieurs de richesse. Même en tirant le diable par la queue, il fait quelquefois nouveau riche, sans le vouloir. Il a, ou il espère avoir, une voiture; il ne songe guère à payer une « bonne » à sa femme, mais il lui offrira un confort ménager que leurs parents n'ont jamais connu et auquel, en tout état de cause, ils n'auraient songé qu'après l'achat de la chambre à coucher, de la salle à manger et du salon. Car le cadre a accepté tous les signes de son époque; il a adopté le confort technique et, pour le reste, il se moque des apparences. Les circonstances veulent qu'il lui faille quelquefois acheter sa maison ou son appartement; pour cela, il voit large et se saigne aux quatre veines. Cependant, il a la bougeotte; comment fera-t-il pour rester toujours au même endroit ?

Ce désir d'évasion, il le satisfait du moins dans les voyages. Aujourd'hui tous les Français partent en vacances, mais lui plus particulièrement aime à se déplacer, grâce à la voiture, quelquefois sous la tente. Il franchit aisément les frontières, curieux des pays étrangers, plus encore peut-être de leurs habitants que de leurs vieilles pierres. Ce goût du contact humain, on le retrouve dans sa vie quotidienne. Les manifestations mondaines d'autrefois, les après-midi où Madame reçoit, n'existent plus guère. Les relations sont sans doute moins nombreuses, mais plus profondes; ce ne sont plus des réunions d'hommes ou de femmes, séparés artificiellement, ce sont des ménages qui se connaissent et se fréquentent sans cérémonies. Car la femme du « cadre » a désormais une « présence » qu'on ne prêtait guère à nos grand-mères bourgeoises. Jeunes gens et jeunes filles se fréquentent librement sur les bancs des facultés, sur les stades et durant les vacances. Ils se marient jeunes et d'âge égal. La famille et la dot n'entrent plus guère en ligne de compte; la communauté de goûts a désormais plus d'importance que celle des origines ou des intérêts. Diplômée ou non, la femme du « cadre » a eu bien souvent un emploi avant de se marier ou au début de son mariage; elle aussi elle est un « technicien » du professorat, du laboratoire ou du secrétariat, et si elle abandonne son métier, c'est pour prendre en charge son foyer mécanisé. Dans son petit État domestique son mari lui est soumis et reconnaît sa supériorité. Égalité du mari et de la femme, compréhension réciproque, association dans la direction du foyer et au service d'une même ambition; le ménage du « cadre » manifeste le même désir d'efficacité et d'authenticité.

L'expérience des hommes et des machines a donné au « cadre » le sens des valeurs. Il sait ce qu'il vaut, et que son pouvoir sur quarante employés ou trois cents ouvriers, que sa réputation dans son bureau d'études ne sont pas dus à sa fortune. Aussi, il ne croit pas nuire à son prestige en retroussant ses manches pour aider sa femme à faire la vaisselle et pour recevoir des amis dans cette tenue. Au reste, il offre ce qu'il a. Il reçoit facilement, son service de table n'est ni luxueux ni fêlé, c'est celui dont il se sert tous les jours. Il n'a pas de cave, et il va chercher aisément une bonne bouteille de vin sans en proportionner le millésime à l'importance de ses convives, mais seulement à son envie. Sans honte et sans regret, il dépense ce qu'il gagne, et il déclare, à qui veut le lui demander, le chiffre de son traitement. Il cotise à une Caisse de retraite et il a, peut-être, une assurance sur la vie. Peut-être encore, s'il bénéficie d'une gratification exceptionnelle, achète-t-il quelques pièces d'or à moins qu'il revienne chez lui avec une collection de disques ou une vieille porcelaine qui lui a plu. Il ne pense guère tirer un revenu d'un capital qu'il constituerait; le seul capital auquel il songe, c'est la mise de fonds nécessaire pour la construction à *crédit* d'une maison, au cas où il serait trop mal logé. S'il s'est mis à la Bourse, ces dernières années, c'est comme à un jeu plutôt que comme un placement : je veux un gain en capital, a-t-il dit à son agent de change, et surtout pas de supplément de revenu. Car le cadre sait qu'il est le grand fournisseur de la « surtaxe progressive ». Il est bon prince et paye; il en tire même quelque vanité : c'est lui l'élément travailleur, honnête et intelligent de la Nation! L'auteur de ces lignes qui se fait gloire d'être lui aussi un cadre, estime que cette opinion n'est pas dénuée de fondement...

Le bourgeois trouve que le cadre gagne beaucoup et ne comprend pas qu'il puisse dépenser davantage encore. En réalité l'épouse du cadre se tient fort au courant de la situation financière du ménage; elle a refait elle-même les peintures de l'appartement pour pouvoir s'offrir un manteau de fourrure. Sa mère aurait trouvé qu'un manteau de lapin était encore bien suffisant à son âge, que les peintures n'étaient pas si sales, et qu'il conviendrait peut-être de songer d'abord à l'avenir des enfants. Mes enfants, pense le cadre, auront toute l'éducation nécessaire; pour le reste, ils se débrouilleront! Le cadre emploie souvent un mot plus expressif, car il aime employer un vocabulaire assez vert. Même et surtout s'il est né dans la meilleure famille, c'est la preuve qu'il ne lui était pas nécessaire d'être « né » pour faire sa situation.

Égoïste et généreux, bon époux et bon père de famille, mais fort peu casanier, insouciant et positif, sans préjugé, sauf celui de la réussite, curieux souvent et paresseux quelquefois, l'état d'esprit du cadre ne se présente pas comme un système tout fait et bien ordonné. Sa position dans la société contemporaine n'est pas suffisamment assise, lui-même ne voit pas encore avec assez de précision quel est son rôle et quelles sont ses responsabilités, pour qu'on puisse trancher dans ces contradictions. Une nouvelle conception du monde est en train de se forger; par mille indices, on devine que le cadre sera le premier à y adhérer. A travers notre littérature, notre organisation politique, nos idéologies et nos idéaux, se précisent quelles seront les grandes lignes d'une psychologie encore en formation.

BLETON (P.), *Les Hommes des temps qui viennent*, Les Éditions ouvrières, 1956, pp. 200-203.

57. PROTOCOLE DE L'ACCORD DE GRENELLE (27 MAI 1968)

1° Relèvement du S.M.I.G. à 3 F de l'heure à compter du 1ᵉʳ juin 1968 et suppression des zones d'abattement;

2° Augmentation des salaires de 7 % au 1ᵉʳ juin 1968 (en comprenant dans ce pourcentage les hausses intervenues depuis le 1ᵉʳ janvier 1968), cette augmentation étant portée de 7 à 10 % le 1ᵉʳ octobre prochain;

3° Réduction du la durée du travail avant la fin du Vᵉ Plan, soit 1970, de 2 heures pour les horaires supérieurs à 48 heures et de 1 heure seulement pour ceux situés entre 45 et 48 heures;

4° Mise à l'étude d'un aménagement des allocations familiales pour les familles de trois enfants et réforme des allocations de salaire unique;

5° Au bénéfice des personnes âgées, augmentation au 1er octobre 1968 de l'allocation minimum;

6° Sur l'emploi et la formation, réunion syndicats-C.N.P.F. pour l'examen avant le 1er octobre : *a*) De mesures propres à assurer le reclassement; et *b*) L'institution de commissions paritaires de l'emploi. D'autre part, le gouvernement s'engage à développer les crédits affectés aux services de l'emploi et à donner la priorité au développement de la formation adaptée des jeunes;

7° En matière de Sécurité sociale, ticket modérateur ramené de 30 à 25 % et acceptation d'un débat de ratification des ordonnances;

8° Journées de grève en principe récupérées, une avance de 50 % du salaire devant être remboursée par imputation sur les heures de récupération;

9° Au sujet du droit syndical dans les entreprises. élaboration d'un projet gouvernemental après réunion des organisations professionnelles et syndicales en vue d'éliminer les points de désaccord qui subsistent.

DANSETTE (A.), *Mai 1968*, Paris. Plon, 1971.

58. LES INTERPRÉTATIONS DE LA CRISE DE MAI-JUIN 1968

De l'entreprise de subversion à la crise de civilisation, la crise de mai-juin 1968 a suscité de multiples interprétations et mobilisé d'innombrables interprètes. Très proches de l'événement, beaucoup de ces interprétations s'apparentent davantage au plaidoyer lyrique qu'à l'étude scientifique tandis que d'autres, moins nombreuses, relèvent plutôt de l'attitude du procureur que de celle de l'analyste. Presque toujours empreintes de passion, elles n'en restent pas moins révélatrices — et mêmes explicatives — d'une crise complexe, hétérogène, où chacun peut déceler le meilleur ou le pire, trouver des sources de justification ou des motifs de condamnation. Difficile à connaître, malaisée à cerner, cette crise charrie en effet des éléments très nombreux et autorise les interprétations les plus diverses : irruption des barbares ou renouveau de l'esprit, révolte poétique ou lutte des classes, révolution juvénile ou crise spirituelle...

De l'accident de parcours à la révolte de l'esprit, les explications se situent à différents niveaux, embrassent tout ou partie des événements, font appel à diverses disciplines : sociologie, psychologie, biologie, psychanalyse, etc. Plus ou moins ambitieuses, elles sont délicates à classer, car certains analystes ne s'intéressent qu'à un aspect de la crise quand d'autres en proposent une explication globale,

gommant la chronologie et assimilant crise universitaire, crise sociale, crise politique. Nous avons néanmoins cru possible de distinguer huit types d'interprétations, de niveaux différents et d'inégale portée :

— une entreprise de subversion;
— une crise de l'Université;
— un · accès de fièvre, une révolte de la jeunesse;
— une révolte spirituelle, une crise de civilisation;
— un conflit de classes, un mouvement social d'un type nouveau;
— un conflit social de type traditionnel;
— une crise politique;
— un enchaînement de circonstances.

Nous n'avons pas d'autre ambition que de passer en revue ces huit types d'interprétations, en laissant largement la parole à ceux qui les ont présentées et en indiquant les problèmes qu'elles nous paraissent poser. Les inconvénients d'une démarche aussi analytique ne nous échappent pas, mais sans doute est-il plus utile — pour aider les lecteurs, notamment les lecteurs étrangers, de cette Revue à s'orienter dans la proliférante littérature consacrée à la crise de mai — de recenser aussi minutieusement que possible ce qui a été dit ou écrit par les autres que de prétendre ajouter aux interprétations existantes une interprétation nouvelle, qui serait la nôtre et qui serait la bonne...

Au terme de ce long inventaire, une seule conclusion s'impose avec certitude : c'est que, pour rendre compte d'un événement aussi complexe que la crise de mai 1968, il faut renoncer à utiliser une clef unique d'explication. Sans pour autant sombrer dans une sorte d'éclectisme interprétatif, il importe, semble-t-il, de combiner différents types d'explication. Mais encore faudrait-il préciser ce que l'on veut expliquer :

— Est-ce la crise universitaire et scolaire, la brusque paralysie de tous les établissements d'enseignement ?

— Est-ce la crise sociale, les grèves des ouvriers, des employés, des cadres, etc. ?

— Veut-on expliquer les craquements qui se sont manifestés dans d'autres secteurs de la société : la crise dans les ordres professionnels, les troubles dans l'Église catholique, les accès de fièvre des artistes et des écrivains, etc. ?

— Veut-on expliquer la crise politique : la crise du régime, le comportement du personnel politique et des diverses administrations ?

Sans doute conviendrait-il aussi de distinguer est temps de la crise : veut-on expliquer le rôle, dans le déclenchement de la crise, de ces « minorités d'avant-garde », auxquelles la plupart des analystes déniaient toute véritable possibilité d'action dans une société industrialisée au milieu du XX° siècle, ou veut-on expliquer l'extraordinaire phénomène de contagion qui s'est produit en France et ne s'est produit qu'en France ?

Distinctions selon les niveaux, distinctions selon les périodes : nous retrouvons un terrain qui nous est familier et qui nous paraît habituellement solide... Mais ne risque-t-on pas de passer à côté de l'essentiel en morcelant ainsi l'analyse ? Faut-il renoncer à considérer la crise de mai comme une crise et non comme une superposition de crises ? Faut-il renoncer à lui donner une signification ? Quelle signification ? Et que signifie ici le mot de signification ?

A ces questions fondamentales que nous nous posons depuis deux ans et auxquelles nous n'avons pas toujours donné les mêmes réponses, nous ne chercherons pas aujourd'hui à répondre. Nous pensons en effet qu'il n'est pas possible de répondre autrement que par des professions de foi ou par des hypothèses plus ou moins fragiles tant que notre connaissance de la crise restera aussi incomplète et aussi lacunaire.

J. Touchard, *Revue Française de Science Politique*, juin 1970.

59. MYTHOLOGIE DE L'ABONDANCE

La France est très sensible au mythe de l'abondance. La mythologie de l'abondance a certes des racines très anciennes dans l'histoire de l'humanité, mais personne ne peut se vanter d'y résister à tout moment, car elle a été modernisée et a pris une allure pseudo-scientifique. Tout est fait d'ailleurs pour son succès et toutes les apparences sont en sa faveur : le mirage du marché, l'étalage dans les magasins, le nez collé contre la vitrine remplie d'objets reluisants, la machine miracle qui doit tout nous donner à profusion, et le café au lait le matin dans notre lit. Ce sont encore les excédents de tomates qui reviennent une semaine par an mais qui emplissent les journaux, c'est l'éblouissement par l'offre multicolore des produits, c'est le matraquage par la publicité. Les Français comme d'autres, et plus que d'autres peut-être, sont tentés de croire que la comptabilité financière, qu'on leur impose comme un carcan, est en réalité un jeu attardé et que le système devrait faire place à quelque méthode distributive, que l'on ne conçoit pas très bien, mais que l'on souhaite comme une vie de demain. Au cours des fameuses semaines de mai-juin 1968, que nous sommes loin d'avoir encore explorées en profondeur, on voyait des affiches de caractère surréaliste : « Prenez vos désirs pour vos réalités », ou encore « Demandez l'impossible, car tout est possible ». Tout cela en pleine sincérité collective. En ce temps déconcertant, où il était interdit d'interdire, il y avait cependant une interdiction : il était défendu de compter; celui qui aurait eu l'imprudence d'évoquer les dommages économiques, les désastres qui se préparaient, aurait été traité de contre-révolutionnaire. Pour l'observateur froid, cette situation rappelait tragiquement l'aventure de cet homme qui affrontait les hautes montagnes et auquel des plaisantins avaient affirmé que dans chaque crevasse, il y avait un matelas disposé à l'avance, et que dans chaque précipice, il y avait un filet pour retenir ceux qui avaient manqué leur prise. Sûr de son fait, l'homme s'était élancé avec une audace extraordinaire et stupéfiait les alpinistes les plus éprouvés, jusqu'au moment où il apprend qu'il n'y a ni matelas, ni filet. Les Français de juin 1968 et même de juin 1970, croient facilement que la richesse économique est pleinement assurée, qu'il n'y a plus de problèmes. Ils donnent le frisson à ceux qui savent, qui voient que sous leurs acrobaties vertigineuses, il n'y a pas de filet.

L'économie c'est la science du sordide, mais la mythologie de la machine et de l'abondance est le plus redoutable des toxiques. Nous voyons se former chez les jeunes, et par notre faute évidemment, les erreurs les plus extravagantes sur la société future, sous la forme de béatitude et d'abondance qui viendraient toutes seules; ces idées ne sont pas d'avant-garde, comme on peut le croire, car elles ont été prononcées dans des termes identiques il y a près de deux siècles. C'est particulièrement parmi les scientifiques, sans contact avec la vie économique, que sévissent ces vues déconcertantes qui promettent les pires désillusions, les chutes les plus sévères, alors que nous avons tellement d'atouts dans notre jeu.

A. Sauvy, P. Ricœur, *Bilan de la France, 1945-1970*, Plon.

60. LA NOUVELLE SOCIETE

.. Le malaise que notre mutation accélérée suscite tient, pour une large part, au fait multiple que nous vivons dans une société bloquée. Mais l'espoir, qui peut mobiliser la nation, il nous faut le clarifier, si nous voulons conquérir un avenir qui en vaille la peine.

De cette société bloquée, je retiens trois éléments essentiels au demeurant liés les uns aux autres de la façon la plus étroite : la fragilité de notre économie, le fonctionnement souvent défectueux de l'État, enfin l'archaïsme et le conservatisme de nos structures sociales.

Notre économie est encore fragile. Une preuve en est que nous ne pouvons accéder au plein emploi sans tomber dans l'inflation. C'est cette tendance à l'inflation qui nous menace en permanence d'avoir à subir la récession ou la dépendance. Pourquoi cette fragilité? Avant tout, à cause de l'insuffisance de notre industrie...

Mais ici l'économie rejoint le politique et le social. En effet, le fonctionnement défectueux de l'État et l'archaïsme de nos structures sociales sont autant d'obstacles au développement économique qui nous est nécessaire...

Tentaculaire et en même temps inefficace, voilà, nous le savons tous, ce qu'est en passe de devenir l'État, et cela en dépit de l'existence d'un corps de fonctionnaires très généralement compétents et parfois remarquables. Tentaculaire, car, par l'extension indéfinie de ses responsabilités, il a peu à peu mis en tutelle la société française tout entière.

Cette évolution ne se serait point produite si, dans ses profondeurs, notre société ne l'avait pas réclamée. Or c'est bien ce qui s'est passé. Le renouveau de la France après la Libération, s'il a admirablement mobilisé les énergies, a aussi consolidé une vieille tradition colbertiste et jacobine, faisant de l'État une nouvelle providence. Il n'est presque aucune profession, il n'est aucune catégorie sociale, qui n'ait, depuis vingt-cinq ans, réclamé ou exigé de lui protection, subventions, détaxation ou réglementation.

Mais si l'État ainsi sollicité a constamment étendu son emprise, son efficacité ne s'est pas accrue de même, car souvent les modalités de ses interventions ne lui permettent pas d'atteindre ses buts...

Nous sommes encore un pays de castes. Des écarts excessifs de revenus, une mobilité sociale insuffisante maintiennent des cloisons anachroniques entre les groupes sociaux. Des préjugés aussi : par exemple, dans une certaine fraction de la population non ouvrière à l'encontre des métiers techniques ou manuels.

J'ajoute que ce conservatisme des structures sociales entretient l'extrémisme des idéologies. On préfère trop souvent se battre pour des mots, même s'ils recouvrent des échecs dramatiques, plutôt que pour des réalités. C'est pourquoi nous ne parvenons pas à accomplir des réformes autrement qu'en faisant semblant de faire des révolutions. La société française n'est pas encore parvenue à évoluer autrement que par crises majeures.

Enfin, comme Tocqueville l'a montré, et ceci reste toujours vrai, il existe un rapport profond entre l'omnipotence de l'État et la faiblesse de la vie collective dans notre pays. Les groupes sociaux et professionnels sont, par rapport à l'étranger, peu organisés et insuffisamment représentés.

Il y a peu de moments dans l'existence d'un peuple où il puisse autrement qu'en rêve se dire : quelle est la société dans laquelle je veux vivre ? et aussi construire effectivement cette société. J'ai le sentiment que nous abordons un de ces moments. Nous commençons en effet à nous affranchir de la pénurie et de la pauvreté qui ont pesé sur nous depuis des millénaires.

Le nouveau levain de jeunesse, de création, d'invention, qui secoue notre vieille société peut faire lever la pâte des formes nouvelles et plus riches de démocratie et de participation, dans tous les organismes sociaux, comme dans un État assoupli, décentralisé et désacralisé. Nous pouvons donc entreprendre de construire une nouvelle société. Cette nouvelle société à laquelle nous aspirons, il serait vain de prétendre en fixer à l'avance chacun des contours. Il faut laisser à l'avenir ce qui n'appartient qu'à lui. C'est la spontanéité du corps social qui en décidera.

Mais il est permis, il est même nécessaire, d'en esquisser dès à présent les grands traits. Cette société nouvelle, quant à moi, je la vois comme une société prospère, jeune, généreuse et libérée.

Une société prospère : parce que chacune des fins essentielles de notre vie collective suppose que nous disposions de grandes possibilités matérielles. Parce que c'est la prospérité qui permet de faire passer le droit dans les faits et le rêve dans la réalité. Une société prospère, c'est-à-dire une société dans laquelle chacun des gestes qui concourent à la production soit plus efficace parce qu'il incorpore plus de savoir et s'insère dans une organisation plus réfléchie et prend appui sur une plus grande quantité de capital accumulé.

Mais si la prospérité conditionne tout, elle n'est pas tout... Elle n'est pas suffisante, à beaucoup près, aux yeux de ceux qui ne manquent pas d'ambitions humaines.

Les mots qui les ont désignées, ces ambitions — liberté, égalité, fraternité, — ont perdu, il est vrai, une partie de leur poids et de leur sens, d'abord parce qu'ils sont anciens, ensuite parce qu'ils sont abstraits. Mais c'est à nous qu'il appartient de leur donner un sens nouveau, une réalité nouvelle et concrète, que seul rend possible le développement économique.

Une société libérée : celle dont nous rêvons est une société qui au lieu de brider les imaginations leur offre des possibilités concrètes de s'exercer et de se déployer. C'est pourquoi notre société nouvelle aura tout d'abord le visage de la jeunesse. La vague démographique des vingt-cinq dernières années nous offre une chance unique de rajeunissement. En outre, l'éclosion des talents est souvent plus précoce aujourd'hui qu'il y a un siècle. Comment refuserions-nous, au nom de principes caducs et en nous accrochant à des structures périmées, d'offrir à notre jeunesse une participation pleine et entière à la construction de l'avenir, de son avenir ?

Mais cette société ne sera vraiment la sienne, et du même coup pleinement la nôtre, que si elle est plus généreuse. C'est sous l'égide de la générosité que je vous propose de placer notre action. Nous devons aller au-delà d'un égalitarisme de façade qui conduit à des transferts importants sans faire disparaître pour autant les véritables pauvretés morales et matérielles. Nous devons par une solidarité renforcée lutter contre toutes les formes d'inégalité des chances. Nous devons aussi apprendre à mieux respecter la dignité de chacun, admettre les différences et les particularités, rendre vie aux communautés de base de notre société, humaniser les rapports entre administrations et administrés, en un mot transformer la vie quotidienne de chacun.

Enfin, et c'est là l'essentiel, nous devons reprendre l'habitude de la fraternité en remplaçant mépris et indifférence par compréhension et respect. Rien de tout cela ne sera possible sans un vaste effort d'imagination et d'organisation dans tous les domaines, visant à la fois l'éducation permanente et le libre accès à l'information, la transformation des rapports sociaux et l'amélioration des conditions et de l'intérêt du travail, l'aménagement des villes et la diffusion de la culture et des loisirs. Quelle exaltante entreprise! ...

C'est la transformation de notre pays que nous recherchons, c'est la construction de la nouvelle société, fondée sur la générosité et la liberté. Pour cela, nous avons besoin de votre confiance active, Mesdames et Messieurs, comme nous avons besoin de la confiance et du concours de tous les Français.

Déclaration de J. Chaban-Delmas, Premier ministre, devant l'Assemblée nationale, le 16 septembre 1969.

CHRONOLOGIE

	POLITIQUE	ÉCONOMIE	SOCIÉTÉ
1789	Ouverture des États Généraux (mai)	Création des assignats (décembre)	Nuit du 4 août Mise à la disposition de la nation des biens du clergé (novembre)
1790	Fête de la Fédération (juillet)	Établissement du nouveau système fiscal (novembre)	Décret organisant le rachat des droits féodaux (mars)
1791	Réunion de la Législative (octobre)		Abolition des corporations (mars) Liberté des cultes (sept.)
1792	Chute de la Monarchie (10 août) Réunion de la Convention (septembre)		
1793	Robespierre au Comité de Salut public (juillet)	Loi du maximum général (septembre). Adoption du système métrique (août)	Abolition définitive des droits féodaux (juillet)
1799	Coup d'État du 18 Brumaire (novembre)		Création de l'administration des Contributions directes (janvier)
1802	Concordat et Articles organiques (avril)	Création des Chambres de commerce (décembre)	Création des lycées (mai) Établissement du cadastre (novembre)
1803		Loi fixant la valeur du franc (germinal). La Banque de France reçoit le privilège exclusif d'émission des billets de banque (avril)	Institution du livret ouvrier (décembre)
1804	Établissement de l'Empire (mai)		Promulgation du Code civil (mars)
1806		Blocus continental (décret de Berlin)	Création de l'Université impériale (mai)
1808		La Banque de France reçoit son statut définitif (janvier)	Création de la noblesse impériale (mars)
1815	Les Cent-Jours (mars-juin) Seconde Restauration (juillet). La « Chambre introuvable » (août)		
1817		Début d'une période de baisse de longue durée des prix (jusqu'en 1850)	Loi électorale établissant le suffrage censitaire (février)
1825			Loi du milliard des émigrés (avril)

POLITIQUE	ÉCONOMIE	SOCIÉTÉ
1830 Louis-Philippe 1ᵉʳ, roi des Français		
1831		Émeute des canuts lyonnais (novembre)
1833		Loi Guizot réorganisant l'enseignement primaire (juin)
1841		Loi pour la protection du travail des enfants (mars)
1842	Loi relative à l'établissement des grandes lignes de chemins de fer (juin)	
1848 Révolution de Février. Proclamation de la République	Création de comptoirs d'escompte (mars)	Commission du Luxembourg (février) Ateliers nationaux (26 février-22 juin) Décret diminuant d'une heure la durée de la journée de travail (2 mars) Décret instituant le suffrage universel (5 mars)
1850	Début d'une période de hausse de longue durée des prix (jusqu'en 1873)	Vote de la loi Falloux (mars)
1852 Rétablissement de l'Empire (2 décembre)	Fondation du Crédit foncier (juillet), du Crédit mobilier (novembre)	Décret sur les sociétés de secours mutuel (mars)
1860	Traité de commerce avec l'Angleterre (janvier)	
1864	Fondation du Comité des Forges	Manifeste des Soixante (février) Loi Émile Ollivier sur le droit de grève (mai) Fondation de l'Internationale (septembre)
1871 La Commune de Paris (mars-mai)		
1873 Échec des tentatives de restauration (octobre)	Début d'une période de baisse de longue durée des prix (jusqu'en 1896)	
1875 Vote des lois constitutionnelles		
1876 Élection de la Chambre des députés (fév.-mars)		
1877 Le Seize Mai (dissolution de la Chambre)		
1878	Invention du procédé Thomas-Gilchrist Première utilisation de la houille blanche	Pasteur découvre le principe des vaccins
1882	Krach de l'Union générale (janvier)	Lois Jules Ferry sur l'enseignement primaire
1884		Loi Waldeck-Rousseau sur les syndicats (mars)
1891		Grève et incidents de Fourmies (1ᵉʳ mai)
1892	Tarif protectionniste (Méline)	Grève de Carmaux (août) Loi sur le travail des enfants, des filles mineures et des femmes (novembre)
1895		Fondation de la C.G.T.
1896	Début d'une période de hausse de longue durée des prix (jusqu'en 1929)	

POLITIQUE	ÉCONOMIE	SOCIÉTÉ
1898	Loi relative aux Chambres de commerce (avril)	Loi sur les accidents du travail (avril)
1900		Loi Millerand sur la durée du travail (mars)
1905 Constitution de la S.F.I.O. (avril) Loi de Séparation des Églises et de l'État (décembre)		
1906 Ministère Clemenceau (octobre)		Loi établissant le repos hebdomadaire (juillet) Congrès de la C.G.T. « Charte d'Amiens » (octobre)
1908	Rachat du réseau de la Compagnie des chemins de fer de l'Ouest (juillet)	Grève et incidents de Draveil (juillet)
1909 Ministère Briand (juillet)		Grève des postiers (mars)
1910		Loi sur les retraites ouvrières (avril) Grève des cheminots (octobre)
1914 Déclaration de guerre de l'Allemagne à la France (3 août)	Loi portant augmentation de la faculté d'émission de la Banque de France (août)	Loi établissant un impôt général sur le revenu (juillet)
1919 La Chambre « bleu-horizon » (nov.) Fondation de la IIIᵉ Internationale		Loi instituant la journée de huit heures (avril) Fondation de la C.F.T.C.
1920 Scission entre socialistes et communistes (déc.)		
1921		Scission syndicale : C.G.T. et C.G.T.U. (décembre)
1928	Stabilisation officielle du franc (juin)	Loi sur les assurances sociales (avril)
1929	Début de la crise économique mondiale	
1932		Loi instituant des allocations familiales pour les salariés (mars)
1936 Victoire du Front populaire aux élections (mai). Vote des lois « sociales » (juin)	Dévaluation du franc (octobre)	Grèves et occupations d'usines (mai-juin) Accords Matignon (juin)
1938 Rupture du Front populaire		Échec de la grève du 30 novembre
1939 L'Angleterre et la France déclarent la guerre à l'Allemagne (3 sept.)		« Code de la famille » (juillet)
1940 Bataille de France (mai-juin) Installation du gouvernement français à Vichy (juillet)		Création des Comités d'organisation (août) Dissolution de toutes les confédérations syndicales (nov.)
1941		Promulgation de la Charte du Travail (octobre)
1943 Constitution du Conseil national de la Résistance (mai)		Institution du Service du Travail Obligatoire (février)
1944 Débarquement allié en Normandie (6 juin)	Nationalisation des houillères du Nord (décembre)	Le droit de vote est étendu aux femmes (octobre)
1945 Capitulation générale des armées allemandes (8 mai). Élection de l'Assemblée Constituante (octobre)	Nationalisation des usines Renault (janvier), de la Banque de France et des grandes banques de dépôt (décembre) Dévaluation du franc (déc.)	Institution des Comités d'entreprise (février), de la Sécurité sociale (octobre). Statut du fermage (octobre)
1946 Élection de la première Assemblée Nationale (novembre)	Nationalisation du gaz et de l'électricité, des assurances (avril)	Loi fixant le régime des prestations familiales (août) Statut général des fonctionnaires (octobre)

	POLITIQUE	ÉCONOMIE	SOCIÉTÉ
1947	Révocation des ministres communistes (mai)	Adoption du plan Monnet (janvier)	Grève aux usines Renault (avril) Scission de la C.G.T. et de Force ouvrière (décembre)
1948	Le R.P.F. tient son premier congrès à Marseille (avril)	Adoption du plan Marshall (avril) Dévaluations du franc (janvier, octobre)	Grève des houillères (avril), des fonctionnaires (juillet). La nouvelle grève des houillères est brisée par la troupe (octobre-novembre)
1951	Élections législatives (juin)	Traité de Paris instituant la Communauté européenne du charbon et de l'acier, C.E.C.A. (avril)	Adoption des lois Marie et Barangé (septembre) Fixation du salaire minimum interprofessionnel garanti (septembre)
1953	René Coty est élu Président de la République au 13ᵉ tour de scrutin	Ouverture du Marché commun de la C.E.C.A. (mai)	Grève générale des services publics (août) Journée des « barricades » paysannes (octobre)
1954	Ministère Mendès-France (juin) Début de la guerre d'Algérie (nov.)		Signature de nombreuses conventions collectives (juin-oct.)
1955	Chute du ministère Mendès-France (février)	Adoption du IIᵉ Plan de modernisation et d'équipement (juin)	Décrets contre l'alcoolisme (février). Conflits du travail à Saint-Nazaire et à Nantes (août-septembre)
1956	Élections législatives (janvier)	Mise en marche de l'usine atomique de Marcoule (janvier)	Accord d'entreprise signé à la Régie Renault (septembre) Extension à trois semaines des congés payés (février). Vote du Fonds national vieillesse (juin)
1957	Chute du ministère Guy Mollet (mai)	Signature des traités de Rome : Marché commun et Euratom (mars). Dévaluation du franc (août)	
1958	A Alger, un Comité de Salut public lance un appel au général de Gaulle (13 mai). Referendum sur la Constitution (septembre). Élections législatives (novembre). De Gaulle, président de la République (déc.)	Dévaluation du franc, création du « franc lourd » (décembre)	
1959	Ministère Debré (janvier)	Adoption du IIIᵉ Plan d'équipement (février)	Grèves dans la métallurgie et les houillères (février-mars). Manifestations syndicales à Saint-Nazaire et à Nantes contre le chômage (octobre). Manifestations paysannes (octobre et décembre)
1960	Semaine des barricades à Alger (janvier)	Entrée en vigueur du « nouveau franc » (janvier)	Manifestations paysannes à Niort (janv.), à Amiens (févr.), dans 18 villes (avril). Grèves tournantes et grèves surprises (mai). Adoption de la loi d'orientation agricole (juillet). Ordonnances anti-alcooliques (novembre)
1961	Putsch des généraux à Alger (avril)	Premier alignement (30 %) des droits de douane des Six du Marché commun (janvier)	Agitation paysanne : 5 000 agriculteurs s'emparent de a sous-préfecture de Morlaix (juin)
1962	Signature des accords d'Evian (mars). Indépendance de l'Algérie (juillet). G. Pompidou Premier ministre (avril)	Adoption du IVᵉ Plan, 1962-1965 (juin)	La Régie Renault accorde à ses salariés une quatrième semaine de congés payés (décembre)
1963		Le général de Gaulle oppose son veto à l'entrée de l'Angleterre dans le Marché commun (janvier)	Grève des mineurs (février-avril)
1964		Décret instituant 21 régions économiques (mars)	

POLITIQUE	ÉCONOMIE	SOCIÉTÉ
1965 Réélection du général de Gaulle à la présidence de la République (décembre)	Crise du Marché commun : la France s'abstient de tout contact avec la CEE pendant six mois (juillet-décembre) Adoption du V⁰ Plan (novembre)	
1966	Inauguration de l'usine marée-motrice de la Rance (novembre)	Loi sur l'assurance maladie des travailleurs indépendants (juin)
1967 Élections législatives (mai)	Accord au Kennedy Round, permettant d'abaisser de 35 à 40 % les tarifs douaniers sur la plupart des produits industriels (mai)	Violentes manifestations de viticulteurs du Midi contre l'importation de vin d'Algérie (mars). Publication de trois ordonnances sur la « participation des salariés aux fruits de l'expansion des entreprises » (avril) Accords de Grenelle (mai)
1968 « Révolution de Mai » Élections législatives (juin) M. Couve de Murville, Premier ministre (juillet)	Suppression des dernières barrières douanières entre les six pays du Marché commun (juillet)	
1969 Échec du referendum et démission du général de Gaulle (avril). G. Pompidou élu président de la République (juin). J. Chaban-Delmas, Premier ministre (juin)	Prise de contrôle de Péchiney-Saint-Gobain par Rhône-Poulenc, fusion de Saint-Gobain et de Pont-à-Mousson (juillet). Dévaluation du franc (août). Les Six acceptent le principe de l'entrée de l'Angleterre dans le Marché commun (décembre)	Le Premier ministre évoque devant l'Assemblée nationale le projet de « nouvelle société » (sept.) Signature d'un « contrat de progrès » à l'Electricité-Gaz de France (décembre). L'Assemblée nationale vote le principe de l'actionnariat ouvrier à la Régie Renault (décembre)
1970 Mort du général de Gaulle (novembre)	Les Six concluent un accord sur le financement des marchés agricoles (février). Adoption du VI⁰ Plan (juin)	Grève des cheminots (février). Accord sur la mensualisation à la Régie Renault (mars). Mensualisation des ouvriers horaires dans la métallurgie (juillet)

GLOSSAIRE

ACQUITS de COMPTANT. Lettres patentes royales portant ordre au garde du Trésor royal de payer à vue au porteur la somme indiquée dans ces lettres, sans qu'il soit fait mention de l'emploi qu'elle recevrait et avec défense à la Chambre des comptes de s'enquérir de leur destination.

ANNUITÉ SUCCESSORALE. Montant annuel des successions déclarées à l'Enregistrement. Fournit la base d'une méthode d'évaluation du mouvement de la fortune nationale. Lorsqu'on ajoute à la valeur des successions celle des donations déclarées, on obtient l'annuité dévolutive.

ATELIERS de CHARITÉ. Ateliers publics ouverts par le gouvernement ou les autorités locales aux ouvriers que le chômage de l'industrie privée laisse sans ressources, aux époques de crise. Cette solution, employée fréquemment sous l'Ancien Régime, a été reprise, pour la dernière fois, en 1848 (Ateliers nationaux).

BANALITÉ. Usage obligatoire d'un objet (four, moulin, pressoir) appartenant au seigneur.

CAPITATION. Impôt créé en 1695, supprimé en 1698, rétabli en 1704. Les contribuables étaient divisés, selon leur faculté contributive, en vingt-deux classes : la première ne comprenait que le dauphin qui payait 10 000 livres, la seconde était taxée à 1 500, et ainsi de suite jusqu'à la dernière, à 20 sols. Les roturiers dont la cote était 40 sols, les religieux mendiants et les pauvres étaient seuls exempts.

CAPITOUL. Nom des anciens magistrats municipaux de Toulouse.

CARTEL. Entente plus ou moins temporaire conclue par plusieurs entreprises en vue de dominer le marché. Les sociétés participantes peuvent s'entendre sur le prix à pratiquer, la répartition des secteurs de vente, les quantités à produire. Les sociétés qui ont souscrit un accord de cartel paient aux autres sociétés participantes une pénalité toutes les fois qu'elles manquent à leurs engagements.

CASUEL. Partie variable (l'adjectif casuel signifie éventuel, incertain) des revenus des curés, provenant des messes, baptêmes, mariages, enterrements.

CENS, censitaire. Sous l'Ancien Régime, redevance essentielle du paysan « censitaire » à son seigneur, payable le plus souvent en argent. A l'époque moderne, quotité d'impositions nécessaire pour être électeur. Le cens électoral fut fixé à 300 francs sous la Restauration, à 200 francs sous la Monarchie de Juillet.

COMMENDE. Collation d'un bénéfice ecclésiastique (abbaye) à un clerc qui n'est pas membre de l'ordre, ou même à un laïc.

COMMUNAL, communaux. Certains territoires appartenant à des communes rurales, le plus souvent en bois, andes, ou pâturages. Sur ces propriétés collectives, les habitants de la commune ont des droits d'usage (de pacage, d'affouage, etc.). Les paysans pauvres pouvaient ainsi entretenir quelques têtes de bétail.

COMPTES de la NATION. Ce sont des évaluations permettant de connaître approximativement la fortune et le capital national (ou du moins les éléments matériels de ce capital), et de déterminer les grandeurs caractéristiques de l'activité économique du pays, ainsi que le revenu national.

CONCENTRATION. Tendance au rassemblement des instruments de production en un nombre de plus en plus petit d'établissements de taille de plus en plus grande. La concentration est dite horizontale quand les établissements fabriquent le même produit, verticale quand ils fabriquent des produits qui dérivent les uns des autres. Cette dernière est dite aussi, parfois, intégration.

CORPS de MÉTIER. Organisation légale ou coutumière de gens exerçant un même métier, généralement manuel. Les corps de métier ou « métiers » étaient soit libres, soit « statués » (avec maîtrise, privilèges, jurandes).

CORPORATION. Voir : Corps de métier.

COTE FONCIÈRE. Part de l'impôt foncier que chaque contribuable doit payer. La cote foncière peut être exprimée en valeur (quotité, ou somme fixe à laquelle monte chaque cote) ou en superficie. Les statistiques des cotes foncières, établies par le ministère des Finances, permettent d'aborder l'étude de la répartition de la propriété foncière.

DÉROGEANCE. Action qui faisait perdre la dignité de noble.

ENTREPRISE. Organisation constituant une unité économique destinée à la production, à l'échange ou à la circulation des biens ou des services. L'entreprise est la cellule économique du régime capitaliste ; elle travaille pour un marché. L'entreprise capitaliste peut être possédée par un particulier ou par une société.

FERMAGE. Mode de faire-valoir par lequel un agriculteur-exploitant (fermier) obtient le droit à l'usage d'une terre et de bâtiments d'exploitation appartenant à un propriétaire (bailleur) moyennant une redevance fixe, indépendante de la récolte (loyer, ou encore fermage). Celle-ci est généralement versée en argent ; elle peut l'être aussi en nature.

FERMIER. Voir : Fermage.

FRANCHISE. Immunité, exemption en matière de redevances, de taxes ou d'impôts.

FUIE. Petit colombier.

GRADUELLE (noblesse). Noblesse intermédiaire entre la noblesse transmissible et la noblesse viagère. Elle est transmissible à la condition que plusieurs générations successives exercent la charge qui l'a initialement conférée.

HABITUÉ (prêtre). Prêtre qui n'a ni charge ni dignité dans une église, mais qui assiste aux offices et y rend des services.

HORAIRES. Salariés payés à l'heure.

HYPOTHÈQUE. Garantie portant sur des biens immobiliers et qui donne au créancier garanti (créancier hypothécaire) la possibilité de faire vendre l'immeuble hypothéqué à son profit et de se faire payer avant les autres créanciers sur le prix de la vente, si son débiteur ne s'acquitte pas de sa dette au jour de l'échéance. L'hypothèque se constitue par acte notarié, soumis à une publicité consistant en une inscription à la Conservation des hypothèques.

INFLATION. Processus de la hausse générale des prix, résultant du fait que le marché est incapable de répondre aux demandes des consommateurs capables de payer. Ceux-ci offrent alors de payer plus cher pour acquérir les marchandises disponibles. C'est un excès de la demande solvable sur l'offre de biens, qui se traduit ou tend à se traduire par une hausse générale des prix.

MENSUELS. Salariés payés au mois.

MÉTAYAGE. Contrat par lequel un propriétaire foncier donne une terre à exploiter à un métayer moyennant partage des fruits selon une proportion déterminée (à l'origine, par moitié). En général, le propriétaire apporte, en plus de la terre et des bâtiments, une partie du bétail et du matériel. De ce fait, il jouit de la direction générale de l'exploitation, tandis que le preneur en assure la marche journalière.

MÉTAYER. Voir : Métayage.

MÉTIER JURÉ. Voir : Corps de métier.

NATIONALISATION. Remise d'une entreprise à la nation, en éliminant de sa gestion les capitalistes. A la différence de l'étatisation (exemple : Postes et Télécommunications), la nationalisation n'implique pas nécessairement que le capital soit fourni intégralement par l'État. Elle laisse les entreprises en dehors du budget et n'accorde pas au personnel le statut des fonctionnaires.

OFFICIALITÉ. Tribunal établi auprès de l'évêque, et devant lequel sont portées les causes matrimoniales et les causes contentieuses qui concernent les clercs.

OPENFIELD. Type de paysage rural caractérisé par l'absence de haies et de clôtures, l'assemblage de parcelles généralement allongées sous la forme de lanières, et la division du terroir en quartiers de culture ou soles. Le paysage d'openfield s'oppose au paysage de bocage.

PORTEFEUILLE. Ensemble des effets de commerce et des valeurs mobilières détenus par une personne physique ou morale (par exemple, une société).

PRIVILÈGE. Avantage réservé par la loi ou la coutume à une certaine catégorie de personnes, à l'exclusion des autres membres de la société.

RENTE. Sous l'Ancien Régime, on distingue les rentes *seigneuriales,* en argent ou en nature, qui grèvent les tenures paysannes, les rentes *constituées,* qui sont des prêts entre particuliers, les rentes *sur l'Hôtel de Ville* (de Paris) qui sont des emprunts d'État.

REPRODUCTION (taux net de). Ce taux calcule combien cent femmes mettraient au monde de filles destinées à les remplacer, si la fécondité et la mortalité féminines demeuraient ce qu'elles sont à l'époque étudiée. On obtient ainsi le taux de remplacement des générations féminines, c'est-à-dire le rapport entre es effectifs de deux générations successives. Lorsque le taux net est égal à 1, la population peut être considérée comme étant en équilibre, chaque génération assurant intégralement son remplacement.

SALAIRE. Paiement d'un travail, à l'exclusion de toute autre fourniture. Il est le résultat d'un contrat de louage de service, dit contrat de salaire ou contrat de travail. *Salaire nominal :* salaire exprimé en monnaie ; *salaire réel :* salaire exprimé en biens de consommation.

VAINE PATURE (droit de). Les terres vaines, c'est-à-dire incultes (friches) ou débarrassées de leurs récoltes (chaumes), peuvent être pâturées par l'ensemble des troupeaux d'un village, et constituent alors une sorte de propriété collective.

TABLE DES FIGURES

Répartition de 1000 mariages selon le nombre d'enfants nés vivants 14
Importance relative des trois grands groupes d'âge dans la population française . . . 15
Pyramide des âges de la population française au 1er janvier 1970 16
Diminution de la population départementale en 1946 d'après le maximum constaté 18
Mouvements de la population de la France, 1946-1968 20
Mouvements de la population de quelques villes 23
Mouvements de la population dans l'agglomération parisienne 24
Répartition de la population active par secteur 31
Progrès des techniques, 1825-1965 33
Estimations du revenu national 39
Évolution du revenu national depuis 1901 41
L'immigration parisienne au XIXe siècle, 1833 50
L'immigration parisienne au XIXe siècle, 1891 50
Importance de la population urbaine en 1968 51
La croissance du produit agricole français en francs constants 53
Les artisans lyonnais au XVIIIe siècle : le creusement des écarts de fortune entre les maîtres et les ouvriers au cours du siècle 89
La hiérarchie des fortunes des ouvriers en soie au XVIIIe siècle (d'après les contrats de mariage) 90
La supériorité de la richesse nobiliaire sur les fortunes marchandes à Lyon 91
L'immigration : paroisses d'origine des nouveaux habitants de Lyon en provenance des provinces de Lyonnais, Forez et Beaujolais, 1786-1788 92
Toulouse : l'inégalité sociale au moment du décès 93
Le clergé séculier 107
La grande propriété en 1826 112
Statistiques des cotes foncières, 1884 113
Nombre de recrues sachant lire et écrire, 1830-1833 118
Mouvement du nombre des cotes de patentes, 1827-1913 128
Mouvements des salaires horaires moyens 147
L'annuité dévolutive 148
Caisses d'épargne, 1835-1913 153
Élections du 26 avril 1914 : extrême gauche 179
Ancienneté de l'orientation à droite 196
Ancienneté de l'orientation à gauche 197
Évolution de la masse monétaire de 1870 à 1958 201

Évolution du nombre des grévistes de 1900 à 1938 210
L'exploitation du sol 220
Les sources de revenu, 1954 239
Le revenu moyen par ménage et par région en 1965 240
L'inégalité des revenus dans la France de 1960 241

LISTE DES TABLEAUX

1. Taux net de reproduction 13
2. Répartition de la population française selon trois grands groupes d'âge 16
3. Pourcentage de la population urbaine 19
4. Les effectifs des agents de la fonction publique 29
5. Évolution des effectifs des trois grands secteurs d'activité 30
6. Taux annuel moyen géométrique de croissance du produit intérieur brut total
   de l'industrie et de l'artisanat 40
7. Statistique des cotes foncières (1826) 111
8. Répartition de la population active agricole (1862-1882) 115
9. Évolution de la population active (1866-1906) 154
10. Population active, par statut 155
11. Origine sociale des députés (1871-1893-1919) 171
12. Nombre d'établissements industriels (1906-1921) 204
13. Évolution des effectifs des cadres 1954-1962-1968 225
14. Progression de la consommation des ménages de 1956 à 1969 228

TABLE DES DOCUMENTS

1. Évolution générale de la population de la France depuis la fin du XVIIIᵉ siècle .. 46
2. Mariages, naissances, décès de 1806 à 1969 47
3. Les étrangers en France 48
4. Mouvement de la population de la région parisienne 49
5. L'immigration parisienne au XIXᵉ siècle en 1833 50
6. L'immigration parisienne au XIXᵉ siècle en 1891 50
7. Importance de la population urbaine en 1968 51
8. Répartition des communes suivant l'importance de leur population en 1968 ... 52
9. La croissance du produit agricole français en francs constants 53
10. Problèmes de classement et de nomenclature : comment travaille un historien.. 82
11. L'histoire statistique 83
12. Les deux peuples du bocage 84
13. Un type original de paysan : le vigneron 85
14. La fabrique lyonnaise 86
15. Composition des revenus fonciers moyens de vingt familles nobles du diocèse de Toulouse au milieu du XVIIIᵉ siècle 87
16. La rente foncière 87
17. Les revenus d'une famille noble du diocèse de Toulouse à la fin de l'Ancien Régime 88
18. Les artisans lyonnais au XVIIIᵉ siècle : le creusement des écarts de fortune entre les maîtres et les ouvriers au cours du siècle 89
19. La hiérarchie des fortunes des ouvriers en soie au XVIIIᵉ siècle (d'après les contrats de mariage) 90
20. La supériorité de la richesse nobilaire sur les fortunes marchandes à Lyon 91
21. L'immigration : paroisses d'origine des nouveaux habitants de Lyon en provenance des provinces de Lyonnais, Forez et Baujolais, 1786-1788 92
22. Toulouse : l'inégalité sociale au moment du décès 93
23. Traits de l'esprit bourgeois 93
24. La fin de l'Ancien Régime 95
25. Le morcellement successoral 144
26. La législation des associations 145
27. Rapport à l'empereur sur les vœux des délégations ouvrières à l'Exposition universelle 146
28. Mouvement des salaires horaires moyens 147
29. L'annuité dévolutive 148
30. Chronologie du mouvement ouvrier, 1800-1870 149

31. Les classes sociales et la politique 184
32. Les boursiers 185
33. Les institutrices laïques et le milieu rural 186
34. La pratique religieuse dans le département de la Nièvre au début du xxᵉ siècle . 186
35. Loi de finances du 15 juillet 1914 188
36. Du bon usage des livres de comptes 190
37. Loi du 21 mars 1884, relative à la création des syndicats professionnels 191
38. La « Charte d'Amiens » 192
39. Chronologie du mouvement ouvrier, 1870-1914 192
40. Ancienneté de l'orientation à droite 196
41. Ancienneté de l'orientation à gauche 197
42. Indices généraux de prix et de salaires (1905-1959) 234
43. Salaires mensuels nets de 1938 à 1959 235
44. Indice du revenu mensuel net des ouvriers 236
45. Dépenses annuelles de familles ouvrières parisiennes en 1906 et en 1936-37 236
46. Dépenses annuelles de familles ouvrières parisiennes en 1906 et en 1936-37 237
47. Consommation des ménages en 1969 238
48. Les sources de revenu, 1954 239
49. Le revenu moyen par ménage et par région en 1965 240
50. L'inégalité des revenus dans la France de 1960 241
51. Population active par catégories socio-professionnelles et statuts 242
52. Type ancien de vie paysanne 243
53. La révolution agricole en Aquitaine 245
54. Démoralisation ouvrière 247
55. Style de vie et attitude politique des travailleurs 248
56. La mentalité des cadres 251
57. Protocole de l'accord de Grenelle (27 mai 1968) 252
58. Les interprétations de la crise de mai-juin 1968 253
59. Mythologie de l'abondance 254
60. La nouvelle société 255

TABLE DES MATIERES

AVANT-PROPOS 5

Préface à la sixième édition 9

INTRODUCTION : LES HOMMES ET LEURS ACTIVITÉS 10

1. L'évolution de la population à l'époque contemporaine 10
D'une démographie dynamique à une démographie stationnaire, 11. — Le renouveau démographique, 14.

2. Les migrations intérieures 17
Le dépeuplement des campagnes, 21. — La croissance des villes, 22.

3. Les migrations professionnelles 25

4. Les progrès de l'économie française 32
L'innovation, 32. — La croissance, 38.

Lectures complémentaires 44

Documents 46

CHAPITRE PREMIER : LA SOCIÉTÉ FRANÇAISE A LA FIN DE L'ANCIEN RÉGIME 54

1. Structure verticale de la société : les ordres 54
Le clergé, 55. — La noblesse, 59. — Le tiers état, 62.

2. Structure horizontale de la société : diversité des conditions sociales 67
Les campagnes, 67. — Les villes, 72. — Paris, 77.

3. Conclusion 78

Lectures complémentaires 80

Documents 82

CHAPITRE 2 : VERS LA SOCIÉTÉ INDUSTRIELLE 100

1. Les vaincus de la Révolution : noblesse et clergé 101

2. Les bénéficiaires de la Révolution : paysannerie et bourgeoisie 109
La paysannerie, 109. — La bourgeoisie, 120.

3. *La formation du prolétariat ouvrier* 130

4. *Conclusion* 141

Lectures complémentaires 142

Documents 144

CHAPITRE 3 : DE LA COMMUNE A LA BELLE ÉPOQUE 152

1. Les couches nouvelles 157
Les capacités, 157. — Les entreprises, 160. — Les paysans, 162.

2. La grande bourgeoisie 170

3. Le mouvement ouvrier 174

4. Conclusion 181

Lectures complémentaires 182

Documents 184

CHAPITRE 4 : LA SOCIÉTÉ DU XXᵉ SIÈCLE 1914-1970 198

1. *Les bouleversements de la guerre* (1914-1921) 199

2. *L'aggravation des conflits sociaux* (1930-1945)........................... 208

3. *Le décollage économique et ses conséquences* 1950-1970 216
La « révolution silencieuse » des paysans, 216. — La « nouvelle classe ouvrière »,
221. — Les nouvelles classes moyennes, 224.

4. *Conclusion : une société contestée* 227

Lectures complémentaires 232

Documents 234

ANNEXES

Chronologie 258

Glossaire 263

Table des figures 266

Liste des tableaux 267

Table des documents 268

Table des matières 270

I.M.E. - 25-Baume-les-Dames - Dépôt légal Juin 1982 - N° éditeur 8324